हमारी उम्मीदें

हमारी उम्मीदें

इन्तख़ाब आलम

GenNext Publication

हमारी उम्मीदें

ISBN : 978-93-8022-360-5

भारत सन् 2019 में प्रकाशित

जेन्नेकस्ट पब्लिकेशन

5, अंसारी रोड, दरियागंज,

नई दिल्ली-110002

Phone: 9811692060

ई-मेल: gennextpublication@hotmail.com

मुद्रित: जी. प्रिंट प्रोसेस, दिल्ली

हमारी प्रेरणा के स्रोत

यह किताब मैं अपने मरहूम दादा जनाब "अब्दुल ग़नी" और हमारे बुज़ुर्ग मरहूम "मिर्ज़ा वज़ीर बेग चंगेज़ी" को नज़र करता हूँ जो हमारी प्रेरणा के स्रोत हैं।

फ़ेहरिस्त (CONTENTS)

ऐतराफ़ (Acknowledgement)

हमारी उम्मीदें मेरी ज़िन्दगी का एक ऐसा मक़सद है जिसका पूरा होना मैं मिल्लत-ए-मुस्लिमीन के लिए ज़ुरूरी समझता हूँ और मेरे इस मक़सद को पूरा करने में मिर्ज़ा शाहिद चंगेज़ी ने एक अहम् किरदार निभाया है।

मिर्ज़ा साहब यूँ तो क़ौम-ए-मुस्लिमीन की ख़िदमत के सिलसिले में हमेशा ही अपनी कोशिशों को ऊँचे मक़ाम पर रखते रहे हैं मगर इस किताब के शाया होने के सिलसिले में जो जुस्तुजू उन्होंने की है उसके लिए मैं उनका तहे दिल से शुक्रगुज़ार हूँ। उन्होंने अपनी जुस्तुजू से यह साबित कर दिया कि क़ौम-ए-मुस्लिमीन की खिदमत करने का उनका जज़्बा एक मुख्लिस जज़्बा है और वोह हक़ीक़तन इल्मी ऐतबार से भी मिल्लत की खिदमत करने के लिए हमा वक़्त मौजूद हैं।

यहाँ मैं उनके हाथों चलाए जा रहे इदारे "शमा एजुकेशन एंड पॉलिटेकनिक सोसाइटी" का ज़िक्र करना भी ज़रूरी समझता हूँ क्योंकि उनका यह इदारा 1996 से ही आवामी ख़िदमती आमाल को अंजाम दे रहा है। यह इदारा तालीम को फ़रोग़ देने, नौजवानों को रोज़गार दिलाने, डिस्पेंसरी/दवाख़ाने चलाने और हिन्दू-मुस्लिम एकता के लिए जद्दोजहद करने जैसे अहम् कामों में मसरूफ और कामयाब है। अपने इस एजेंडे के तहत यह इदारा एक बुलंद, सेहतमंद और

तालीमयाफ़्ता हिंदुस्तान का तसव्वुर किए हुए है और इसे हासिल करने की जानिब लगातार ग़ामज़द है। इसलिए "शमाँ एजुकेशन एंड पॉलिटेकनिक सोसाइटी" का भी मेरी इस कोशिश में साथ देने के लिए बहुत-बहुत शुक्रिया।

इन्तख़ाब आलम

प्रस्तावना (Preface)

यह कायनात कैसे बनी? और आख़िर इसके बनने की ज़रूरत क्या थी? क्या किसी का इरादा था इसके पीछे या यह किसी सनक का नतीजा है? अगर वह किसी सोची समझी योजना का परिणाम है तो फिर उसमें इतनी अराजकता क्योंकर है? या, जिसे हम अराजकता कह रहे हैं, वह भी किसी नियम या दस्तूर के चलते ही है?

क्या कुदरत के तौर तरीके कुछ और हैं और उन्हें कोई ऐसी हकीकत तय कर रही है जिसे समझना हम इंसानों के बस के बाहर है?

इंसान, जो खुद को सबसे नायाब और अहम् मानता है इस पूरी धरती पर वह इतना खोया खोया क्यों है अगर उसे वह नेमत बख्शी गई है जिसे अक़्ल कहते हैं? या उससे भी आगे बढ़कर विवेक, जिससे वह सच और झूठ का पता तो कर ही सकता है, क्या सही है और क्या गलत, इसका भी अंदाज़ कर सकता है. उसका मालिक होने के बावजूद क्यों वह भटक जाता है?

लाखों बरस के इतिहास में खुद को रखकर देखने पर अपनी नगण्यता का अहसास होता है. लेकिन इसके मानी ये नहीं कि इंसान क्षुद्र है. उसके होने का महत्त्व है. हम कह सकते हैं कि पूरी कायनात चक्कर काट रही है लेकिन इस चक्कर का कुछ अर्थ है, यह एक इंसानी ख्याल है. यह चक्कर बिना इस कायनात के सभी सदस्यों के रिश्तों के बीच के तनाव के बने हुए मुमकिन नहीं. इस रिश्ते की खोज और उनके बने रहने के लिए उनके बीच एक खिंचाव की सीमा का अंदाज़, यह इंसानी दिमाग की खोज है.

वह तनाव जो अलग अलग ग्रहों को एक दूसरे से टकराने से बचाता है और एक अनंत रक्स पैदा करता है, वह हम अपनी धरती पर इंसानी समाजों के

बीच खोजने और कायम करने की कोशिश कर रहे हैं. यह किताब भी उसी खोज का एक हिस्सा है.

फ़लसफ़ा हर एक का हक़ है. हम सब अगर गहराई से, ठहरकर सोचने की मश्क करें तो हमारे भीतर का फ़लसफ़ी शायद जाग उठे. यह किताब उसी मश्क की ओर एक इशारा है और इसलिए हमारे लिए कीमती है.

अपूर्वानंद

प्रोफ़ेसर, दिल्ली विश्वविद्यालय (हिंदी विभाग)

27 नवंबर, 2018

इब्तिदा (Introduction)

हम सभी दीन-ए-इस्लाम के मानने वाले लोग अपने-अपने दायरों में रहते हुए अक्सर उन सवालों पर मज़ाक़िरा करते हैं जिनसे मिल्लत-ए-मुसलमां मौजूदा दौर में दो-चार है। इस सिलसिले में हम दीन पर गुफ़्तुगू करते हैं, इस्लामी सियासत पर गुफ़्तुगू करते हैं, तालीम पर गुफ़्तुगू करते हैं, शिद्दत पसंदी और न पसंदी पर गुफ़्तुगू करते हैं या अपने नज़रियों और अक़ीदों पर गुफ़्तुगू करते हैं लेकिन हमारी यह तमाम गुफ़्तुगू अक्सर बेनतीजा ही रहती है क्योंकि हम उससे हासिल नताइज को सतही तौर पर लागू करने में नाकामयाब होते हैं। हालाँकि हमारे पास मुश्किल सवालों के जवाबात मौजूद हैं, फिर भी हम कही न कही एक ऐसी कामिलियत (Perfection) की तलाश में रहते हैं जो हमारे सामने से शक-ओ-शुबहः की धुंध को साफ़ कर दे। लेकिन अपनी तमाम जद्दो जहद के बावजूद भी यह कामीलियत हमें नहीं मिल पाती। और यही वोह वजह है जिसके चलते मौजूदा किताब "**हमारी उम्मीदें**" तराशी गयी है।

इस किताब का मक़सद नए सवाल पैदा करना नहीं है बल्कि उन तमाम सवालात के जवाब ढूँढना हैं जिनके रहते हमें यह तय करने में मुश्किलात का सामना करना पड़ रहा हैं कि हम दीन-ए-इस्लाम के बाहिर की दुनिया के साथ किस तरह एक सही तालमेल बैठाए ताकि अपने दीन से कोई समझौता किये बग़ैर ही हम भी दुनिया की उस तेज़ रफ़्तार तरक्क़ी का एक हिस्सा बन सकें जो या तो हमें खुद से अलग समझती हैं या हम खुद ही अपने आप को उससे अलग किए हुए हैं। और इस मक़सद को हासिल करने के लिए ही एक दूसरे से बिलकुल

अलग और मुक़म्मल चार बाबों में लिखी यह किताब उन तमाम पहलुओं से होकर गुज़रती है जो किसी भी क़ौम के लिए बिलकुल बुनियादी पहलूँ हैं और जिन पर ग़ौर-ओ-अम्ल किये बग़ैर दुनिया की कोई भी कौम खुद को लम्बे वक़्त तक इस दुनिया में क़ायम नहीं रख सकती। यह किताब दुनिया की मुख़्तलिफ़ क़ौमों के हाथों अपनाए गए उन अलग-अलग फ़लसफ़ों और अलग-अलग नज़रियों को खुत-कशीदा (Underline) करती है जिन्हें दीन-ए-इस्लाम को मानने वाली एक बड़ी जमात ने कम इल्मी के बाइस या तो खुद ही नहीं अपनाया या उन्हें अपनाने नहीं दिया गया और जिसके नतीजे में हम एक ऐसी तंग नज़र क़ौम बनकर रह गए जिसके पास दीन-ए-इस्लाम के बाद किसी दूसरे नज़रिये के लिए कोई जगह ही नहीं बच सकी।

इस किताब की बुनियाद एक ऐसे मन्तक़ी फ़लसफ़े पर है जो कहता है कि "सबकुछ किसी न किसी क़ानून के तहत चलता है" यानि "Everything is governed by a law"। और यही फ़लसफ़ा आख़िरकार उन मुश्किल सवालों के जवाब पेश करता है जिनके जवाब एक आम और कम पढ़ा लिखा इंसान अपनी ज़िन्दगी के ज़्यादातर वक़्त तलाश करता फ़िरता है। जैसे-जैसे हम इस फ़लसफ़े पर गहराई से ग़ौर करते हैं हमारे सामने यह साफ़ होता जाता है कि जैसे ही किसी अमल से जुड़े बुनियादी क़ानून की मालूमात हमें हो जाती है वैसे ही हम उस हालत तक पहुँच जाते हैं जहाँ हम आने वाले नतीजे की एक दक़ीक़ पैमाइश कर सकते हैं। हैरतअंगेज़ बात यह है कि यह फ़लसफ़ा हर वक़्त और हर जगह काम करता है और इसीलिए यह फ़लसफ़ा हर उस इल्म की बुनियाद बल्कि यह कहें की उसका ख़ालिक़ है जिसे हम दुनिया-ओ-कायनात के गोशे-गोशे में काम करता हुआ देखते और महसूस करते हैं। यहाँ तक कि कोई मज़हब

या दीन भी इसके दायरे से बाहिर नहीं है। हालाँकि यह इंसान का ज़ाती अक़ीदा है कि वोह इस फ़लसफ़े की मौजूदगी की वजह किसे समझता है।

"हमारी उम्मीदें" इस्लामी मुआशरे में की जा रही उन कोशिशों का एक हिस्सा भी है जो दीन-ए-इस्लाम के मानने वालों को यह समझाने की कोशिश करती हैं कि मुख़्तलिफ़ दुनियावी नज़रिये भले ही दीन की तशरीह (Definition) के दायरे में रहते हो या न रहते हो मगर उन्हें फौरी तौर पर मुस्तरद (Reject) कर देना दरअसल दीन के असल उसूलों के ख़िलाफ़ है। ऐसा करने से हम दुनिया को समझने के उन बेहरतरीन मौक़ों को खो देते हैं जो हमें हक़ और बातिल के बीच फ़र्क़ करना सिखा सकते हैं क्योंकि दीन-ए-इस्लाम का असल मतालबा (Demand) उसके मानने वालों से यही है कि वो हक़-ओ-बातिल में फ़र्क़ करना जानते हो। ऐसे मौक़ों को खो देने का असल अहसास इंसान को सिर्फ यह जान लेने से ही हो सकता है कि आज दुनिया को जो कुछ भी हासिल है वो ज़िक्र किए गए फ़लसफ़े और उन लोगों की वजह से है जिन्होंने अपने बुनियादी यक़ीनों और अक़ीदों से ऊपर उठकर इस दुनिया को समझने की कोशिश की और अपनी हदों से बाहिर निकलकर नए फ़लसफ़ों और नज़रियों को दरयाफ़्त किया। उन्होंने पहले से तय कुदरती क़वानीन को जाना और समझा और उन्हें अपने हक़ में इस्तेमाल किया। और यही वजह है कि यह किताब दीन-ए-इस्लाम को रियाज़ियात और साइंस के ज़रिए एक नई तौसिहः (Extension) देने की कोशिश करती है ताकि इंसान के मुख़्तलिफ़ यक़ीनों के वो बुनयादी मानी ढूंढे जा सकें जो रियाज़ियात और साइंस के ज़रिए से पहले ही साबित हो चुके हैं या हो सकते हैं।

जिन वजहों ने इस किताब की ख़िलक़त को हौसला दिया है उनमें सबसे अहम् वजह पसमांदा मुसलमानों का इल्म को वोह अहमियत न देना है जिसका

यह हासिल है, क्योंकि इल्म की कमी या इल्म की जानिब बेरुखी ही उनके लिए वो हालात पैदा करती है जिन्हें दरअसल इल्म के ज़रिए से ही टाला जा सकता है। यह एक ऐसी कोशिश है जो दरअसल लाइल्म, कम इल्म और पसमांदा मुस्लिमीन को ज़हन में रखकर ही अंजाम दी गई है और जिसके ज़रिए दीन-ए-इस्लाम के मानने वालों को यह समझाने की कोशिश की गई है कि इल्म-ए-क़ुरान से अलग इल्म-ए-दुनिया जिसे वो महज़ ज़रिया-ए-आमदनी समझने की ग़लती करते हैं दरअसल वोह भी हमारे दीन का एक हिस्सा ही है क्योंकि हमारी हयात की ज़िम्मेदारी उसके सुपुर्द है, जबकि दीन या इल्म-ए-कुरान का काम हमारी रहनुमाई करना है। और यह तो हरगिज़ दानाई (Wisdom) नहीं कि इल्म-ए-हयात को छोड़ कर इंसान महज़ इल्म-ए-रहनुमाई के ज़रिए ही अपनी पूरी ज़िन्दगी गुज़ार दे। इसके अलावा मारिफ़त-ए-ख़ुदा के जितने राज़ इल्म-ए-दुनिया हमें समझाता है उतने राज़ यक़ीनन इल्म-ए-दीन हमें नहीं समझा पाता जिसकी एक बड़ी वजह हमारा उसे इल्म-ए-दुनिया के पस-ए-मंज़र (Background) न समझना है। लिहाज़ा इस कोशिश में एक बड़ी पहल **"हमारी उम्मीदें"** करती है जो साइंस और रियाज़ियात के मुख़्तलिफ़ पहलुओं के ज़रिए पढ़ने वालों को इल्म-ए-दुनिया की अहमियत समझाती है और दुनिया के इस मुक़ाबिलाई (Competitive) माहौल में दीन-ए-इस्लाम के मानने वालों को मुक़ाबिला करने के कुछ नए ज़राए (Methods) मुहैया कराती है। और ऐसा करते वक़्त यह किताब उन ज़्यादातर सवालों के जवाब भी दे देती है जिन्हें एक कम इल्म मुसलमान अपने अंदर लिए घूमता है लेकिन उनके जवाब नहीं ढूँढ पाता।

एक आखरी मतालबा जो इस किताब को पढ़ने से पहले मैं हर पढ़ने वाले से करना चाहता हूँ वोह यह है कि दुनिया में हर रोज़ और हर वक़्त इंसान के

दिमाग़ों में नए ख्याल और नए फ़लसफ़े पैदा होते हैं और ऐसा होना भी चाहिए क्योंकि असल में इसीलिए तो इंसानी दिमाग़ को ख़ल्क़ किया गया है। हालाँकि कोई नया ख्याल या नया फ़लसफ़ा सही है या ग़लत इसका फैसला "वक़्त" किसी एक इंसान से हमेशा बेहतर तौर पर ही करता है। इसलिए फ़लसफ़ों के सिलसिले में अगर हम जल्दबाज़ी से काम लेते हैं तो यह हमेशा ही हमें सही बात समझने से रोक देता है और बात की असल गहराई हम तक नहीं पहुँच पाती। लिहाज़ा इस किताब को पढ़ते वक़्त किसी भी फ़ैसले पर पहुँचने से पहले इस मतालबे को भी ज़हन ने रखा जाना चाहिए क्योंकि मन्तक़ी तौर पर किसी एक सही या ग़लत नज़रिये (Theory) को समझकर ही इंसान हक़ के किसी दूसरे नज़रिये तक पहुँच पाता है।

शुक्रिया

इन्तख़ाब आलम

सबात एक तग़य्युर को है ज़माने में

सुकूँ मुहाल है क़ुदरत के कारख़ाने में

अल्लामा इक़बाल

Only The Change Is Static In The Universe

So, There Is No Rest Anywhere

बाब 1

इस्लाम और इल्म

मैं जब भी सर उठाकर आसमान की तरफ नज़र करता हूँ, तो न जाने क्यों हर बार मेरा तमाम वुजूद इस लामहदूद (Unlimited) कायनात (Universe) को समझने की कोशिश करने लगता है। नादानी भरे वैसे ही हज़ारों सवाल मेरे ज़हन में उठने लगते हैं, जैसे कोई बच्चा अपने आसपास का माहौल जानने और समझने के लिए अपने वालिदेन से करता है। मुझे नहीं मालूम की मेरी यह महदूद नज़र इस कायनात के किस मक़ाम या किस हद तक जाती है, मुझे यह भी नहीं मालूम की इस तमाम कायनात में मेरी कुल हैसियत क्या है, मगर स्कूल की किताबों से मैंने इतना तो जाना ही है कि हमारी यह ज़मीन जिसे हम पृथ्वी (Earth) कहते हैं, इस कायनात की अकेली वारिस नही है बल्कि इसका भी एक भरा पूरा ख़ानदान है जिसे हम निज़ाम-ए-शम्सी (Solar System) कह कर मुख़ातिब करते हैं। इस निज़ाम-ए-शम्सी (Solar System) में हमारी इस पृथ्वी के अलावा भी 7 और सय्यारें (Planets) हैं जो इस ख़ानदान के सबसे बुज़ुर्ग रुकुन (Member) सूरज के चारों तरफ एक तय चाल से घूमते रहते हैं, या यूं कहें कि सूरज की तस्बीह करते रहते हैं। हमारी पृथ्वी का यूँ सूरज के गिर्द घूमना ही हमारे लिए दिन और रात भी लाता है और वो मौसम भी जो कभी हमारी जिल्द (Skin) को साँवला बना देते हैं तो कभी उसे गुलाबी। हमारा यह गर्म और उबलता हुआ सूरज जो हमारी पृथ्वी से 3 लाख गुना से भी ज़्यादा भारी है वोह इन सब सय्यारों को अपनी कशिश (Gravity) से एक साथ बांधे रखता है और यह कशिश इस निज़ाम-ए-शम्सी को

कभी बिखरने नहीं देती। लिहाज़ा सूरज के इर्द-गिर्द सय्यारों के घूमने का यह सिलसिला करोड़ों सालों से जारी है और आगे भी यूँही जारी रहेगा।

ज्यों-ज्यों मेरे इल्म में इज़ाफ़ा होता गया वैसे-वैसे ही मैं यह भी जानने लगा कि हमारा सूरज या उसका पूरा निज़ाम भी इस कायनात के अकेले वारिस नहीं हैं बल्कि खुद यह और इसका पूरा निज़ाम भी करोड़ों-अरबों सितारों से भरी हुई एक कहकशां (Galaxy) का अदना सा हिस्सा हैं और जो एक साथ अपनी कहकशाँ के मरकज़ (Centre) के चारों तरफ एक तय चाल घूम रहें हैं। यह मेरे उस यक़ीन के लिए एक बड़े झटके जैसा था जिसने हमेशा ही सूरज को अपनी जगह पर ठहरी हुई किसी शय की सूरत में तस्सवुर (Imagine) किया था। और तो और मैंने यह भी जाना की हमारी कहकशाँ के तमाम सितारें भी लगातार इसके मरकज़ के चारों तरफ वैसे ही घूमते रहते हैं जैसे सूरज के गिर्द उसके 8 सय्यारें। बात यही ख़त्म हो जाती तो भी ग़नीमत थी पर इसके बाद जब मैंने कहकशाँ की तरफ रुख किया तो मैंने पाया कि हमारी कहकशाँ भी इस कायनात की अकेली वारिस है बल्कि यह तो उन करोड़ों कहकशांओं में से महज़ एक कहकशाँ है जो इस लामहदूद कायनात के खिलां (Open Space) मे चारों तरफ बिखरी हुईं हैं। बेशक किसी कहकशाँ जिनते बड़े वुजूद के लिए यह बात नाक़ाबिले यक़ीन है कि वोह भी हमारी पूरी कायनात नही है बल्कि महज़ उसका छोटा सा हिस्सा है, मगर फिर भी यह बात एक मुक़म्मल सच है, फिर चाहे इस पर यक़ीन किया जाए या न किया जाए।

अब मेरी दिलचस्पी बढने लगी और मैंने अपनी नज़र का रुख चाँद सितारों की दुनिया से हटाकर ज़मीन के ज़र्रों की तरफ किया। मैंने पाया कि ज़र्रों की दुनिया भी कायनात की तरह ही बेकल-ओ-बेचैन है। यह जानना दिलचस्प था कि दुनिया की हर शय, ज़िन्दा हो या बेजान, ज़मीन हो या पहाड़, हवा हो या पानी, सब निहायत ही छोटे-छोटे ज़र्रों से मिलकर बनी हैं जिन्हें परमाणु (Atom) कहा जाता हैं। परमाणु को हम वह आखरी टुकड़ा कह सकते है जिसके आगे किसी शय को

तोड़ा नही जा सकता, क्योंकि इसके आगे तोड़े जाने के बाद कोई शय फ़िर वही शय नहीं रह सकती। बेहरहाल, मेरी और जानने की कभी न ख़त्म होने वाली खुआहिशों ने पाया कि इन परमाणुओं में समाई हुई बेकल-ओ-बेचैनी भी दरअसल तीन तरह के बुनियादी अनुओं (Molecules) की वजह से हैं जिन्हें न्यूट्रॉन, प्रोटोन और इलेक्ट्रान (Neutron, Proton & Electron) कहा जाता हैं। प्रोटोन और न्यूट्रॉन परमाणु के मरकज़ मे रहते हैं जबकि इलेक्ट्रान मरकज़ के चारों तरफ वैसे ही घूमते हैं जैसे सूरज के गिर्द उसके सय्यारें या कहकशाँ के मरकज़ के गिर्द सितारें। हम कायनात की किसी भी शय की बात करें तो हम पाएंगे कि उसके आखरी टुकड़े की कहानी बिलकुल यही है और यह वाक़ई एक नाक़ाबिल-ए-यक़ीन सच्चाई है।

इतना जान लेने के बाद जो एक बात मैं यक़ीन से कह सकता हूँ वोह यह है कि कायनात मे चाहे वोह सूरज हो, सितारें हों, सय्यारें हों कहकशाएँ हों या कोई ज़र्रा हो, कोई भी शय हालत-ए-सुकून मे नही है। हर शय एक बदलाव, एक चाल, एक बैकली, एक रफ़्तार या एक गति हासिल किये हुए हैं। और कोई ताक़त है जो न सिर्फ इन मुसलसल बदलावों की हामिल है, बल्कि इस रवानगी, इस चाल, इस गति को बरक़रार रखने के लिए ज़रूरी तवानाई (Energy) भी फ़राहम कर रही है।

इसके बाद अगर हम उस ताक़त या उस छिपी हुई शक्ति की बात करें जो इस पूरे निज़ाम को क़ायम किये हुए है तो हर एक शक़्स अपने-अपने अक़ीदे, अपने-अपने मज़हब, अपने-अपने यक़ीन या आस्था (Faith) की बुनियाद पर उस ताक़त की तशरीह (Interpretation) करने लगेगा। इससे फ़र्क़ नही पड़ता की आप इस तवानाई या इस शक्ति की वजह किसे मानते हैं या उस अनजान ताक़त को किस नाम से पुकारते हैं, बल्कि फ़र्क़ इस बात से पड़ता है कि आप इस तमाम हलचल और इस तमाम तवानाई पर क्या नज़रिया रखते हैं। क्या यह एक ग़ौरतलब बात नही है कि यह तमाम हलचल और यह तमाम बैकलों बैचेनी हमारी इस बेमिसाल कायनात को यहाँ तक कि इसके ज़र्रे-ज़र्रे को एक ज़िन्दा वुजूद मे तब्दील

करती हैं ? दुसरे मायनों में इसे यूँ भी कहा जा सकता है कि कोई भी शय भले ही अपने असल वुजूद मे ज़िन्दा हो या न हो पर जब बात उसकी बुनियादी ज़ात की हो तो हर एक शय ज़िन्दा दिखाई देती है। कुदरत का यह बेजोड़ कमाल हमारी उस पुरानी सोच के बिलकुल ख़िलाफ़ है जिसमें हमने किसी शय के ज़िन्दा होने को हमेशा उसके दिल के धड़कने या उसकी साँसों के आने-जाने से जोड़ कर देखा है। हालाँकि ज़िन्दगी के सिलसिले मे कुदरत के क़ानून हमारी सोच से कहीं ज़्याद बढ़कर हैं क्योंकि करीब से देखने पर तो हमें इस कायनात का ज़र्रा-ज़र्रा ही ज़िन्दा और अपने काम मे मसरूफ (Busy) दिखाई देता है।

कायनात के इस रुख को जान लेने के बाद ज़िन्दगी को समझने की चाह और ज़्यादा गहरी होने लगती है। ज़हन उन तालिमात, अक़ीदे और यक़ीनों के साथ जूझने लगता है जो आज तक हमें बताए गए हैं। लाइल्मी के बाइस बने हुए कई क़िले ढ़हने लगते हैं तो नई सोच के नए महल तामीर होने लगते हैं। किसी अनजान ताक़त के वुजूद की तरफ यक़ीन बिना किसी के बताए या समझाए हो गहरा होने लगता है। यहाँ तक कि नई तालीम के चंद सफें ही इंसानी ज़हन पर जमीं हुई सालों की धूल को हवा के थपेड़े देने लगते हैं।

इंसान ने अब तक जितना कायनात के मुत्तालिक जाना है उसकी बुनियाद पर अगर हम इस तमाम कायनात में अपनी इस ज़मीन की मुक़्कमल हैसियत को तौलने की कोशिश करें तो हम पाएंगे कि इसका मक़ाम बिलकुल इतना ही है जितना इस दुनिया के तमाम पेड़ों के तमाम पत्तों में से किसी एक पत्ते की कुल हैसियत या शायद उससे भी बहुत कम। हालाँकि इसी एक पत्ते में दुनिया के तमाम मुल्क भी शामिल है और तमाम मौजूदात भी। इसी में दुनिया के तमाम समन्दर भी शामिल हैं और इसी में तमाम पहाड़-ओ-हैवानात भी। ऐसे मक़ाम पर आकर यह अहसास होने लगता है कि क़ुरान की यह आयत यक़ीनन दुरुस्त है जो कहती है कि "इंसान पर एक वक़्त ऐसा भी था, जब वोह कोई क़ाबिल-ए-ज़िक्र शय न था[76:1]"। देखा

जाए तो कायनात के इतने वसी (Huge) और लामुन्नाही (Endless) फैलाव के होते हुए तो इंसान को यक़ीनन आज भी कोई क़ाबिल-ए-ज़िक्र शय नहीं होना चाहिए। मगर क़ुरान इंसान के माज़ी (Past) के मुताल्लिक़ इस बात का ज़िक्र करता है, उसकी मौजूदा हैसियत के मुताल्लिक़ नहीं। क़ुरान उस ख़ास वक़्त के लिए इस जुमले को बयान करता है जब पहला इंसान (हज़रत आदम) अपना वुजूद पा रहा था। मगर आज वोह वक़्त गुज़र चुका है जब इंसान अपने ख़ुदा और इस कायनात के लिए कोई क़ाबिल-ए-ज़िक्र शय नहीं था। ऐसे मे यह सवाल उठना लाज़मी है कि अगर वोह वक़्त गुज़र चुका है तो आखिर ऐसा क्या हुआ जिसने इंसान को उसके ख़ुदा और इस कायनात के लिए क़ाबिल-ए-ज़िक्र शय बना दिया ?

इस सवाल का जवाब पाने के लिए आइये ज़िक्र-ए-क़ुरान करते हैं। क्योंकि सवाल क़ुरान ने पैदा किया है, इसलिए जवाब देना भी क़ुरान की ही ज़िम्मेदारी बनती है। और ऐसे मे क़ुरान इस बात का पूरी तफ्सील (Detail) के साथ जवाब देता है। क़ुरान हमें बताता है कि जब अल्लाह ने मिट्टी से आदम को ख़ल्क़ किया और उसे ज़मीन का ख़लीफ़ा बनाने का इरादा किया तो सभी फरिश्तों को हुक्म हुआ कि वो आदम के लिए सजदे में झुक जाए। फरिश्तों ने इस हुक्म पर एक ऐतराज़ पेश किया जिसके लिए उन्होंने यह दलील रखी कि यह आदम (इंसान) ज़मीन पर ज़ुल्म और खूं-रेज़ी करेगा, लिहाज़ा ख़लीफ़ा बनने का हक़ आदम से ज़्यादा खुद उनका हैं। देखा जाए तो फरिश्तों का यह ऐतराज़ वाजिब ही था क्योंकि आज का इंसान उनकी पेश की हुई ज़ुल्म और खूं-रेज़ी की उस दलील को हर कदम पर सही साबित करता चलता है। मगर अल्लाह ने फरिश्तों के इस एतराज़ के जवाब मे उन्हें कोई हुक्म देकर चुप करा देने की जगह आदम को अता किये गए इल्म को एक ठोस दलील की शक्ल मे फरिश्तों के रु-ब-रु पेश किया। आदम को हुक्म हुआ कि वोह अपने इल्म का मुज़ाहिरा मलाइका के सामने पेश करे जिसे आदम ने पूरा भी किया। और यह दलील तन्हां ही उनके लिए क़ाबिल-ए-क़ुबूल रही जिसके बाद

तमाम फरिश्तों ने आदम को सजदा किया। यानि जो शय मिट्टी से बनी थी और हरगिज़ क़ाबिल-ए-ज़िक्र न थी, उस शय को अल्लाह ने जब अपना नूर-ए-इल्म अता किया तब वोह शय न सिर्फ क़ाबिल-ए-ज़िक्र बनी बल्कि फरिश्तों के लिए क़ाबिल-ए-सजदा भी बनी। इस वाक़्ये से ज़ाहिर होता है कि इंसान को इस ज़मीन पर भेजने से पहले ही यह तय कर दिया गया था कि क्योंकि इंसान को अक़्ल अता की गयी है जो इल्म को सीखने, समझने और उससे नतीजे अक्स करने की क़ुव्वत रखती है, लिहाज़ा इस बुनियाद पर इंसान इतनी लामहदूद कायनात मे एक ज़र्रे के बराबर की हैसियत रखते हुए भी क़ाबिल-ए-ज़िक्र शय है और लाखों करोड़ों फरिश्तों और उनकी अनगिनत सालों की इबादतों के बावजूद भी क़ाबिल-ए-सजदा है। और यही वजह है कि अल्लाह ने इंसान को "अशरफुल मख़्लूक़ात (Superior in All)" जैसे लक़ब (Title) से सरफ़राज़ किया जो उसके लिए हमेशा ही फ़ख्र का बाइस है।

यह एक बिलकुल अलग मज़मून हो सकता है कि हज़रत आदम ने मलाइका के सामने अपने किस इल्म का मुज़ाहिरा किया था। क्योंकि इस बात पर इस्लामी मुफ़स्सिरों के नज़रिये अलग-अलग हैं, लिहाज़ा इन तमाम नज़रियों को यहाँ पेश करने की ज़रूरत नहीं है। मगर इस पूरे वाक़्ये से इतना तो आसानी से समझा जा सकता है की अल्लाह के नज़दीक इल्म एक ऐसी शय है कि जिसके सामने कायनात का तमाम हुजूम (Mass) भी कम हो जाता है और मलाइका की मुसलसल इबादतें भी। ऐसे मे यह कहना ग़लत नहीं होगा कि यह इल्म ही है जिसे अल्लाह जब आदम के वजूद मे शामिल कर देता है तो फिर मलाइका के लिए भी लाज़मी हो जाता है कि वो आदम के लिए भी वैसे ही सजदे मे झुक जाए जिस तरह वो अल्लाह के लिए सजदे मे झुक जाते हैं।

कितनी हैरानी की बात है कि वोह इल्म जो कोई मुजस्सम वुजूद नहीं रखता और जिसके लिए कोई पैमाना बनाना भी नामुमकिन है, अल्लाह की तरफ से

एक मुकम्मल नैमत है। क़ुरान का एक-एक हर्फ़ इस बात की तस्दीक़ करता है कि यही नैमत कायनात की अफ्ज़लतरीन शय है जिसका कोई मतबादिल (Substitute) नहीं है। और इसीलिए आदम का वोह इल्म जिसे अल्लाह ने एक नैमत की तरह आदम को अता किया था आदम की औलाद ने उसे हर गुज़रते दिन के साथ और ज़्यादा निखारा और जो निखरते-निखरते आज इस मुक़ाम तक आ पहुँचा है कि

- हवाई जहाज़ों की परवाज़ इसी इल्म से है।
- समन्दरों मे चलते हुए बेड़ों का समंदर मे न भटकना इसी इल्म से है।
- चाँद की ज़मीन तक इंसानी क़दमों का पहुँच जाना इसी इल्म से है।
- एक दूसरे से मीलों दूर बैठे दो लोगों का आपस में बात कर लेना इसी इल्म से है।
- इंसान की टूटती हुई साँसों का, कुछ वक़्त के लिए ही सही मगर फिर से जुड़ जाना इसी इल्म से है।
- रात को दिन में और गर्मी को ठण्डक मे तब्दील कर लेने का इंसानी हुनर इसी इल्म से है।
- पहाड़ों के सीनों को चीर कर उनमें रास्तें तामीर करने की इंसानी कुव्वत इसी इल्म से है।
- अपनी बात को बिलाताखीर (Without delay) दुनिया के हर कोने तक एक ही वक़्त में पहुँचा देने की समझ इसी इल्म से है।
- हमारी ज़िन्दगियों का हर दौर में पहले से बेहतर होते जाना इसी इल्म से है।
- हदतां कि अपने हक़ीक़ी ख़ुदा की सही मारिफ़त का होना भी इसी इल्म से है।

इल्म की अहमियत

हम लोग अक्सर ये बहस करते है कि इल्म (ख़ासकर दुनियावो इल्म) आ जाने के बाद इंसान के मज़हबी आमाल मे कमी आने लगती हैं या वोह ज़्यादा आज़ाद ख्याल हो जाने से दीन के सिलसिले में बेहिसी (Insensitivity) इख़्तियार करने लगता है। अक्सर हम ऐसे लोगों को मज़हब बेज़ार समझते हैं जिनके पास दुनियावी इल्म हमसे या हमारे आसपास के लोगों से ज़्यादा होता है। दुसरी तरफ ऐसा भी नहीं है कि ये बहसें सिर्फ इस्लामी मुआशरें का हिस्सा होती हैं। दरहक़ीक़त ऐसी बहसें हर उस मुआशरें में देखने और सुनने को मिलती हैं जहाँ वालिदेन अपने ज़्यादा तालीमयाफ़्ता (Educated) बच्चों के मज़हबी आमात से नाखुश नज़र आते हैं। जो लोग इस तरह की बहसें करते हैं वो भी इन बहसों के ज़्यादातर बेनतीजा रहने की शिकायत करते नज़र आते हैं क्योंकि इन मसाइल (Issues) से पार पाने के सिलसिले में वो लोग भी कुछ ज़्यादा नहीं कर पाते। चाहे यह बहस इस्लाम के मानने वाले लोग करें या दीगर मज़ाहिब के मानने वाले, इन बहसों के बेनतीजा रहने की एक बड़ी वजह यह होती है कि बहस करने वालों के पास जो दलाइल मौजूद होते हैं उन मे से ज़्यादातर दलाइल नाक़ाबिल-ए-तब्दील मान लिए जाते हैं, लिहाज़ा बात जहां से शुरू होती है लौट कर वही वापस आ जाती है और यूँ ये मसाइल हमेशा जड़ बने रहते हैं।

अगर इस नज़रिये को एक दूसरे पहलू से समझने की कोशिश की जाए तो हम पाएंगे कि वो लोग जिनके पास थोड़ा भी दुनियावी इल्म होता है, वो मज़हब बेज़ार नहीं बल्कि मज़हब नाक़िद (He who sees everything critically) होते हैं, जो हर बात को दलाईल की कसौटी पर परख कर देखना चाहते हैं। इसकी जो सबसे बड़ी वजह नज़र आती है वोह यह है कि चाहे वो दीन-ए-इस्लाम के मानने वाले लोग हो या किसी और मज़हब के मानने वाले, सभी के नज़दीक बेहतरीन इबादत सजदा करना या अपने सर को अपने ख़ुदा की बारगाह मे झुका देना होता

है। सर का झुक जाना इस बात की दलील होती है कि झुकने वाला यक़ीन की मंज़िल तक आ पहुँचा है। यक़ीन की मंज़िल तक पहुंचना तब तक मुमकिन नहीं है जब तक की किसी शय की तस्दीक़ न कर ली जाए और तस्दीक़ का वुज़ूद सिर्फ और सिर्फ इस बात पर मबनी (Depend) है कि ग़ौर-ओ-फिक्र किया गया है। और इसमें कोई शक नहीं कि ग़ौर-ओ-फ़िक्र करने का दलाईली सलीक़ा ही **"इल्म"** कहा जाता है। क्योंकि मज़हब के सिलसिले में हम सभी ज़्यादातर वक़्त दुसरों के बताए तौर तरीक़ों पर ही चलते हैं लिहाज़ा जो लोग दुनियावी इल्म रखते है वो इन तरीकों को किसी के कहने से बेहतर खुद परख कर मानना पसंद करते हैं, और यहीं से वो अपने वालिदेन और दीगर उन अफ़राद से अलग हो जाते हैं जो मज़हब के सिलसिले में एक तय राह (Preconception) पर ही चलते चले आ रहें हैं। देखा जाए तो यही उनका दुनियावी इल्म उन्हें सिखाता भी है। दुसरी तरफ यह भी एक हक़ीक़त है कि सिर्फ इल्म ही वोह वाहिद (Unique) शय है जो इंसान के लिए उसके परवरदिगार की सही मारिफ़त (Knowledge of God) के तमाम राज़ों से पर्दा उठाने की क़ाबिलियत रखता है और जिसके बिना इंसान कभी भी अपने हक़ीक़ी ख़ुदा की सही मारिफ़त हासिल नहीं कर सकता। ऐसे मे बिना सही मारिफ़त के इंसान का किया हुआ कोई भी मज़हबी अमल दरअसल ख़ुदा के डर से किया हुआ अमल बन कर रह जाता है न की ख़ुदा की मुहब्बत मे किया हुआ अमल। लिहाज़ा इसमें कोई शक नहीं कि जो लोग दुनियावी इल्म रखते हैं और नए-नए इल्मी इदारों और मज़्मूनों की जुस्तुजू मे लगे रहते हैं उनका तलाश किया हुआ हर नया इल्म उनके लिए अपने परवरदिगार की मारिफ़त का एक नया दरवाज़ा खोल देता है और यूँ वो अपने अमल मे ज़्यादा मुख्लिस (Pure) और अपने ख़ुदा के ज़्यादा नज़दीक होते जाते हैं।

आइये, इस बात को कुछ और गहराई से और खुले दिमाग़ से समझने की कोशिश करते हैं।

दीन-ए-इस्लाम के मानने वाले हर शक़्स को इस बात पर फ़ख्र होता है कि वोह एक मुस्लमान है और एक मुस्लिम घर में पैदा हुआ है। यह बात वाक़ई बाइस-ए-फ़ख्र होती है कि इंसान उस मज़हब, उस घर, उस ख़ानदान या उस माहौल की तारीफ़ करे जिसमें वोह पैदा हुआ या परवरिश पाता है। इस बात का ताल्लुक़ इंसानी अख़लाक़ से होता है, ग़ुरूर या तक़ब्बुर (Pride) से नहीं। अपने मज़हब पर किये जाने वाले इस फ़ख्र और भरोसे की हौसला अफ़ज़ाई ज़ुरूर की जानी चाहिए। मगर इस फ़ख्र और इस भरोसे की वजह से ही एक सवाल भी पैदा होता है और वोह यह कि क्या हम अपनी पसंद (Choice) से दीन-ए-इस्लाम के पैरोकार हैं या यह ज़िम्मेदारी हमें विरसे (Inherit) में मिली हैं ? और अगर अल्फाज़ बदल कर कहें तो क्या हम सभी ख़ुदा की सही मारिफ़त के साथ दीन-ए-इस्लाम मे शामिल हैं या यह सिर्फ एक रस्म अदायगी है जिसे हम महज़ इसलिए पूरा करते हैं क्योंकि हमने अपने वालिदेन को ऐसा करते हुए देखा हैं और क्योंकि हमें दोज़ख (Hell) का डर होता है जिससे बचने के लिए हमें दीन-ए-इस्लाम ही एक अकेला रास्ता नज़र आता है? यह एक बुनियादी सवाल है जिसका हम सबको पूरी ईमानदारी के साथ खुद अपने आप को जवाब देना चाहिए। यह सवाल इसलिए भी ज़ुरूरी है क्योंकि इसका सीधा ताल्लुक़ हमारे मौजूदा इल्म से है और इस सवाल का खुद अपने आप को दिया गया जवाब ही यह तय करता है कि हमारे ज़हन में मारिफ़त-ए-ख़ुदा की मौजूदा सूरत-ए-हाल क्या है।

जब हम एक मुस्लिम ख़ानदान (Family) में पैदा होते हैं तो अक्सर हमारे आसपास का माहौल कम-ओ-बेश मज़हबी होता है। हम देखते हैं कि हमारे माँ-बाप, हमारे बड़े भाई-बहन, हमारे ख़ानदान वाले या रिश्तेदार, हमारे पड़ोसी या

दोस्त दिन में पांच बार पाबन्दी से नमाज़ पढ़ते हैं। जब माहे रमज़ान आता है तो ये लोग बाक़ायदगी से रोज़ा रखते हैं। जो लोग माली तौर (Financially) पर मज़बूत हैं हम उन्हें हज करने के लिए भी जाता हुआ देखते हैं और दुआ करते हैं कि अल्लाह हमें और हमारे वालिदेन को भी हज अदा करने की तौफ़ीक़ दे। यानी हमारे आस पास के लोग हर उस काम को अंजाम दे रहे होते हैं या देने की कोशिश कर रहे होते हैं जिसे दीन-ए-इस्लाम मे इबादत का दर्जा हासिल है। हमें बचपन से ही यह सिखा दिया जाता है कि नमाज़ पढ़ने और रोज़ा रखने के मज़हबी एहकाम क्या हैं और हमारी इबादतों का हमारी मौजूदा और दायमी (Hereafter) ज़िन्दगी पर क्या असर होता है। यह वोह दौर होता है जब हमारा नन्हा ज़हन दुनिया के उतार चढ़ावों की तरफ अपने क़दम बढ़ता है और दुसरे लाखों सवालों की तरह हम मज़हबी सवाल भी अपने वालिदेन या बुज़ुर्गों से पूछने लगते हैं। यहीं से इंसान के मुस्तक़बिल की राह तैयार होनी शुरू होती है क्योंकि दुनिया के मुख़्तलिफ़ फ़लसफ़े बताते हैं कि जो सवाल हम बचपन मे अपने वालिदेन या अपने उस्तादों से करते हैं वही सवाल और उन सवालों के वाजिब या ग़ैर-वाजिब जवाब ही हमारी आने वाली ज़िन्दगी की रहनुमाई करते हैं।

हमारे ज़हन मे उठने वाले ज़्यादातर मज़हबी सवालों के जवाब हमें या तो अपने वालिदेन से मिलते हैं या हमारे ख़ानदान के बुज़ुर्गों से। और अगर किसी सवाल का जवाब हमारे घर के बुज़ुर्गों के पास नहीं होता तो हमें पास के ही किसी मदरसे या किसी मज़हबी आलिम से रुजु (Contact) करने की सलाह दे दी जाती है। जब हम कुछ और बड़े होते हैं और हमारे सवालों में गहराईयाँ शामिल होने लगती हैं तो हमें क़ुरान और हदीस की किताबों से अपने सवालों के जवाब तलाशने की लिए कहा जाने लगता है। यह एक ऐसा दौर होता है जिसके बाद हम चाहे किसी भी उम्र तक आ जाये, हमारे मज़हबी सवाल और उनके जवाब क़ुरान और दीगर मज़हबी किताबों के इर्द-गिर्द ही घूमते रहते हैं। हमारे लिए यह पता लगाना मुश्किल

है कि इस तरह की कोशिशों से कितने ज़हनों को मुत्मइनकरदां (Satisfactory) जवाबात हासिल होते हैं, मगर यह बात दावे से कही जा सकती है कि इस तरह की कोशिशों से मिलने वाले जवाबों की हदें बस वहीं तक महदूद होती हैं जहां तक जवाब देने वाले का ज़ाती इल्म है या क़ुरान और दीगर मज़हबी किताबों को पढ़ कर समझ लेने की हमारी अपनी क़ाबिलियत।

अगर हम ऐसे माहौल में बड़े हो रहे हों जहां इल्म की हदें सिर्फ दीन की किताबों तक ही महदूद हैं तो हमारे पास अक्सर मारिफ़त-ए-ख़ुदा के नाम पर गिनी चुनी दलीलें ही होती हैं जिन्हें हम मुख़्तलिफ़ मक़ामात पर दोहरा कर अपने महदूद इल्म का मुज़ाहिरा कर देते हैं। ऐसा अक्सर देखा जाता है कि चाहे वोह कोई आम इंसान हो या कोई मज़हबी आलिम, जब बात दीन-ए-इस्लाम या मारिफ़त-ए-ख़ुदा के बारे में की जाती है तो हम इस मज़मून पर सभी से एक जैसी बातें ही सुनते रहते हैं। मिसाल के तौर पर अगर हम किसी मज़हबी आलिम या किसी दुसरे मुसलमान से ये जानना चाहे कि अल्लाह क्या है और उसके कमालात क्या हैं, तो ज़्यादातर लोगों का जवाब होता है कि अल्लाह वो है जिसने हमें और इस तमाम कायनात को बनाया है। हमारे खाने पीने के लिए ग़िज़ाएं पैदा की और वो तमाम मौजूदात खल्क़ किये जिन्हें हम किसी न किसी तौर पर कुदरत से हासिल करते रहते हैं। जवाब देने वाले की तमाम दलीलें इसी तरह की बातों के इर्द-गिर्द घुमती रहती हैं और अक्सर लफ्ज़ बदल-बदल कर एक जैसी बातें ही दोहराई जाती रहती हैं। हमें इस बात का एहसास भी जल्द ही हो जाता है कि इस मौज़ू पर जो कुछ भी कहा जा रहा है वो हम पहले भी किसी और मुकाम पर सुन चुके हैं। अक्सर ऐसा नही होता जब हमें मज़मून-ए-इस्लाम या मारिफ़त-ए-ख़ुदा के नाम पर कोई नई और दिल को छू लेने वाली बात सुनने को मिलें।

ऐसा नहीं है कि यहाँ यह कोशिश की जा रही है कि दीन की किताबों मे इल्म नहीं होता या मज़हबी आलिमों के पास महदूद जवाबात होते हैं बल्कि यहाँ

कोशिश यह कहने की की जा रही है कि हम सिर्फ वहीं तक दीन-ए-इस्लाम या मारिफ़त-ए-ख़ुदा की तशरीह कर पाते हैं जहां तक खुद हमारे इल्म की हदें होती हैं। क्योंकि अगर हमें इल्म ही नहीं की क़ुरान या दीन की दुसरी किताबें दरअसल किस बात की तरफ इशारा कर रही है, तो ऐसे मे हमें ख़ुदा की सही मारिफ़त का होना मुमकिन नहीं है। यह एक तकलीफ़देह सूरत-ए-हाल है मगर ज़्यादातर मामलात में बिलकुल ऐसा ही होता है।

जब हमारे मज़हबी सवालों के जवाब ग़ैर-तसल्लीबख़्श (Unsatisfactory) या नामुकम्मल रह जाते हैं या हम किसी वजह से दीनी और दुनियावी इल्म दोनों से दूर होते हैं, तब हम मजबूरन दुसरे लोगों के बताए हुए आदाब के ज़रिए से अपने मज़हबी अमल अंजाम देने लगते हैं। ऐसी सूरत में हम कभी यह जानने की कोशिश नहीं करते कि जो कुछ हमें मज़हब के नाम पर सिखाया या बताया जा रहा है वो सही है भी या नहीं। ऐसे हालात में हमारे ज़्यादातर मज़हबी अमल महज़ रस्म बन कर रह जाते हैं और हम कभी भी अपने अल्लाह की सही मारिफ़त तक नहीं पहुँच पाते।

ऐसा हरगिज़ नहीं है कि हमारे वालिदेन या दीगर आलिम हमें मज़हब के बारे में ग़लत मालूमात देते हैं मगर फिर भी बतौर इंसान हमें बात की गहराई में जाने के लिए अपने तौर पर तहक़ीक़ करनी ही चाहिए क्योंकि सवाल करना और बात की गहराई मे जाना ही तो हमारे तालिब-ए-इल्म (Student) होने की दलील है। इसके साथ-साथ यह एक कुदरती अमल भी है जिसे हमारे बनाने वाले ने बहुत सोच समझकर हमारे वुजूद में क़ायम किया है। मुख़्तलिफ़ साईंसिया तजुर्बे (Scientific Experiments) बताते हैं कि हमारा दिमाग़ सवाल पूछने और जवाब ढूंढने के लिए ही तैयार (Programmed) किया गया है ठीक वैसे ही जैसे किसी मख़सूस काम को करने के लिए कंप्यूटर प्रोग्रामिंग (Computer Programming) की जाती है। जब हम सवाल पूछ रहे होते हैं तो दरअसल हम अपने इसी कुदरती

मिज़ाज पर अमल कर रहे होते हैं। कुछ लोग कहते हैं कि ज़्यादा सवाल करना भी कुफ्र की अलामत है हालाँकि वो यह भूल जाते हैं कि सवाल ही तो जवाब की जानिब उठाया गया पहला क़दम होता है। क्योंकि अगर सवाल पूछना अल्लाह के नज़दीक एक नापसंदीदा अमल होता है तो फिर उस रब्बे-अज़ीम ने हमें बहसों-मुबाहिसा (Debate & Discussion) करने की क़ुव्वत क्यों अता की? इसीलिए हमारे लिए जो सबसे यक़ीनी बात हो सकती है वोह यह है कि सवालों के जवाबात ढूंढने की जुम्बिश-ओ-जुस्तुजू ही इल्म के दरवाज़े खोलने की कुव्वत रखती है, लिहाज़ा सवाल पूछना कभी भी गुनाह या कुफ्र नहीं हो सकता। सवाल पूछने और जवाब मिल जाने का एक पहलू यह है कि जब इंसान के पास इल्म आ जाता है तब वोह ज़्यादा संजीदा आमाल अंजाम देने लगता है। ऐसा इसलिए क्योंकि इंसान का इल्म ही उसे इस दुनिया और इस कायनात के काम करने के तरीकों पर एक बारीक नज़र डालने का मौका देता है और आखिरकार ये बारीकियां ही उसे ज़्यादा संजीदा बनाती हैं और उसके लिए उसके ख़ुदा की सही मारिफ़त के दरवाज़े खोलती है।

इस बात को साबित करने के लिए वैसे तो कई मिसालें दी जा सकती हैं पर एक खुसूसी मिसाल यह है कि अगर हम ताबियाती (Physics) के क़ानूनों पर ग़ौर करें और यह समझना चाहे कि इस दुनिया में चीज़े किस तरह अपना वुजूद पाती हैं, तो हम पाएंगें कि दुनिया के तमाम मौजूदात चाहे वो ज़िंदा मख्लूक़ की शक्ल में हो या किसी बेजान शय की शक्ल में, वो सभी सिर्फ 92 किस्म के मुख़्तलिफ़ कुदरती अनासिर (Elements) से मिलकर बनी हैं और जिनमें से हर एक अनासिर को एक कीमियाई हैसियत (Chemical Value) होती है। सदियों पहले लोग मान्ते थे कि कायनात की हर शय सिर्फ 5 बुनियादी अनासिर से मिलकर वानी होती है और वो पांच अनासिर हैं "आग", "पानी", "हवा", "ज़मीन" और "आसमान"। इस फ़लसफ़े को आज भी "पंच तत्व सिद्धांत" के नाम से जाना जाता है। हज़ारों सालों

तक यह फ़लसफ़ा यूं ही क़ायम रहा और दुनिया के ज़्यादातर मज़हबों में अक़ीदों की मानिन्द शामिल भी रहा।

जैसे-जैसे साइंस तरक़्क़ी करती गयी और उसे अलग-अलग अनासिर का इल्म होता गया वैसे-वैसे ही यह फ़लसफ़ा भी किसी रेत के महल की तरह ढ़हता चला गया और आहिस्ता-आहिस्ता साइंस के एक दुसरे फ़लसफ़े ने जो यक़ीनन बिलकुल सही है इस "पंच तत्व सिद्धांत" की जगह ले ली। जिस फ़लसफ़े ने इस पुराने फ़लसफ़े की जगह ली वोह तमाम कुदरती अनासिर को एक फ़ेहरिस्त की शक्ल में रखने में कामयाब रहा क्योंकि यह नया फ़लसफ़ा हर एक अनासिर को उसके कीमियाई किरदार की बुनियाद पर एक मख़सूस जगह पर रखता था।

आज के साईंसिया फ़लसफ़े यह मन्तक़ी तौर पर साबित करते हैं कि हम चाहे किसी भी शय की बात करें, वोह शय अपनी बुनियादी शक्ल में इन्हीं 92 किस्म के एक दुसरे से बिलकुल अलग शक्ल और सीरत वाले अनासिर के अलग-अलग मिक़्दार (Quantity) का मजमुआ (Compound) है। मिसाल के तौर पर;

पानी हाइड्रोजन के 2 और ऑक्सीजन के 1 परमाणु का मजमुआ है जिसे H_2O लिखा जाता है।

नमक सोडियम के 1 और क्लोरीन के 1 परमाणु का मजमुआ है जिसे NaCl लिखा जाता है।

चीनी कार्बन के 12, हाइड्रोजन के 22 और ऑक्सीजन के 11 परमाणुओं का मजमुआ है जिसे $C_{12}H_{22}O_{11}$ लिखा जाता है।

हीरा फ़क़त कार्बन के परमाणुओं का मजमुआ है।

अलग-अलग तेल और ईंधन हाइड्रोजन और कार्बन के परमाणुओं का मजमुआ हैं, जिन्हें कीमियाई ज़ुबान में हाइड्रो-कार्बन कहा जाता है** (Check footnote at next page)।

इस नए फ़लसफ़े के मुताबिक़ वो 92 अनासिर ये हैं।

01. हाइड्रोजन
02. हीलियम
03. लिथियम
04. बेरिलियम
05. बोरॉन
06. कार्बन
07. नाइट्रोजन
08. ऑक्सीजन
09. फ्लोरीन
10. नीयन
11. सोडियम
12. मैग्नेसियम
13. एल्युमीनियम
14. सिलिकॉन
15. फॉस्फोरस
16. सल्फर
17. क्लोरीन
18. आर्गन
19. पोटैशियम
20. कैल्शियम
21. स्कैंडियम
22. टाइटेनियम
23. वनैडियम
24 क्रोमियम
25. मैंगनीज़
26. लोहा
27. कोबाल्ट
28. निकल
29. तांबा
30. जस्ता
31. गैलियम
32. जर्मेनियम
33. आर्सेनिक
34. सेलेनियम
35. ब्रोमिन
36. क्रिप्टोन
37. रूबिडियम
38. स्ट्रोंटियम
39. अट्रियम
40. ज़िरकोनियम
41. नाइओबियम
42. मॉलीडबेनुम
43. टेक्नेटियम
44. रुथेनियम
45. रोडियम
46. पैलेडियम
47. चाँदी
48. कैडमियम
49. इंडियम
50. टिन
51. एंटीमनी
52. टेल्यूरियम
53. आयोडीन
54. जीनॉन
55. सीज़ियम
56. बेरियम
57. लेंथनम

**यहाँ सबसे हैरतअंगेज़ बात यह है कि जो हाइड्रोजन ऑक्सीजन के साथ मिलकर [ये दोनों ही तुन्द मिज़ाज (Highly Inflammable) गैसें हैं] जब पानी बन जाती है तब वोह आग बुझाने का काम करती है लेकिन अगर कार्बन के साथ मिल जाए तो एक ईंधन बन जाती है।

58. सीरीअम	**59. प्रेज़ीयोडीमियम**	**60. नीयोडिमियम**
61. प्रोमीथियम	**62. समैरियम**	**63. युरोपियम**
64. गैडोलीनियम	**65. टर्बियम**	**66. डिस्प्रोसियम**
67. हॉल्मियम	**68. अर्बियम**	**69. थ्युलियम**
70. इटर्बियम	**71. ल्यूटेशियम**	**72. हेफ़्नियम**
73. टैंटलम	**74. टंगस्टन**	**75. रेनीयम**
76. ऑज़्मियम	**77. इरीडियम**	**78. प्लैटिनम**
79. सोना	**80. पारा**	**81. थैलियम**
82. सीसा	**83. बिसमथ**	**84. पॉलोनियम**
85. एसटेटिन	**86. रेडॉन**	**87. फ्रांसियम**
88. रेडियम	**89. एक्टीनियम**	**90. थोरियम**
91. प्रोटैक्टीनियम	**92. यूरेनियम**	

यानि कोई भी शय या तो खुद इन 92 अनासिर में से एक है या इनके आपस में अलग-अलग मिक़्दार में मिल जाने का नतीजा है क्योंकि यही 92 अनासिर आपस में मिलकर कायनात की हर एक शय को उसकी आखरी शक्ल देते हैं जो पूरी कायनात में हर जगह हमेशा एक जैसी ही होती है।

जैसे-जैसे हमारा इल्म बढ़ता जाता है और हम कुदरत की इस कीमियागीरी (Chemistry) को समझने लगते हैं वैसे-वैसे ही उस अनजान ताक़त के लिए हमारे यक़ीन मे इज़ाफ़ा होने लगता है जो इस तमाम कीमियागीरी को क़ायम किये हुए है। बिलकुल कुदरती होते हुए भी क्या यह किसी मोजज़े से कम है कि उस अनजान ताक़त ने जिसे हम ख़ुदा कहते हैं सिर्फ 92 किस्म के अनासिर में यह क़ुव्वत नाज़िल की कि वो कायनात की हर शय को तैयार कर सकें (जबकि ये

तमाम 92 अनासिर ख़ुद तीन किस्म के बुनियादी अनुओं इलेक्ट्रान, प्रोटोन और न्यूट्रॉन से बने हैं) ! हदतां की हमारा यह जिस्म भी इन्हीं 92 बुनियादी अनासिर का मजमुआ है।

जब हमारा दिमाग़ कुदरत के ऐसे राज़ जानने लगता है तब उसे मारिफ़त-ए-ख़ुदा के लिए किसी ऐसे मज़हबी आलिम की ज़रूरत नहीं रह जाती जो उसे इसके नाम पर हमेशा महदूद कलमात (Sentences) ही बख़्शता रहे और न ही तब उसे अपनी इबादतों को महज़ एक रस्म आदायगी के तौर पर अदा करने की ही ज़रूरत रह जाती क्योंकि अब जो इबादत भी वोह करता है उसके पीछे मारिफ़त-ए-ख़ुदा का एक ऐसा यक़ीन काम करता है जो तस्दीक़ी है। क्योंकि कुदरत के किसी राज़ को जानकार हम खुद ही कमालात-ए-ख़ुदा को महसूस कर लेते हैं लिहाज़ा हमारा दिमाग़ भी हमें किसी ख़ुदा या किसी लामहदूद ताक़त के वुजूद को मानने के लिए राज़ी कर लेता है, और यही वोह वक़्त होता है जब उस ख़ुदा या उस ताक़त के लिए हमारी इबादतें और हमारे सजदें यक़ीन की उस मंज़िल तक पहुंच जाते हैं जहां वो पहले किसी के बताने या समझाने के बावजूद भी कभी नहीं पहुँच पाए थे। दुसरी तरफ यह भी ग़ौरतलब है कि कीमियागीरी का यह राज़ कोई अकेली मिसाल नहीं है जिसकी नक़ाब कुशाई जदीद साइंस (Modern Science) ने कर दी है, बल्कि कायनात ऐसे अनगिनत राज़ो से भरी हुई है जो आज भी इस इन्तिज़ार मे हैं कि कोई इंसानी जुम्बिश (Effort) उन्हें इस दुनिया से रू-ब-रू कर दे। लिहाज़ा ये ज़ुरूरी है की हम यह तस्लीम करें कि इल्म ही वोह पहली और आखरी शय है जो इंसान को पहले तस्दीक़ और फिर यक़ीन की मंज़िल तक लाती है। और जब इंसान यक़ीन की मंज़िल तक आ जाता है, सही मायनों मे वोह तब ही अपने हक़ीक़ी ख़ुदा तक पहुँचता है। ऐसी सूरत में इंसान और ख़ुदा के बीच किसी सालिस (Mediator) के वुजूद की ज़ुरूरत ही नहीं रह जाती, क्योंकि इल्म ने खुद ही इंसान को ख़ुदा का वुजूद महसूस करने का सलीक़ा दे दिया है। और तो और यहाँ

आकर हमें उन लोगों और उन तहज़ीबों (Civilizations) का भी शुक्रगुज़ार होना चाहिए जिन्होंने मारिफ़त-ए-ख़ुदा के सिलसिले में हमें यक़ीन तक ले आने के लिए ऐसे फ़लसफ़े और नज़रिये पेश किए जो हमारे लिए लगातार मददगार बने रहते हैं।

हम लोग इक्कीसवीं सदी के रहने वाले हैं। इस दौर के लिए मशहूर है कि इसमें लोगों की ज़िहानतें बालिग (Mature) और इरादे सख़्त होते हैं। जितना अमली (Practical) आज के दौर का इंसान है शायद किसी और दौर का न रहा हो। मैंने इस दौर में शिद्दत से महसूस किया है कि इस दौर का आसानतरीन काम दुनिया से "कुछ" कहना है, अलबत्ता इसी दौर का मुश्किलतरीन काम उसे साबित करना या दुनिया को समझाना है। इसकी एक वजह तो यह है कि आज का इंसान महज़ सुनकर किसी बात का यक़ीन नहीं करता बल्कि सवालात और जवाबात के ज़रिए से किसी बात को क़ुबूल या ख़ारिज करता है और दुसरे वोह खरीदने और बेचने की ताक़तों में यक़ीन रखता है। वोह मुफ्त मे हाथ आई किसी शय के साथ इन्साफ नहीं करता, फिर चाहे वोह इल्म ही क्यों न हो। वोह चाहता है कि जितना उसने खर्च किया है उतना या उससे ज़्यादा हासिल करे। जहाँ उसे बदले की उम्मीद नहीं होती वहाँ वोह अपना माल नहीं लगाना चाहता। मज़हब के सिलसिले मे भी वोह अपने इस बर्ताव पर क़ायम रहता है। और इसीलिए वोह अपने हर नेक अमल के बदले मे जन्नत या स्वर्ग की खुआहिश पालता है। जन्नत पाने की यह खुआहिश ही उससे कभी बड़ी-बड़ी मस्जिदें, शिवालें (Tamples) और दीगर इबादतगाहें तैयार कराती है तो कभी उसे नंगे पाँव मंदिर-ओ-मस्जिद की तपती हुई सीढियाँ चढ़वाती है। कहीं मज़ारों पर महँगी चादरें चढ़वाती है तो कहीं पत्थर के मुज्जसमों में ख़ुदा का अक्स दिखाती है। जन्नत का लालच उस पर हमेशा हावी रहता है लेकिन अपने अमल पर फ़िक्र करने की उसके पास फुर्सत नहीं होती, क्योंकि खरीदने और बेचने की ताक़तें उसे हमेशा ही मसरूफ रखती हैं। वोह ज़्यादातर मौक़ों पर इस बात को

नज़रअंदाज़ कर देता है कि कहीं ऐसा तो नहीं, जिन्हें वो नेक अमल समझकर अंजाम दे रहा है उन आमाल का ताल्लुक़ महज़ उसकी ज़हनी या नफ़्सानी (Mental or Psychological) खुआहिशों की तकमील से हो न की ख़ुशनूदी-ए-ख़ुदा से। बस एक दरारशुदा यक़ीन (दरारशुदा इसलिए क्योंकि ज़िन्दगी भर नेकिया करने के बाद भी वोह यह दावे से नहीं कह पाता की उसे जन्नत मिल ही जाएगी) उसे एक ऐसी राह पर लगाए रखता है जो उसके हिसाब से सीधी जन्नत तक जाती है।

मैंने अक्सर मज़हबी आलिमो और बुज़ुर्गों के मुँह से सुना है कि अल्लाह के नज़दीक सिर्फ वोह इबादत क़ाबिल-ए-क़ुबूल होती है जो इबादत तक़वे (Merit) के साथ अदा की जाती है। चाहे वोह नमाज़ हो, रोज़ा हो, हज हो, ज़कात हो या कोई भी और अमल जिसे इबादत समझ कर किया जा रहा है, उसमें तक़वे का शामिल होना एक ज़रूरी शर्त है। जब मैंने उन्हीं आलिमों और बुज़ुर्गों से पुछा की तक़वे के मानी क्या होते हैं तो अलग-अलग लोगों ने मुझे तक़वे के अलग-अलग मानी बताए। किसी ने कहा कि तक़वे से मुराद अल्लाह का डर रखने से है, तो किसी और ने कहा कि तक़वा दीन की उस मंज़िल का नाम है जहां आकर इंसान की इबादतें क़ामिल/मुक्कम्मल और किरदार पाक-ओ-पाकीज़ा हो जाता है। एक और आलिम-ए-दीन से जब मैंने यही सवाल किया तो उनका जवाब था कि "इल्म की रौशनी में किए जाने वाले अमल का नाम ही तक़वा है"। शुरू में अपनी कम इल्मी के बाइस मुझे यह सभी जवाब अलग-अलग लगे, पर जब मैंने इन सभी जवाबों पर ग़ौर-ओ-फिक्र किया तो मैंने पाया कि ये सभी जवाब दरअसल एक बहुत गहरे सवाल के अलग-अलग हिस्सों मे दिए गए जवाब हैं। मुझे ऐसा लगने की वजह यह थी कि अगर अल्लाह का डर रखने का नाम ही तक़वा है तो जिसे अल्लाह की सही मारिफ़त ही नहीं है उसे या तो अल्लाह का डर होगा ही नहीं या फ़िर उससे एक किस्म की दहशत होगी (ठीक वैसे ही जैसे किसी अनजान शय से या तो हम

बिलकुल नहीं डरते या बहुत ज़्यादा डरते हैं)। जबकि इंसान को अल्लाह की सही मारिफ़त सिर्फ उस शय के ज़रिये से ही हो सकती है जिसका फैलाव कायनात के ज़र्रे-ज़र्रे तक हो, जबकि ऐसी शय उस ख़ुदा-ए-बेमिस्ल के बाद "इल्म" के सिवाए कोई दुसरी नज़र नहीं आती। दुसरे, अगर तक़वा इबादतों और किरदार की क़ामिलियत का नाम है तो यह क़ामिलियत हासिल करना भी इल्म के बगैर नामुमकिन है क्योंकि यह आलिम ही हैं जो किरदार से बुलंद और अल्लाह की सही मारिफ़त से आगाह होते हैं। इस तमाम ग़ौर-ओ-फिक्र के बाद मैं इस नतीजे पर पहुँचा कि दरअसल जो आखिरी जवाब मुझे मिला वोह पहले के ही जवाबों का एक बेहतर रुख था कि इल्म की रौशनी में किए गए अमल का नाम ही तक़वा है। लिहाज़ा मुझे यह मानने मे कोई हिचकिचाहट नहीं हुई कि चाहे वोह अल्लाह की हक़ीक़ी मारिफ़त हो या इबादतों की मुख्लिसी, जन्नत की खुआहिश हो या तक़वे की पाबन्दी ये सभी मज़हबी अमल बिना इल्म के अपने अंजाम तक या अपनी उस बुलंदी तक नहीं पहुँच सकते जिसकी हम बतौर मुसलमान खुआहिश रखते हैं। और तो और एक हक़ीक़त यह भी है कि जैसे-जैसे हमारे इल्म मे इज़ाफ़ा होता जाता है, हमारे हर अमल की बुलंदी बढ़ती जाती है, जिसमें हमारी इबादतें भी शामिल हैं।

दीन और तालीम

मैंने ज़्यादातर मौकों पर यह महसूस किया है कि इस्लामी मुआशरे में दीनी तालीम की अहमियत और मुक़ाम दुनियावी तालीम से बलन्द-ओ-बाला है। कहीं-कहीं यह फर्क़, फ़र्ज़ और नफ़िल नमाज़ के बीच के फर्क़ की तरह का दिखाई देता है तो कहीं-कहीं यह बढ़कर और भी ज़्यादा हो जाता है। मैंने यह शिद्दत से महसूस किया है कि इस्लामी मुआशरे में अगर कभी ऐसा मौक़ा आता है जब वालिदेन को दीनी और दुनियावी तालीम मे से किसी एक को चुनना हो तो अक्सर वालिदेन दीनी तालीम को ही चुनते हैं। क़बाइली या देहाती इलाक़ों में तो यह चलन और भी ज़्यादा

है क्योंकि वहां दुनियावी तालीम को शायद किसी दुसरे मतबादिल (Alternative) की सूरत मे मंज़ूर ही नहीं किया जाता। और अगर कोई वालिदेन दुनियावी तालीम को दुसरे मतबादिल की शक्ल में चुन भी लें तो अक्सर उन्हें समाजिक दिक्कतों का सामना करना पड़ता हैं। अपने दीन को लेकर यह जज़्बा, यह यक़ीन और यह एहतराम दुनिया की किसी दुसरी क़ौम मे नज़र नहीं आता। यह शरफ़ (Honour) सिर्फ दीन-ए-इस्लाम के मानने वाले लोगों को हासिल है कि वो अपने ज़ाती फायदों से ज़्यादा अहमियत अपने दीन को देते हैं। यह एक ऐसा जज़्बा है जिसकी जितनी भी क़द्र की जाए वोह कम है।

मैंने यह भी महसूस किया है कि जब वालिदेन अपने बच्चों की दीनी तालीम को तरजीह दे रहे होते हैं तो उनके ज़हन में यह खुआहिश होती है कि उनके बच्चे हमेशा नेक अमल करें और मुआशरे में उनके मुक़ाम को और ज़्यादा बलन्दी तक पहुँचाए। मैं उनकी इस खुआहिश की क़दर करता हूँ मगर यह भी मानता हूँ कि यह कोई ऐसी खुआहिश नहीं है जो सिर्फ मुस्लिम वालिदेन के ज़हन में ही आती है, बल्कि दीगर मज़ाहिब के मानने वाले वालिदेन भी अपने बच्चों से ऐसी ही खुआहिशात रखते हैं। मालूम हुआ कि यह एक कुदरती खुआहिश है जो दुनिया के सभी माँ बाप अपने बच्चों से रखते हैं, हालाँकि इस खुआहिश को पूरा करने के लिए किए जाने वाले तर्ज़े अमल मुस्लिम और ग़ैर-मुस्लिम मुआशरे में अलग-अलग हैं। क्योंकि मुस्लमानों के पास कायनात का बहतरीन ख़ुदा है, सबसे बड़ा रसूल है और सबसे आला किताब मौजूद है लिहाज़ा वो यह खुआहिश दीन के ज़रिए से पूरी करने की कोशिश करते हैं, जबकि दुसरी जानिब ये बेशक़ीमती नेअमतें मौजूद नहीं हैं लिहाज़ा ग़ैर-मुस्लिम क़ौमें यह खुआहिश दुनियावी तालीम के ज़रिए से हासिल करने की कोशिश करती हैं। क्योंकि इन दोनों के तर्ज़े अमल मुख़्तलिफ़ हैं लिहाज़ा यहाँ मुस्लिम मुआशरे और ग़ैर-मुस्लिम मुआशरे के बीच एक हल्का सा फर्क़ नज़र आता है। और यह फर्क़ एक ऐसा सवाल पैदा करता है जिसके जवाब पर एक पूरी क़ौम

का मुस्तक़बिल आ कर ठहर जाता है। और वोह सवाल यह है कि "बेशक़ दीनी तालीम का मुकाम दुनियावी तालीम से बलन्द है पर क्या वाक़ई इतना बलन्द है कि दुनियावी तालीम को नज़रअंदाज़ किया जा सके"?

आइये, हम सब मिलकर इस सवाल का जवाब पूरी ईमानदारी के साथ ढूंढने की कोशिश करते हैं। क्या मालूम इस सवाल का जवाब ही हम सब दीन-ए-इस्लाम के मानने वालों का तआरुफ़ किसी ऐसी राह से करा दे, जिसकी जानिब हम सभी एक साथ आज तक मुड़े ही न हो।

बतौर एक मुसलमान जब मैंने इस सवाल का जवाब ढूंढने की कोशिश की और चाहा कि क़ुरान मुझे इस सवाल का जवाब दे तो मैं फिर से उसी वाक़्ये तक पहुँचा जहाँ अल्लाह ने मलाइका को हुक्म दिया की वो सब आदम को सजदा करें। सभी फरिश्तों ने अल्लाह के इस हुक्म की इताअत (To Obey) की मगर इब्लीस ने यह कह कर आदम को सजदा करने से इंकार कर दिया कि अल्लाह ने आदम को मिट्टी से बनाया है और खुद उसको आग से। उसकी ज़िद थी कि क्योंकि आग मिट्टी के मुक़ाबिल एक अफ़ज़ल शय है लिहाज़ा यह एक नाइंसाफी होगी अगर एक अफ़ज़ल शय अपने से किसी कमतर शय के आगे सजदे मे झुक जाए। मुझे यह वाक़्या इतना दिलचस्प लगा कि मैंने इस पुरे वाक़्ये को क़ुरान में बार-बार पढ़ा। क्योंकि यह वाक़्या क़ुरान में एक से ज़्यादा बार दोहराया गया है इसलिए जहां-जहां भी अल्लाह ने इस वाक़्ये का ज़िर्क अपनी मुक़्क़दस किताब में किया, मैंने हर उस मुक़ाम पर इस वाक़्ये को पढ़ा और इसकी गहराई में जाने की कोशिश की। इस तमाम बयान को कई बार पढ़कर मैंने अल्लाह के हुक्म और इब्लीस की जिरह, दोनों को समझने की कोशिश की। मैं जानना चाहता था कि वोह क्या वजह थी जिसने इब्लीस जैसे इबादत गुज़ार फरिश्ते के किरदार में इतना ग़ुरूर पैदा कर दिया कि उसने खुद को आदम से अफज़ल साबित करने के लिए अल्लाह के साथ जिरह भी की और उस रब्बे-अज़ीम के हुक्म का इंकार भी किया। मेरे ज़हन में जो एक

सवाल बार-बार उठ रहा था वोह यह था कि क्या वाक़ई आग की हैसियत और मुक़ाम मिट्टी से अफज़ल है या नहीं?

जब मैंने इस बात पर ग़ौर-ओ-फ़िक्र किया और अपनी अक़्ल की कसौटी पर इसे कसा तो मैं इस नतीजे पर पहुँचा कि न तो आग ही एक अफज़ल शय है और न ही मिट्टी एक कमतर शय। मैं इस बात को तजुर्बे की हद तक सही पाता गया कि चाहे वोह आग हो या मिट्टी दोनों का अफज़ल या कमतर होना महज़ इस बात पर मुनस्सिर (Depend) है कि किसी एक वक़्त पर इन दोनों अनासिर का तर्ज़े अमल क्या है? मिसाल के तौर पर अगर हम आग का तर्ज़े अमल मिट्टी के चुल्हे मे देखें तो उस वक़्त आग को अफज़ल ही माना जायेगा क्योंकि मिट्टी का चुल्हा अकेले खाना नहीं पका सकता। इस मौके पर आग का अमल एक बेहतर अमल है क्योंकि किसी इंसान की ज़िन्दगी उस नेमत पर होती है जिसे आग पकाती है। दुसरी तरफ जब सूरज शिद्दत से आग बरसा रहा होता है और गर्म मौसम इंसान की जान निकाल लेने पर आमादा होता है तो मिट्टी से बने घड़े का ठण्डा पानी गर्मी और प्यास से बिलखती हुई ज़िन्दगियों को फिर से हयात बख्शता है। क्योंकि यहाँ एक नेमत मिट्टी के ज़रिए से ज़िन्दगी की हिफाज़त कर रही है इसलिए इस ख़ास वक़्त मे आसमान से बरसती आग के मुक़ाबिल मिट्टी का तर्ज़े अमल बेहतर होता है और यहीं पर मिट्टी को आग से अफज़ल कहा जाता है। मेरे ज़हन में न जाने ऐसी कितनी ही मिसालें आती चली गई जहां मैंने कभी आग को अफज़ल पाया तो कभी मिट्टी को। आखिरकार मुझे यह मानना ही पड़ा कि किसी शय का अफज़ल या कमतर होना उसके काम और मुक़ाम पर मुनस्सिर है न की उसके माद्दे की ज़ात पर। यानि किसी भी शय की ज़ाती हैसियत उसका तर्ज़े अमल तय करता है न की उसे बनाने वाला मवाद (Material)।

अब जबकि मैं यह जान गया था कि इब्लीस की दलील एक नासमझ दलील थी इसलिए मेरे लिए यह अंदाज़ा लगाना आसान था की वोह शय जिसने

इब्लीस जैसे फ़रिश्ते से अल्लाह के हुक्म की नाफरमानी कराई, दरअसल वोह उसकी जिहालत थी। बेशक इब्लीस इबादतों के हवाले से एक नेक और पाबन्द फरिश्ता रहा हो, मगर उसे इस बात का इल्म नहीं था की चाहे वोह आग हो, मिट्टी हो या कोई दुसरी शय, दरअसल उसकी कोई ज़ाती फज़ीलत होती ही नहीं बल्कि अफज़ल तो वोह अमल होता है जिसके काम किसी शय को आना है। मुझे इस बात पर हैरानी थी कि इतना नेक और इबादत गुज़ार होकर भी वोह इस इल्म से दूर था। नतीजा यह हुआ कि उसकी जिहालत और लाइल्मी ने उसे गुनहगार भी किया और ज़लीलों-रुसवा भी। यहाँ तक की उसकी इस एक जिहालत ने उसकी तमाम इबादतों को राएगा (Waste) भी किया और उसे क़यामत तक के लिए लानती भी बना दिया। इस तमाम वाक़्ये से जो एक और बात मुझ पर ज़ाहिर हुई वोह यह थी कि दरअसल गुनाह का ताल्लुक़ हमारी जिहालत और लाइल्मी से होता है और जो बात इल्म से संभाली जा सकती है जिहालत उसे और भी ज़्यादा बदतर बना देती है। लिहाज़ा मैं यह मानने के लिए मजबूर था कि जितना हम इल्म से दूर होते हैं उतना ही ज़्यादा हम गुनाह, नासमझी, ज़िद और गुरूर की सियाह चादरों में लिपटे होते हैं। यहाँ तक की जिहालत हमें हमारे हक़ से भी महरूम करा देती है, ठीक वैसे ही जैसे इसने इब्लीस को उसकी इबादतों के एवज़ मिलने वाले सवाब से महरूम करा दिया। ऐसे मे यह कहना ग़लत नहीं होगा कि दोज़ख का ताल्लुक़ यक़ीनन गुनहगारों से नहीं बल्कि जाहिलों से है, क्योंकि गुनाह तो जिहालत का ही पैदाकर्दा महज़ एक अवामिल है। इसके अलावा यह कहना भी दुरुस्त है कि जिहालत के कुल मानी सिर्फ नावाक़िफ़ियत से ही नहीं होते बल्कि, "कुछ जानने के लिए जुस्तुजू न करना भी जिहालत की ही एक अलग तशरीह है"।

आइए, अब हम अपने बुनियादी सवाल पर लौटते हैं कि क्या दीनी तालीम की अहमियत ज़्यादा है या दुनियावी तालीम की अहमियत? इस सवाल का एक मुनासिब और सबके लिए मंज़ूरशुदा जवाब हमें इस पूरे वाक़्ये से मिल सकता

है, जिसका अभी-अभी यहाँ ज़िक्र हुआ। यानि इनकी अहमियत का फैसला हम हालात और मुक़ाम को मद्देनज़र रखते हुए ही कर सकते हैं, न की पहले से ही यह मानकर कि फलां शय की अहमियत ज़्यादा है और फलां शय की कम, लिहाज़ा हम खुद फैसला करें कि हमारे लिए क्या ज़्यादा ज़ुरूरी है। इसके उलट इस सवाल का एक दुसरा जवाब भी है, जिसे समझने और मानने के लिए हमें ज़्यादा मन्तक़ी दलाइल (Logical Arguments) पेश करने की ज़ुरूरत होगी। साथ ही साथ हमें अपने ज़हनों को भी उनकी हदों तक खोलना होगा ताकि महज़ अपने यक़ीनों और अक़ीदों की बुनियाद पर हम उसका इंकार न कर सकें।

इस दुसरे जवाब को समझने के लिए आइए हम "अल्लाह", "दीन" और "इल्म" इन तीनों को फिर से और एक अलग नज़रिए से समझे की कोशिश करते हैं।

दुनिया के तमाम मुस्लमान, आलिम, मुफ़स्सिर, तशरीहकार और फ़लसफ़ी अल्लाह को एक ऐसे अज़ीम खालिक़ और एक ऐसे माबूद कि शक्ल में समझने की कोशिश करते हैं जो न सिर्फ इस दुनिया को बल्कि इस पूरी कायनात को अपने तमाम इख्तियार और बेहिसाब ताक़त के ज़रिए क़ाबू किए हुए है। हमारा यक़ीन है कि वोह इस लामुतनाही (Endless) कायनात को अपनी मर्ज़ी के मुताबिक़ चलाने के लिए तमाम असबाब ख़ल्क़ करता है और उन्हें हममें या जहाँ उनकी ज़ुरूरत हो, पहुँचाता है। क्योंकि इंसानी तरक़्क़ियों का दख़ल अभी सिर्फ इस दुनिया तक ही महदूद है लिहाज़ा अपनी खुद की तारीफ (Introduction) और तशरीह (Interpretation) भी वोह खुद अपने भेजे हुए पैग़म्बरों या नबियों के ज़रिए से करता है। उसने खुद इस खुआहिश का इज़हार किया कि वोह पहचाना जाए लिहाज़ा इस काम के लिए उसने मुहम्मद सल अल्लाहु आलिही वसल्लम और दीगर एक लाख चौबीस हज़ार पैग़म्बरों को इस दुनिया में भेजा जिन्होंने उसकी अनगिनत फ़ज़िलतें (Qualities) बयान की। नबियों और पैग़म्बरों के आने का यह

सिलसिला हज़ारों साल तक जारी रहा मगर फिर भी वोह ख़ुदा-ए-बेमिस्ल अल्लाह इतना लामहदूद रहा कि उसके तमाम नबियों और पैग़म्बरों की बयानकर्दा तमाम फ़ज़ीलतें भी उसकी अज़मतों और उसकी शान के साथ मुक़म्मल इन्साफ न कर सकीं। हालाँकि यह भी उस रब्बे कायनात की एक फज़ीलत ही है कि उसकी तमाम अज़मतें उसके भेजे तमाम अम्बियां भी बयान न कर सकें लिहाज़ा उसकी अज़मतों के बयान का एक न ख़त्म होने वाला सिलसिला आज भी दुनियावी इल्म-ओ-दरयाफ़्त (Knowledge & Discoveries) के ज़रिए से जारी है। क्योंकि उसके वुजूद की सरहदें नहीं हैं, क्योंकि उसके फ़ज़ाइल उसी की तरह लामहदूद और लामुतनाही हैं, क्योंकि वहीं सच्चा माबूद है, क्योंकि सिर्फ इस दुनिया की सरहदों में रहकर उसकी मुक़म्मल तशरीह नहीं की जा सकती और क्योंकि वही हर इल्म का आलिम और पैदा करने वाला है लिहाज़ा हम उसके सिवा किसी और की इबादत नहीं कर सकते। और हमारी इबादतें भी दर हक़ीक़त उसकी तमाम फज़ीलतों और उन तमाम नैमतों की महज़ शुक्र अदाएगी हैं जो नैमतें उस ख़ालिक़-ए-अज़ीम ने हमें बग़ैर कोई बदला चाहे अता की।

आइए, अब हम अपनी इस गुफ़्तुगू का रुख दीन की तरफ करें। हम दीन की तशरीह उन बयानों और हवालों के ज़रिए से करते हैं जो हम तक या तो नबियों और पैग़म्बरों के ज़रिए से पहुंचे हैं या क़ुरान और मुहम्मद(रज़ि) की हदीसों के ज़रिए से। यूँ तो दीन को बयान करने और समझाने के लिए अनगिनत किताबें मौजूद हैं लेकिन अगर हम चंद अल्फ़ाज़ों में दीन की मुक़म्मल तारीफ करना चाहे तो वोह तारीफ सिर्फ और सिर्फ इतनी होगी कि "दीन उस वहीद निज़ाम का नाम है जो हमें हक़ (Truth) और बातिल (False) के बीच फर्क़ करने का सलीक़ा अता करता है"। मुझे नहीं मालूम की आदम की ख़िलक़त से पहले कायनात में बातिल का कोई वुजूद था भी या नही, मगर इसके वुजूद का ताल्लुक़ भी कहीं न कहीं उसी वाक़्ये से जाकर जुड़ता है जहाँ इब्लीस ने आदम को सजदा करने से इंकार किया और

फरिश्तों की सफों (Queue) से बहार कर दिया गया। उसने कसम खाई कि वोह इंसान को क़यामत तक गुमराह करता रहेगा, और इस तरह उसने बातिल का वुजूद क़ायम किया, लिहाज़ा इंसान के लिए अब एक ऐसे निज़ाम की ज़रूरत थी जो उसे इसकी शरंगेज़ियों (Mischiefs) से महफूज़ रख सकें। दुसरी तरफ अल्लाह ने इंसान को जहाँ नफ़्स (Conscience) अता की वहीं उसे साहिबे अक़्ल भी बनाया। क्योंकि यह दोनों ही शय "नफ़्स और अक़्ल", अपने-अपने मख़सूस (Unique) तरीकों से इंसान के हर अमल पर असर डालती हैं, और क्योंकि इनका असर ही इंसान की ज़िन्दगी को सही या ग़लत राह पर लगाता है, लिहाज़ा इनके लिए भी कोई ऐसा निज़ाम चाहिए था जो इंसान को नफ़सानी शरंगेज़ियों से आगाह कर उसे अक़्ल के बेहतर इस्तेमाल की हिदायत दे सकता। ये दो वजहें किसी ऐसे निज़ाम को ख़ल्क़ करने के लिए काफी थी जो इंसान को हक़-ओ-बातिल या सही और ग़लत के बीच फर्क़ करना सीखा सके। और इसी ज़ुरूरत को पूरा करने के लिए उस ख़ुदा-ए-वाहिद ने दीन-ए-इस्लाम का इन्तख़ाब किया। मैंने अक्सर इस सवाल का सामना किया है कि क्यों दीन-ए-इस्लाम में कोई तबदीली या तग़य्युर नहीं किया जा सकता है? क्योंकि यह एक निहायत ही हस्सास मौज़ू (Sensitive Issue) है, इसलिए इसका जवाब मैंने हमेशा ही दीन-ए-इस्लाम की अज़मत और इंसानी किरदार की नज़ाक़त, दोनों को मद्देनज़र रखते हुए ही दिया है। मैंने हमेशा पूछने वाले को यह समझाने की कोशिश की है कि जिस तरह दुनिया में सही और ग़लत की तशरीहात और क़द्रें पहले से तय हैं, और इनमें कभी भी, कहीं भी और कोई भी तबदीली नहीं की जा सकती, ठीक वैसे ही दीन-ए-इस्लाम भी अपनी क़द्रों और क़वानीन के लिहाज़ से बेऐब और कामिल है, लिहाज़ा नाक़ाबिल-ए-तब्दील है।

अक्सर इंसान को सही और ग़लत के बीच फैसला करने मे दुशवारी का सामना करना पड़ता है या इंसान खुद ही अपने ज़ाती मफ़ादात की खातिर खुद अपने लिए सही और ग़लत की तशरीहात तब्दील करने की कोशिश करता है। ऐसे में

दुनिया के पास ऐसा कोई निज़ाम नहीं हो सकता है जो दीन की जगह लेकर सही और ग़लत या हक़-ओ-बातिल के दरमियाँ मुक़म्मल इन्साफ कर सके। क्योंकि इंसान के लिए ऐसा निज़ाम तामीर करना एक नामुमकिन अमल है इसलिए इसका इंतिज़ाम भी खुद उसी ने किया जिसने इंसान को खल्क़ किया था। यानि दीन-ए-इस्लाम उस रब्बे-अकबर की जानिब से थोपे गए किसी फ़लसफ़े या किसी फैसले का नाम नहीं बल्कि यह तो उस रब के अदल-ओ-इन्साफ की दलील है जो हमें एक लम्हें के लिए भी हक़ की जानिब से ग़ाफ़िल नहीं रहने देना चाहता। दीन की मिसाल बिलकुल उस किताब-ए-हिदायत (User Manual) के जैसी है जो हमें हर उस इलेक्ट्रॉनिक सामान के साथ मिलती है जिसे हमने अभी-अभी खरीदा है और जिसके इस्तेमाल से हम अभी नावाक़िफ़ है। दीन का काम भी इंसान को यह समझाना है कि वोह अपनी ज़िन्दगी का बेहतरीन इस्तेमाल कैसे कर सकता है। यानि दीन का काम इंसान की रहनुमाई करना है न की उसको गुमराह करना। अब यह इंसान की अपनी मर्ज़ी है कि वोह दीन की तालीमात को क़ुबूल करे या न करे, क्योंकि बतौर क़ुरान दीन में कोई जब्र या ज़बरदस्ती नहीं है[2:256]।

क्योंकि इंसान हर लम्हां ही बातिल की ज़द में होता है और इसलिए मुख़्तलिफ़ गुनाहों को अंजाम देता रहता है, लिहाज़ा दुनिया की तमाम तहज़ीबे इसके खिलाफ क़ानूनसाज़ी और सज़ा को तरजीह देती हैं। इसके बरअक्स दीनी निज़ाम सज़ा से पहले इंसान की इस्लाह का हामी है। वोह इंसान के उन क़ुदरती एहसासों को झंझोड़ने का काम करता है जो उसे बातिल और गुनाह की तरफ रुख करने से रोकते हो। होता यह है कि एक तरफ जहाँ दुनिया अपने ही बनाए क़ानूनों से बच निकलने के रास्ते देर सवेर ढूंढ निकालती है और फिर अपने ही क़ानूनों में तब्दीलियां करने पर मजबूर हो जाती है वहीं दुसरी तरफ इस्लाह से बच निकलना और हक़-ओ-बातिल की तालीम को नज़रअंदाज़ करना उसके लिए नामुमकिन होता है। यही वजह है कि दीन को कभी भी तब्दीलियों की ज़ुरूरत नहीं पड़ती

क्योंकि सिर्फ दीन ही सज़ा से पहले इस्लाह की वकालत करता है। यहाँ एक बात और जो क़ाबिल-ए-ग़ौर है वोह यह है कि हर वोह अमल या शय जिसके ज़रिए से हक़-ओ-बातिल के बीच ईमानदारी से फ़र्क़ किया जा सके और मुस्तक़बिल में भी जिसके तब्दील होने का कोई इम्कान न हो वोह अमल या शय दीन का हिस्सा है और एहतिराम के क़ाबिल है। यानि कायनात का कोई भी अमल-ए-हक़, दीन से बाहर नहीं है। लिहाज़ा यह कहना ग़लत न होगा कि दीन-ए-इस्लाम भी अपने ख़ालिक़ की तरह ही लाऐब (Faultless) और लामहदूद है।

अब तक हमने अल्लाह और दीन-ए-इस्लाम का मुताअला किया और पाया कि अल्लाह और उसके दीन, दोनों को ही किसी हद मे बाँध कर नहीं रखा जा सकता। अलबत्ता यह दोनों ही इंसान को इस दुनिया की हदों में बाँधें रखते है ताकि उसे हर वक़्त यह अहसास रहें कि इतनी तरक्क़ियों और हज़ारों साल की बेपनाह कोशिशों के बाद भी वोह कितना पस्त और कितना मजबूर है। मगर इस पस्ती और इस मजबूरी से लड़ने और उसे हराने के लिए ही उस क़ादिर-ए-मुतलक़ ख़ुदा ने इंसान को साहिबे अक़्ल बनाया ताकि वोह अपनी जद्दो-जहद से न सिर्फ इस दुनिया पर बल्कि इस कायनात पर भी मुसल्लत हो कर दिखा सके। और तो और इसकी शुरुआत इंसान ने अपने इल्म के ज़रिए से चाँद की ज़मीन पर अपने मज़बूत क़दम रखकर कर भी दी। इंसान के इस क़दम ने न सिर्फ हमें यह समझने में मदद की कि क्यों इंसान मलाइका के लिए क़ाबिल-ए-सजदा है बल्कि यह भी साबित किया की अल्लाह के बाद कायनात की तमाम क़ुव्वतें अगर किसी और के पास हैं तो वो सिर्फ और सिर्फ इल्म के पास हैं। और जैसा की अभी तक की हमारी गुफ़्तुगू बताती है की अल्लाह की हक़ीक़ी मारिफ़त की राहें इल्म से जुडी हैं, इसलिए उसने इल्म को अपने पास पोशीदा नहीं रखा बल्कि उसे कायनात के गोशे-गोशे में बिखेर दिया और इंसान को अपनी मुक़द्दस किताब के ज़रिए यह हिदायत कर दी की वोह जिस दिन पैदा हो उस दिन से लेकर क़ब्र में जाने तक इल्म हासिल करता रहे। यानि जिसे भी उसने

साहिबे अक़्ल बनाया उसे ही इल्म की हिदायत दी, और जिसे भी इल्म की हिदायत दी उसे ही अपनी मारिफ़त की राह पर लगा दिया।

अब रहा यह सवाल कि क्या इल्म-ए-दीन और इल्म-ए-दुनिया दो अलग-अलग शय हैं और क्या दीनी तालीम की अहमियत दुनियावी तालीम से ज़्यादा है, तो इसे समझने से पहले आइये हम इल्म की ऐसी तशरीह पेश करें जो इस दुनिया के हर शख़्स के लिए क़ाबिल-ए-क़ुबूल हो। क़ुबूलियत के एतबार से इल्म की ऐसी तशरीह सिर्फ इतनी हो सकती है कि "इंसान का नावाक़िफ़ियत से चलकर वाक़फ़ियत तक आने के सफर का नाम ही इल्म है।" इस एक मुख़्तसर सी तशरीह में दुनिया के तमाम मज़मून, इंसान की तमाम फिक्र, यह पूरी कायनात और अल्लाह का मुक़म्मल दीन शामिल होकर आ गया है। लिहाज़ा अब हम यह कह सकते हैं कि इल्म भी अल्लाह और उसके दीन की तरह ही एक लामहदूद शय है और अल्लाह ने दीन को इल्म से खल्क़ किया है न की इल्म को दीन से।

इस बात को और गहराई से समझने के लिए आइए हम इन मुख़्तलिफ़ 6 इम्कानात पर ग़ौर करें...

1. **अल्लाह → दीन → इल्म → इंसान**
2. **अल्लाह → दीन → इंसान → इल्म**
3. **अल्लाह → इल्म → इंसान → दीन**
4. **अल्लाह → इल्म → दीन → इंसान**
5. **अल्लाह → इंसान → दीन → इल्म**
6. **अल्लाह → इंसान → इल्म → दीन**

क्योंकि सिर्फ अल्लाह की ज़ात ही मुत्लक़ (Absolute) यानि मुक़म्मल है लिहाज़ा यहाँ हर एक इमकान में उसे ही सबसे पहले रखा गया है, किसी और को नहीं। अल्लाह को उसकी तय जगह पर रखने के बाद और इन सभी इम्कानात को देखकर यह सवाल उठता है कि अब हम दीन, इंसान और इल्म में से किसे खल्क़-ए-अव्वल माने? और आखिरकार इस सवाल का एक मन्तक़ी जवाब ही यह तय करेगा कि हमारे लिए किस शय की अहमियत ज़्यादा और ज़ुरूरी है।

इंसान की सालों की जद्दो जहद और तहक़ीक़ हमें बताती है कि इस लामुतनाही कायनात में मौजूद अनगिनत सितारें (जिसमें हमारा अपना सितारा सूरज भी शामिल है) अपनी गर्मी और रौशनी को पैदा करने के लिए उस तरह से नहीं जलते जिस तरह से हम अपनी ज़ुरूरत के लिए आग पैदा करते हैं। ज़मीन पर आग जलाने के लिए हमें तीन बुनियादी असबाब यानि ईंधन, ऑक्सीजन और एक चिंगारी की ज़ुरूरत होती है मगर इसके उलट सितारें अपनी रौशनी और गर्मी को पैदा करने के लिए ऑक्सीजन का नहीं बल्कि कायनात के सबसे पहले और बुनियादी अनासिर हाइड्रोजन (H) का इस्तेमाल करते हैं। होता यह है कि सितारे के मरकज़ में तेज़ गर्मी की वजह से हाइड्रोजन के परमाणु लगातार आपस मे टकराते रहते हैं। आपस मे टकराने के रद्दे अमल में हाइड्रोजन के दो परमाणु एक दुसरे से जुड़ने लगते हैं और दुसरे कुदरती अनासिर हीलियम (He) के एक परमाणु की तामीर करते हैं। दो परमाणुओं के जुड़ कर एक बन जाने की इस कारवाही (Process) में बेशुमार गर्मी और रौशनी पैदा होती है। और इस तमाम अमल को ही नाभिकीय संलयन (Nulear Fusion) कहा जाता है। नाभिकीय संलयन की इस कारवाही के ज़रिए पैदा हुई तमान गर्मी और रौशनी बिलआख़िर सितारे के मरकज़ से निकल कर उसकी सतह तक आती है और फिर लगभग 3 लाख किलोमीटर फी सेकंड (Per Second) की रफ़्तार से हम तक और कायनात की दुसरी जगहों तक पहुँचती है।

यह कारगर्दगी हर सितारे की बुनियाद है और कायनात का हर एक सितारा सिर्फ इस तरह ही अपनी गर्मी और रौशनी पैदा करता है।

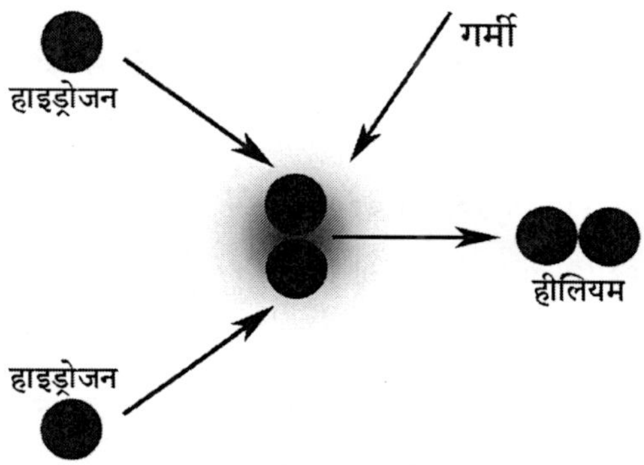

नुक्लेयर फ्यूज़न (Nuclear Fusion) को बयान करती यह तस्वीर हमें समझाती है कि कैसे हाइड्रोजन (H_1) का एक परमाणु (Atom) जो दुनिया का सबसे हल्का कुदरती अनासिर है जब दुसरे हाइड्रोजन परमाणु टकराता है तब ये दोनों आपस में जुड़कर हीलियम (He_2) के एक परमाणु की तामीर करते हैं। दो हाइड्रोजन परमाणुओं के जुड़ने के इस रद्दे अमल (Process) में बेतहाशा कुदरती तवानाई गर्मी की शक़्ल इख़्तियार करती है।

देखा जाए तो इंसान को इस पूरे फ़लसफ़े का इल्म महज़ सौ, सवा-सौ सालों से है जबकि कायनात के तमाम सितारें इसी तरीके का इस्तेमाल करते हुए लगभग 13 अरब सालों से अपना वुजूद पाते आ रहें हैं। दुसरी तरफ इस फ़लसफ़े में ग़लती का कोई इमकान भी नहीं है जैसा की साइंस के कुछ फलसफ़ों के साथ पहले हो चुका है, क्योंकि इस फ़लसफ़े को हम यहाँ ज़मीन पर रहते हुए ही परख चुके है। इसलिए यह कहना ग़लत नहीं होगा कि जिस शय का इल्म हमें बिलकुल अभी-अभी हुआ है उस इल्म से वोह रब्बे-आला इस कायनात को अरबों सालों से चला रहा है। यानि यह पूरा फ़लसफ़ा या यह पूरी थ्योरी कोई दुनियावी इल्म है ही नहीं जिसे किसी इंसान ने महज़ अपनी अक़्ल से गढ़ कर हमारे सामने पेश कर दिया

हो बल्कि यह तो इल्म-ए-रब्बी है जो उस ख़ुदा-ए-बेमिस्ल के तमाम कमालात में से महज़ एक कमाल है।

इसमें कोई शक नहीं कि चाहे वो साइंस के जाँचे परखें फ़लसफ़े हो या रियाज़ियात (Mathematics) के फार्मूलें, ये दोनों ही दरअसल निज़ाम-ए-कायनात का एक हिस्सा हैं न की किसी किस्म के अफ़सानी फ़लसफ़े (Perceptional Theories) या इंसानी ज़िदें। इसमें ज़रा भी शक नहीं है कि कायनात का निज़ाम भी खालिस ताबियात और रियाज़ियात (Physics & Mathematics) के ज़रिए से ही चलता है न की किसी मौज्ज़े (Miracle) से। ऐसा इसलिए क्योंकि मौजज़ा पहले से तय कुदरती उसूल को तोड़कर किसी काम को अंजाम देने का नाम है जबकि कायनात की हर शय अपना काम किसी तय कानून के तहत ही अंजाम देती है जिसमें कभी कोई तबदीली नहीं आती (और इन क़वानीन का इल्म हासिल कर लेना ही दरअसल अल्लाह की सही मारिफ़त हासिल कर लेना है)। लिहाज़ा यह मानना की इंसान ने साइंस, ताबियात और रियाज़ियात जैसे मज़्मूनों (Subjects) को गढ़ लिया है सरासर एक ग़लत सोच है। सच्चाई तो यह है कि इंसान ने अपनी अक़्ल और हिक़मत के ज़रिए इन मज़्मूनों और इन क़ुदरती क़ानूनों को तलाश किया है; और तलाश उसी शय की की जाती है जो पहले से मौजूद तो हो मगर पोशीदा (Hidden) हो।

अब, क्योंकि हम जान गए हैं कि इल्म का वुजूद भी अरबों सालों से क़ायम है और इल्म आज भी उसी तरह से काम करता है जैसा वोह कायनात की शुरुआत में कर रहा था लिहाज़ा यहाँ से हमारे पास सिर्फ दो ही रास्ते बचते हैं। अब या तो हम यह मान लें कि दीन की खिलक़त इल्म से पहले हुई है और दीन ही खल्क़-ए-अव्वल है। ऐसी सूरत में हमें यह भी मानना होगा कि इंसान भी इल्म से पहले ही खल्क़ किया गया है क्योंकि दीन की ज़ुरूरत खुद अल्लाह को नहीं बल्कि उस अशरफुल मख्लूक़ को है जिसे उसने साहिबे अक़्ल बनाया है। मगर ऐसा मानने

में दिक्कत यह है की न ही क़ुरान और न ही साइंस हमें कोई ऐसा सुबूत देते हैं जिससे यह साबित किया जा सके कि इंसान का वुजूद कायनात में अरबों सालों से क़ायम है। एक तरफ जहां क़ुरान आदम की खिल्क़त का ज़िक्र तो करता है मगर उसका कोई तय वक़्त नहीं बताता (और उसे बताना चाहिए भी नहीं क्योंकि वक़्त relative होता है absolute नहीं) वहीं दुसरी तरफ चार्ल्स डारविन की Theory of Evolution इंसान के वुजूद को महज़ दो लाख सालों के दायरे में रखती है, क्योंकि Evolution Theory के सुबूत यही बताते हैं कि इंसान इस ज़मीन पर ज़्यादा दिनों से नहीं है बल्कि वोह तो चंद हज़ार सालों से ही अपनी सल्तनत इस दुनिया में क़ायम किये हुए है। ऐसी सूरत में अगर हम डारविन के फ़लसफ़े को छोड़ भी दे तो भी हम इंसान के वुजूद को 13 अरब साल पीछे तक नहीं ले जा सकते क्योंकि जिस ज़मीन पर हम रखते हैं, खुद वोह ज़मीन ही लगभग 5 अरब साल पुरानी है। ऐसे में हमें यह मानना ही होगा कि दरअसल इल्म ही अल्लाह की जानिब से खल्क़-ए-अव्वल है जबकि इंसान और दीन का वुजूद इल्म के बाद खल्क़ किया गया। यानि हमारे तमाम इमकानात मे से सिर्फ वोह इमकान ही सही है जहां दीन का मुक़ाम इल्म और इंसान के बाद आता है।

3. अल्लाह → इल्म → इंसान → दीन

हमारा यह फलसफां या यह तस्वीया (Equation) हमें यह समझने मे मदद करता है कि किस तरह अल्लाह ने पहले इल्म को खल्क़ किया, फिर अपने इल्म से इंसान को खल्क़ किया और आखिर मे इंसान की रहनुमाई के लिए दीन की खिलक़त की। यानि उसने एक सिलसिलेवार निज़ाम क़ायम किया ताकि इंसान के लिए उस तक पहुँचने की राह हमवार हो सके।

अब जबकि हमें इस फ़लसफ़े की सूरत मे एक ऐसा राह-ए-हल मिल गया है जो बज़ाहिर अल्लाह के वुजूद से लेकर दीन की खिलक़त तक के सफर को नुमाया करता है तो अब हम अपने बुनियादी सवाल का जवाब भी इसी फ़लसफ़े के ज़रिए से समझने की कोशिश करेंगे क्योंकि दीन-ए-इस्लाम और साइंस दोनों के ऐतबार से देखने पर यह फ़लसफ़ा सही मालूम होता है।

इसे समझने से पहले हमें उन मज़ाहिबों/लोगों को समझने की कोशिश करनी चाहिए जिन्होंने दीन-ए-हक़ इस्लाम को तस्लीम नहीं किया। जो मज़हब/लोग इस्लाम को दीन-ए-हक़ कुबूल नहीं करते मगर किसी ख़ुदा के वुजूद का इंकार भी नहीं करते वो खुद के और अपने ख़ुदा (या जिस नाम से भी वो उसे पुकारते हैं) के बीच राबिता (Contact) क़ायम करने के लिए इन दो रास्तों में से किसी एक के हामी होते है;

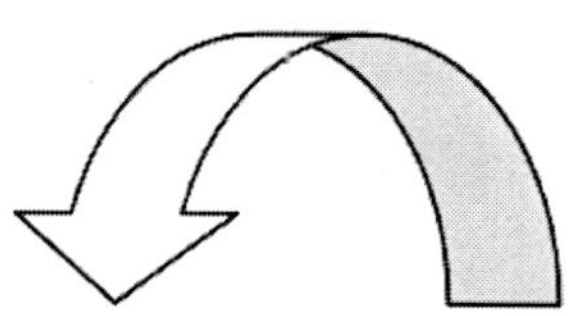

1. अल्लाह → इल्म → इंसान → दीन

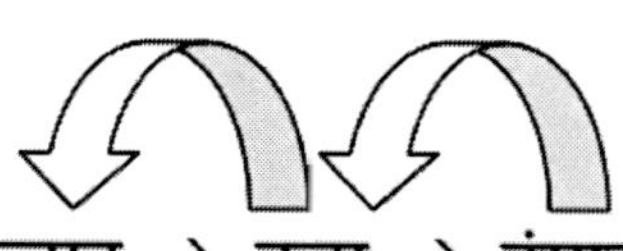

2. अल्लाह → इल्म → इंसान → दीन

इनमें से पहला रास्ता, जहां इंसान सीधे तौर पर ही अपने ख़ुदा तक रसाई हासिल करने की जुस्तुजू करता है दरहक़ीक़त एक सराब (Mirage) है। यह एक

ऐसी कोशिश है जिसमें इंसान भटक कर रह जाता है और फिर लाइल्मी के बाइस मजबूर होकर खुदसाख्ता वसीलों (Self made theories) पर तवक़्क़ल (Focus) करने लगता है। ऐसी सूरत में वोह तरह-तरह के ऐसे ग़ैर-मन्तक़ी (Ill-Logical) अमल और ग़ैर-मन्तक़ी दलाईल ईजाद कर लेता जिन्हें कभी भी इल्म के ज़रिए सही साबित नहीं किया जा सकता। आखिरकार उसके ये ग़ैर-मन्तक़ी अमल उसके अक़ायद (Believes) में तब्दील हो जाते हैं और वोह ज़िन्दगीभर इन्हीं के दामन से बंधा रहता है। इस तमाम गुमराही की सबसे बड़ी वजह यह होती है की वोह ख़ुदा और खुद के बीच इल्म की मौजूदगी को नज़रअंदाज़ करता है या इल्म को महज़ एक ज़रिया-ए-हयात (Source of Income) समझने की ग़लती करता है जबकि इल्म यक़ीनन इंसान के लिए एक ज़रिया-ए-हयात होने के साथ-साथ ख़ुदा की सही पहचान का सामान भी है।

इसके बरअक्स दुसरे रास्ते को इख़्तियार करने वाला इंसान अपने ख़ुदा तक रसाई हासिल करने के लिए इल्म का सहारा लेता है। बज़ाहिर उसकी यह फिक्र और अपने ख़ुदा तक पहुंचने की यह राह सही मालूम होती है लेकिन अगर ग़ौर-ओ-फ़िक्र किया जाए तो इसमें भी एक दिक्क़त नज़र आती है। यहाँ असली दिक्क़त यह है कि इस रास्ते को इख़्तियार करने वाले के पास भी ऐसा कोई ज़रिया नहीं होता जिससे वोह अपने इल्म के मुत्तालिक यह फैसला ले सके कि उसका इल्म उसे ख़ुदा तक ले जाने की क़ुव्वत रखता है भी या नहीं। और इस उलझन की वजह यह है कि खुद लामहदूद होने के बावजूद भी इल्म के पास हक़-ओ-बातिल को पहचानने की क़ुव्वत/सलीक़ा नहीं होता, क्योंकि हक़-ओ-बातिल दोनों ही इल्म के दायरे के अंदर होते हैं जिन्हें वोह अलग-अलग नहीं पहचानता बल्कि उन्हें एक ही समझता है। और यहीं इल्म की वोह कमज़ोरी नज़र आती है जिसकी वजह से दीन को ख़ल्क़ करना ज़रूरी हो जाता है। इल्म का काम कायनात को सरगर्म (Operative) रखना है, किसी की हिदायत (Instruction) करना नहीं, क्योंकि अगर इल्म का

काम भी हिदायत करना होता और इल्म के ज़रिए से हक़-ओ-बातिल को पहचाना जा सकता तो फिर इंसान के लिए दीन की ज़ुरूरत ही नहीं होती और अल्लाह इसे खल्क़ ही नहीं करता।

इन दोनों ही रास्तों की मज़ीद वज़ाहत की जा सकती है और इन्हें और ज़्यादा मज़बूत और मन्तक़ी दलाइल के साथ वाज़े तौर (Clearly) पर समझाया जा सकता है, पर क्योंकि हम इस किताब के ज़रिए से हम दीन-ए-इस्लाम और उन सवालात पर ग़ौर-ओ-फ़िक्र कर रहें हैं जो इस वक़्त मिल्लत-ए-मुसलमां के सामने दरपेश हैं लिहाज़ा यहाँ कोशिश सिर्फ यह समझाने की है कि ये दोनों ही रास्ते नाक़िस (Faulty) हैं और इनमें इंसान के गुमराह हो जाने का इमकान शामिल है। इसलिए दीन-ए-इस्लाम इन दोनों ही रास्तों को ख़ुदा तक पहुँचने की राह के तौर पर ख़ारिज करता है और खुद को उस राह के तौर पर पेश करता है जिस पर क़दम बढ़ा कर इंसान उस रब्बे-ए-वाहिद तक रसाई हासिल कर सके जो न सिर्फ उसका ख़ालिक़ है बल्कि उसका पालनहार भी है।

इस सिलसिले में दीन-ए-इस्लाम का नज़रिया अलग है क्योंकि जहाँ तक दीन-ए-इस्लाम के मानने वालों का ताल्लुक़ है तो हममें से ज़्यादातर लोग अपने अल्लाह तक रसाई हासिल करने के लिए जिस रास्ते का इन्तख़ाब करते हैं या यह मानते हैं कि मुहम्मद-ए-अरबी ने जो रास्ता हमें बताया है, वोह कुछ ऐसा दिखाई देता है;

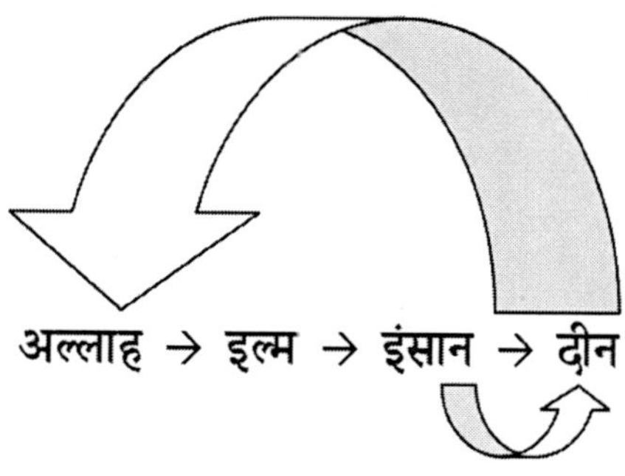

बज़ाहिर तो यह रास्ता दुरुस्त मालूम होता है क्योंकि इसमें दीन शामिल हैं, जो हक़-ओ-बातिल को पहचानने की क़ुव्वत रखता है और जो इंसान को सिर्फ दीन के ज़रिए से अल्लाह तक पहुँचने की हिदायत करता है। मगर ग़ौर से देखने पर इस रास्ते में जो सबसे बड़ी कमी नज़र आती है वोह यह है कि इसमें इल्म शामिल नहीं है। और अगर इल्म को छोड़कर ही अल्लाह तक रसाई मुमकिन है तो फिर कायनात के इतने वसी (Vast) वुजूद और इस दुनिया के तमाम असबाब की खिलक़त किस लिए और किसके लिए की गयी है क्योंकि ऐसी सूरत में तो इल्म का वुजूद एक ग़ैर ज़ुरूरी शय बन कर रह जाता है और इंसान के लिए मारिफ़त-ए-ख़ुदा के भी कोई मानी नहीं रह जाते? और अगर यह मान लिया जाए कि इल्म की ख़िलक़त इंसान के लिए महज़ एक ज़रिया-ए-हयात या ज़रिया-ए-आमदनी के तौर पर की गई है तो ऐसा मानना भी इल्म की लामहदूदी के साथ सरासर नाइंसाफी करना होगा क्योंकि तब यह अल्लाह की सही पहचान कराने वाली अपनी तमाम ख़ुसुसियात खो देगा।

दुसरी तरफ अगर हम यह माने कि सिर्फ दीन ही एक वाहिद रस्ता-ए-मिनजानिब-ए-ख़ुदा (Way towards God) है (जैसा की ऊपर दिखाया गया है) तो फिर क़ुरान की उस आयत को कैसे जवाज़ (Justify) दिया जाए जो कहती है कि "दीन में जब्र (Suppression) नहीं है[2:256]"। क़ुरान की यह आयत सिर्फ बन्दों के लिए ही नहीं बल्कि उस ख़ुदा-ए-बेमिस्ल के लिए भी यही दलील क़ायम करती है कि दीन के सिलसिले में वोह खुद भी जब्र से काम नहीं ले सकता। क्योंकि अगर दीन को कभी भी जब्र या ज़बरदस्ती से नाफ़िज़ किया जाएगा तो यह मुमकिन नहीं होगा कि क़ुबूल करने वाला अपने दिल की गहराइयों से ईमान लाए, और ऐसी सूरत में हालात बदलते ही वोह दीन को छोड़कर अपने पुराने अक़ीदे पर वापस लौट जाएगा।

इन्तख़ाब का हक़

इंसान कुदरती तौर पर "चुनने की खुआहिश" के साथ पैदा होता है। वोह अपनी तमाम उम्र खुद के लिए बेहतरीन शय चुनने मे सर्फ़ कर देता है। उसकी फ़िक्र कभी भी उसे अपनी इस पैदाइशी खुआहिश से दस्तबरदार (Disconnect) नहीं होने देती लिहाज़ा अक्सर वोह अपनी लाइल्मी या कम-इल्मी के बाइस सही शय का इंकार भी सिर्फ अपनी चुनने की खुआहिश के हाथों मजबूर होकर कर देता है। ऐसी सूरत में अगर उसे सिर्फ दीन ही रस्ता-ए-मिनजानिब-ए-ख़ुदा के तौर पर पेश किया जाएगा तो वोह इसे जब्र का नाम ही देगा और महज़ इसलिए इसका इंकार कर देगा क्योंकि उसे किसी दुसरे रास्ते को मुतबादिल (Choice) के तौर पर दिखाया ही नहीं गया (बदकिस्मती से मज़हब सिलसिले में इंसान के पास चुनने के लिए कोई इख़्तियार नहीं होता क्योंकि हममें से 99 फीसदी अफ़राद उसी मज़हब पर होते हैं जो उनके वालिदेन का मज़हब होता है)। यानि जब इंसान सिर्फ इल्म के ज़रिए से ख़ुदा तक रसाई हासिल करने की कोशिश करता है तो उसके बातिल के दायरे में आने का इमकान रहता है और जब वोह सिर्फ दीन के ज़रिए से ख़ुदा तक रसाई हासिल करने के लिए बढ़ता है तो उस पर जब्र की तोहमत लगने का इनकान होता है, जबकि किसी सच्चे दीन या उसके मानने वालों को इन दोनों ही तोहमतों से हमेशा पाक होना चाहिए।

जब दीन-ए-इस्लाम के मानने वाले इस तरह के इमकानात से रू-ब-रू होते हैं तो वो अक्सर जज़्बाती होकर फैसला करते हैं और ऐसे फ़लसफ़ों को ख़ारिज कर देते हैं। हालाँकि दीनी मामलात में जज़्बात उनके ज़्यादातर फैसलों का रुख बातिल की जानिब मोड़ देते हैं क्योंकि ग़ैर-इल्मी इंसानी जज़्बात अक्सर उन दरवाज़ों को न सिर्फ बंद कर देते हैं बल्कि उन पर तालें भी जड़ देते हैं जिन्हें इल्म बड़ी मशक्क़तों से खोलता है। दुसरी तरफ ऐसे मामलात मे तआसुब (Preconception या पहले से ही कोई राय क़ायम कर लेना) इंसान को किसी

नए इल्म या किसी नए इमकान को समझने या उस पर ग़ौर-ओ-फ़िक्र करने से रोकता है। लिहाज़ा यहाँ ज़ुरूरत इस बात की है कि दीन-ए-इस्लाम के मानने वाले किसी भी बात को इल्म के ज़रिए से समझने की कोशिश करें न की जज़्बात के ज़रिए से।

रस्ता-ए-आख़िर

तो आखिर सही रास्ता क्या है जिस पर चलकर हम बिना बातिल की ज़द मे आए और बिना जब्र की तोहमत लगे अपने अल्लाह तक पहुँच सकते हैं और उसके सामने सुर्ख़रू हो सकते हैं?

इसे समझने के लिए सबसे ज़रूरी यह समझना है कि अल्लाह ने अपनी मुक़द्दस किताब क़ुरान में दीन को मुकम्मल इल्म कह कर मुख़ातिब क्यों किया है। क्या इसके मानी यह है कि दीन मुकम्मल इल्म है और इल्म मुकम्मल दीन? इस सवाल का जवाब सिर्फ और सिर्फ यह हो सकता है कि नहीं, ऐसा नहीं है क्योंकि अगर इल्म भी मुकम्मल दीन ही होता तो क़ुरान में दीन के मुक़म्मल हो जाने की आयत नहीं बल्कि इल्म के मुक़म्मल होने की आयत होती, जबकि ऐसी कोई भी आयत क़ुरान में न तो है और न ही होनी चाहिए। इसकी वजह यह है कि हम तो आज भी हर रोज़ अपनी तजज़ियाई क़ाबिलियत (Analytical Power) के ज़रिए कायनात के किसी न किसी नए राज़ या किसी न किसी नए इल्म से पर्दा हटा रहे हैं। और तो और अगर ऐसा होता तो फिर दुनिया में बातिल का वुजूद ही मुमकिन नहीं होता और दुनिया की हर बात बमंज़िल-ए-हक़ पर होती जबकि ऐसा भी हरगिज़ नहीं है। इसलिए क़ुरान की यह आयत जो कहना चाहती है वोह दरअसल इस तस्वीर से ज़ाहिर होता है।

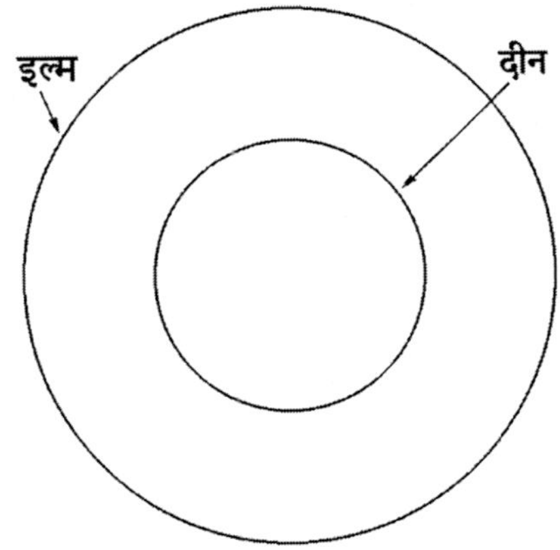

यह तस्वीर हमें वाज़े तौर पर समझाती है कि किस तरह दीन इल्म का हिस्सा है और इसीलिए यह मुकम्मल इल्म है। क्योंकि दीन इल्म की हदों के अंदर है इसलिए यह हर सूरत मे इल्म ही है जबकि इल्म की हदें दीन के अंदर होने के साथ-साथ दीन के बाहर भी हैं लिहाज़ा इल्म का मुकम्मल दीन होना मुमकिन नहीं है।

आइए, अब इस तस्वीर के उस दुसरे रुख पर भी ग़ौर करें जो हमें दिखात है कि कैसे हक़ और बातिल दोनों ही इल्म के दायरे के अंदर रहते है क्योंकि यह दोनों ही इल्म का हिस्सा हैं और दोनों ही इल्म कहे जाते हैं।

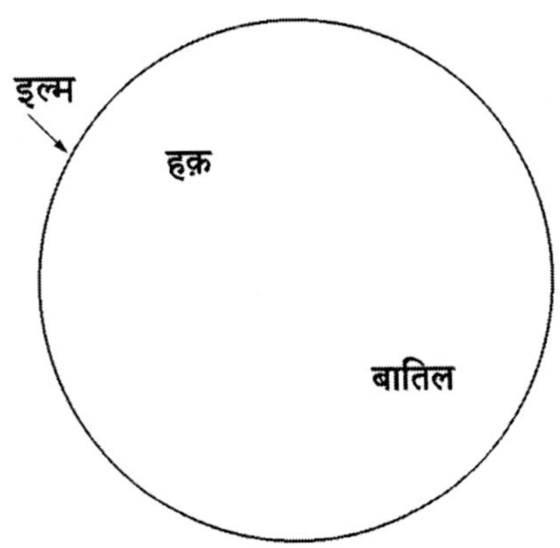

इस तस्वीर को देख कर कोई यह भी मान सकता है कि जैसे अल्लाह ने इल्म और हक़ को खल्क़ किया है ठीक वैसे ही उसने बातिल को भी खल्क़ किया है क्योंकि ज़ाहिरी तौर पर हक़ और बातिल दोनों ही इल्म से पैदा होते हैं। हालाँकि ऐसा मानना सरासर ग़लत है। क्योंकि, बातिल का ताल्लुक़ हमेशा ही किसी न किसी के ज़ाती मफ़ादात (Profit) से होता है, ऐसे में उस अल्लाह को जो इस कायनात का ज़ाती तौर पर हाकिम-ओ-मालिक है, उसे बातिल को खल्क़ करने की ज़ुरूरत ही नहीं है। दुसरे, अगर अल्लाह ने ही बातिल को खल्क़ किया होता तो उसकी तौहीद क़ायम नहीं रह पाती क्योंकि तब किसी दुसरे ख़ुदा के वुजूद का इमकान पैदा हो जाता। ऐसे मे हमें यह मानना ही होगा कि बातिल दरअसल इल्म के ग़लत इस्तेमाल का नाम है क्योंकि यह एक ऐसी शय है जिसके हर एक ख़म (Fraction) को न सिर्फ कार-ए-हक़ के लिए बल्कि कार-ए-बातिल के लिए भी इस्तेमाल किया जा सकता है। यही वजह है कि बातिल का कोई अलग दायरा नहीं होता और इसीलिए यहाँ उसे इल्म के दायरे में ही रखा गया है।

अगर इस तस्वीर के दूसरे पहलू पर ग़ौर किया जाए तो हम पाएंगे कि जो कुछ भी इल्म की ज़द से बाहर है वोह सिवाए जिहालत और अँधेरे के कुछ नहीं है। और यह जिहालत या यह अँधेरा भी बातिल की ही एक शक्ल है जिसे नर्म लहजे मे हम नासमझी या बेवक़ूफी भी कह सकते है और जिसका मुज़ाहिरा इबलीस ने अल्लाह के सामने आग को मिट्टी से अफज़ल बता कर किया था। उसने अपनी नासमझी से यह साबित कर दिया कि बातिल न सिर्फ इल्म के ग़लत इस्तेमाल से बल्कि जिहालत और बेइल्मी से भी पैदा होता है और जो बिलआख़िर इंसान तो क्या फ़रिश्ते को भी गुनहगार बना डालता है। इसलिए जब क़ुरान कहता है कि "हमने इंसान को नासमझ पैदा किया"[16:78] तो दरअसल क़ुरान वोह खाक़ा तामीर करता है जहाँ इंसान इल्म की ज़द से बाहर नादानी और जिहालत के अंधेरों में आकर पहली

बार अपनी आँखें खोलता है। अगर हम उसे किसी तस्वीर की शक्ल मे पेश करना चाहें तो वोह तस्वीर कुछ ऐसी दिखेगी;

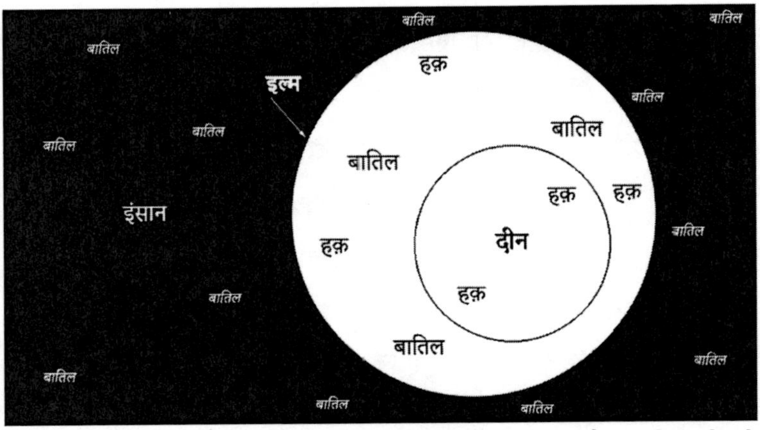

यह तस्वीर हमें यह कामयाबी से समझाती है कि क्यों दीन इंसानी दखल से पाक रखा गया है। अगर ऐसा न होता तो इंसान बातिल को भी इल्म के नाम पर दीन में दाखिल कर देता और यूँ दीन को खल्क़ करने का मकसद ही ज़ाया (Waste) हो जाता।

यह तस्वीर हमें यह समझाने के लिए काफी है कि कैसे इंसान को जिहालत और नासमझी के अंधेरों से निकलकर दीन तक पहुँचने के लिए इल्म के रास्तों से होकर ही गुज़ारना होगा। क्योंकि अगर दीन के अंदर दाखिल होने के अनगिनत दरवाज़े भी हो तो भी यह मुमकिन नहीं है कि हम इल्म की ज़द में आए बिना पहले दीन तक और फिर अल्लाह तक रसाई हासिल कर सकें। मन्तक़ी तौर पर यह एक नामुमकिन अमल है। इसके आलावा इल्म के अंदर दाखिल होने के न सिर्फ अनगिनत दरवाज़े मौजूद हैं बल्कि इंसान अपनी हिक़मत और दानाई से इल्म के दुसरे अनगिनत नए दरवाज़े भी खोल सकता है। ऐसे मे कोई वजह ही नहीं है कि दीन-ए-इस्लाम के मानने वालों को इल्म से हटकर अपने अल्लाह तक आने के लिए

किसी और छोटे रास्ते (Shortcut) या किसी और नए ज़रिए की ज़ुरूरत पेश आए। हक़ीक़तन इसके सिवा कोई और रास्ता है ही नहीं।

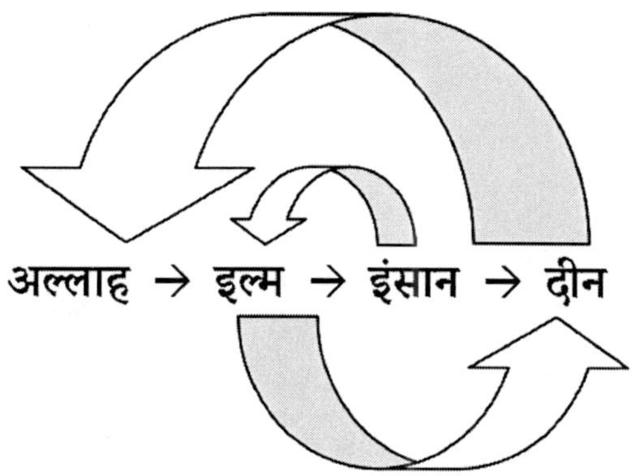

इसलिए इस पूरी गुफ़्तुगू और हमारे उस सवाल जिसमें हमने यह समझने की कोशिश की कि "इल्म की अहमियत ज़्यादा है या दीनी तालीम की" का वाहिद और मन्तक़ी जवाब बस इतना है कि बेशक इल्म की अहमियत ही ज़्यादा है। इसकी सबसे बड़ी और वाज़े दलील यह है कि इल्म तब भी इस लामहदूद कायनात को चला रहा था जब न तो इंसान का कोई वुजूद था और न ही दीन का ज़िक्र। और वोह इस कायनात को तब भी चलाता रहेगा जब इस दुनिया में न तो इंसान बाकी रहेगा और न ही दीन। यानि इल्म की बक़ा और फ़ना न ही इंसान से जुडी है और न ही दीन से, बल्कि इसका वुजूद तो अल्लाह की अपनी ज़ात से जुड़ा हुआ है। जब तक वोह रब्बे-अज़ीम खुद मौजूद है इल्म का बाक़ी रहना भी इन्साफ है। ऐसी सूरत में दीन तो क्या इल्म की अहमियत हर उस शय से ज़्यादा है जिसे अल्लाह ने इस कायनात में कहीं भी पैदा किया है। इसलिए किसी भी बच्चे की ज़िन्दगी की शुरुआत आप हक़ और बातिल का फ़र्क़ समझाने से करें (जो यक़ीनन दीन का हिस्सा है) और आहिस्ता आहिस्ता उसे इल्म के हवाले कर दें। जैसे-जैसे उसका

इल्म बढ़ता जायेगा और वोह हक़ और बातिल में खुद से फ़र्क़ करना सीख लेगा, वोह अपने आप ही दीन तक आता जायेगा क्योंकि ख़ुदा तक जाने का उसका रास्ता वही होगा। साथ ही साथ यह उसकी ज़िन्दगी के असल मयार (Quality) भी तय करेगा।

ख़ुलासा

हमारे इस तमाम तजज़िये (Analysis) से इतना तो वाज़े है कि इल्म को छोड़ देने के बाद इंसान अल्लाह तो क्या दीन-ए-हक़ तक भी रसाई हासिल नहीं कर सकता है इसलिए अगर हम जन्नत या अपने अल्लाह के सामने सुर्खरू होने की खुआहिश रखते है तो इसका वाहिद और बेहतरीन रास्ता सिर्फ इल्म हासिल करना है। और इस सिलसिले में उसकी कुदरत को जानने, समझने और उसे अपने हक़ में करने के तरीके ढूंढने से बेहतर कुछ भी नहीं है। हक़ीक़तन यही वोह हिदायत भी है जिसकी तमन्ना हम खुद के और दूसरों के लिए करते हैं।

हमारे लिए और शायद हम जैसा ही यक़ीन रखने वाली दीगर क़ौमों के लिए इस सदी का सबसे ज़बरदस्त ख्याल यहीं हो सकता है कि हम अपने ख़ुदा को मज़हबी किताबों के ज़रिए से न समझकर इल्म के ज़रिए से समझने की कोशिश करें क्योंकि जहां एक हद तक आकर ख़ुदा के सिलसिले में मज़हबी तशरीह ठहर जाती है वही इल्म की तशरीह मुसलसल जारी रहती है और यह हमें ख़ुदा को और गहराई से समझे और आगे बढ़ते रहने के लिए वो बेहतरीन मौक़े फ़राहम करती है जो शायद मज़हबी किताबें कभी अदा नहीं कर सकती।

बाब 2

यक़ीन और इमकान (Faith & Probability)

इंसान जब अपनी माँ के शिक़म (Womb) से बाहर आकर इस दुनिया में पहली साँस लेता है, ठीक उसी वक़्त से वोह इस दुनिया को जानने, समझने, महसूस करने और खुद नतीजा निकाल लेने के अपने कुदरती हुनर का आग़ाज़ करता है। इस सिलसिले मे सबसे पहला काम जो वोह करता है वोह इस बात को समझना होता है कि उसे अपनी ग़िज़ा (Food) कैसे मिलती है और किसके साथ रहते हुए वोह ख़ुद को महफ़ूज़ पाता है। शुरूआती दौर में उसके लिए इस बात के कोई मायने नहीं होते कि उसे इस दुनिया में लाने वाले लोग कौन हैं, लेकिन खुद की ग़िज़ा से आग़ाह होना और खुद की हिफाज़त से ख़बरदार होना उसकी फितरत में शामिल होता है। हालाँकि ठीक यही फितरत दुनिया की दीगर मख्लूक़ में भी यक्साँ (Common) है मगर इंसान ख़ुसूसी तौर पर अपनी अक़्ल के हवाले से उन सब से जुदा होता है क्योंकि उसके पास चीज़ों का तजज़िया (Analysis) करने या उन्हें परख लेने की एक बेजोड़ क़ाबिलियत होती है जो इस दुनिया की दीगर मख्लूक़ के पास नहीं होती या बहुत ही महदूद होती है। तजज़िया करने की जो यह अहम् क़ाबिलियत कुदरत ने हमें दी है उसके बाइस ही जैसे-जैसे हमारी उम्र बढ़ती जाती है वैसे-वैसे ही हमारी ज़िन्दगी में दो ज़ुरूरी और खालिस कुदरती और ग़ैर-कुदरती तूल-ओ-अर्ज़ (Dimensions) जुड़ने लगते हैं जिनमे से एक यक़ीन होता है और एक इमकान। यूँ तो हम सभी “यक़ीन” और “इमकान” दोनों के लुग़वी (Dictionary) मायनों को जानते और समझते हैं मगर यहाँ हम इन्हें महज़बी नुक़्ता-ए-नज़र (Point of

View) से समझने की कोशिश करेंगे क्योंकि ये दोनों ही हमारे मज़हबी वुजूद में एक अहम् और हतमी (Decisive) किरदार निभाते हैं।

इमकान क्या है और यह कैसे काम करता है?

इसे समझने के लिए आइए हम कुछ देर के लिए अपने बचपन को याद करते हैं जब हम क्रिकेट (Cricket) या कोई और खेल शुरू करने से पहले एक सिक्का उछालकर यह तय करते थे कि खेल की शुरुआत कौन सी टीम करेगी। सिक्के के दो रुखों में से किसी एक को चुनने के बाद सिक्का उछाला जाता था और अगर सिक्का उसी रुख से गिरे तो मांगने वाला जीतता था नहीं तो मद्दे मुक़ाबिल (Opponent) की जीत मानी जाती थी। सिक्का उछालने के इस तरीका-ए-कार (Process) से हम सभी आगाह हैं पर क्या हमने कभी समझने में आसान उन इमकानात पर ग़ौर किया है जो किसी एक सिक्के को उछालते वक़्त इस वाक़ये के पस-ए-मंज़र (Background) में काम करते हैं?

दरअलसल जब भी कोई सिक्का उछाला जाता है तो इतना तय होता है कि वोह सिक्का या तो "हेड (Head)" के रुख पर गिरेगा या "टेल (Tail)" के रुख पर। हो सकता है कि हममें से कुछ ज़्यादा तख्लीक़ी (Creative) लोग यह मानते हो कि गिरते हुए सिक्के का खड़ा हो जाना भी एक तीसरा इमकान हो सकता है मगर यहाँ पहले से ही यह साफ़ कर देना सही होगा कि सिक्के के खड़े हो जाने का इमकान एक नामुमकिन इमकान है, फ़िर भले ही हम उस सिक्के को हज़ार बार ही क्यों न उछाल लें। रियाज़ियाती ऐतबार (Mathematically) से देखें तो सिक्के के हेड या टेल दोनों ही रुखों से गिरने का इमकान 50-50 फीसद है। इम्कानियाती फॉर्मूले की मन्तक़ी ज़ुबान में इसे ½, ½ यानि 0.5, 0.5 लिखा जाता है। यहाँ एक बात जो निहायत ही ग़ौर तलब है वोह यह है कि हम भले ही किसी सिक्के को कितनी ही बार क्यों न उछाल लें मगर ये इमकानात हमेशा सालिम (Intact) ही रहते हैं, और भले

ही हमारे सिक्के का रुख कितनी ही बार लगातार एक जैसा ही क्यों न आए पर यह इमकानात कभी बदलते नहीं हैं। मुख्तसर यह कि जब भी कोई सिक्का उछाला जाता है तो हर बार उसका उछलना अपने आप मे एक नई तक़रीब (Event) या एक नया हादसा (Accident) होता है और जब तक उस पर किसी किस्म की कोई बाहरी तरक़ीब (Trick) न आज़माई जाए तब तक इन इमकानात को मुत्तासिर (Influence) करना मुमकिन नहीं है।

आइए, इसे एक और मिसाल के ज़रिए से समझते है। हम सभी ने अपने बचपन में लूडो और साँप सीढ़ी का खेल खेला है। इस खेल में हमारे पास एक मोकाब (Dice) होता है जिसके कुल 6 रुखों पर 1 से लेकर 6 तक की तादात (Numbers) लिखी होती है। जब हम खेल के दौरान इसे फ़ेंकते है तो यह अपने 6 रुखों मे से किसी एक रुख पर आकर ठहरता है। यह रुख इसके 1 से लेकर 6 तक के बीच का कोई भी एक रुख हो सकता है। रियाज़ियाती ऐतबार से इन सभी 6 रुखों के आने का इमकान 16.66 फीसद होता है। क्योंकि किसी मोकाब में सिर्फ 6 मुमकिन रुख ही होते हैं, लिहाज़ा उसके सभी रुखों के मुम्किना इमकान हमेशा 1/6 x 100 = 16.66 फीसद ही हो सकते हैं।

$$\frac{1}{6} \times 100 = 16.66\%$$

रियाज़ियाती फ़ार्मूले की ज़ुबान मे किसी मुकाब के इन सभी 6 इमकानात को 1/6 लिखा जाता है। यानि अगर हम किसी मुकाब को हज़ार बार भी फ़ेंके तो भी उसका हर बार फेका जाना अपने आप मे एक नई तक़रीब या एक नया हादसा होगा और उसके हर एक रुख का इमकान हमेशा 1/6 ही रहेगा जिसमें क़ुदरती तौर पर कोई मदाखलत (Interfere) नहीं की जा सकती। अलबत्ता बाहरी तौर पर किसी

किस्म की छेड़छाड़ के ज़रिए से हम आने वाले रुख को मुत्तासिर कर सकते हैं। लेकिन ऐसे में फिर इस अमल को बेईमानी कहा जाता है न की एक कुदरती इमकान। इस ख़ास ऐतबार से देखा जाए तो कुदरती इमकानात के साथ अपने ज़ाती मफाद के लिए की जाने वाली कोई भी मदाखलत एक किस्म की बेईमानी ही होती है, फिर चाहे वोह किसी भी हालात, सतह या वजह से ही क्यों न की गयी हो

रियाज़ियाती तौर पर किसी भी अमल के साथ जुड़े तमाम इमकानात का हिसाब (Calculation) जानने के लिए हम जिस फ़ार्मूले का इस्तेमाल करते हैं वोह यह है;

$$\text{हमारा मनचाहा इमकान} = \frac{\text{जिन कुल तरीकों से यह हो सकता है}}{\text{उस अमल से जुड़े कुल नतीजे}}$$

इस फ़ार्मूले के तहत मिलने वाले सभी इमकानात की क़द्र-ओ-क़ीमत (Value) ज़्यादातर 1 से कम और 0 से ज़्यादा होती है। रियाज़ियाती ऐतबार से जिस अमल के इमकान की क़द्र-ओ-क़ीमत मुकम्मल 1 हो उसे 100 फीसदी मुमकिन माना जाता है जबकि इसके बर-अक़्स जिस अमल के इमकान की क़द्र-ओ-क़ीमत मुकम्मल 0 हो उसे 100 फीसदी नामुमकिन तस्लीम किया जाता है। मिसाल के तौर पर जब कोई मुकाब अपने 4 नंबर के रुख पर आकर ठहरता है तो उसका इमकान 1/6 यानि 0.166 होता है जो 1 के मुक़ाबिल पूरा 1- 0.166 = 0.83 कम होता है* । इसलिए नंबर 4 के रुख का आना भी रियाज़ियाती तौर पर कम ही होता है

*आप चाहे तो किसी मुकाब को सौ या दो सौ बार फ़ेंक कर और आने वाले तमाम इमकानात का हिसाब रखते हुए इस बात की तस्दीक़ कर सकते हैं कि कुदरती तौर पर ये इमकानात दिए गए फ़ार्मूले से मेल खाते हैं या नहीं? बेशक आने वाले इमकानात में थोड़ा बहुत फ़र्क़ होगा मगर यह फ़र्क़ कभी भी इतना नहीं होगा कि जिसे नज़रअंदाज़ न किया जा सके, बशर्ते कि आने वाले किसी भी रुख को कभी भी और कैसे भी मुत्तासिर (Influence) न किया गया हो।

और यह कम से कम हर 6 बार में सिर्फ 1 बार ही मुम्किना इमकान हो सकता है। ठीक इसी तरह किसी ताश की गड्डी में से किसी एक ख़ास पत्ते के आने का इमकान भी ही कम होता है क्योंकि ताश की गड्डी में कुल 52 पत्ते होते हैं और उसके हर एक पत्ते का रियाज़ियाती इमकान 1/52 यानि 0.019 होता है। इसके दुसरी मानी यह है की कोई अमल इम्कानी तौर पर जितना ज़्यादा नंबर 1 के नज़दीक और 0 से दूर होता है उतना ही वोह यक़ीनी होता जाता है और जितना ज़्यादा 0 के नज़दीक और नंबर 1 से दूर होता है उतना ही वोह नामुमकिन होता जाता है।

रियाज़ियाती इमकानात और मज़हब का आपसी रिश्ता

इतना सब जान लेने के बाद अब यह सवाल उठता है कि इन तमाम रियाज़ियाती इमकानात में मज़हबी पहलू क्या है और उसका हमारी रोज़मर्रा की ज़िन्दगी से क्या ताल्लुक़ है? और जब इसको जाने बिना ही हमारी ज़िंदगियाँ चल रही हैं तो फिर हमें इन्हें जानने की ज़ुरूरत ही क्या है? तो इसका जवाब यह है कि इन तमाम रियाज़ियाती इमकानात का हमारे मज़हब और हमारी ज़िन्दगी से एक गहरा और सीधा ताल्लुक़ है। जितना ज़्यादा हम इस फ़लसफ़े को जानते और समझते जाते हैं उतना ही हम अपने यक़ीन और अपनी ज़िन्दगी में होने वाले अच्छे बुरे हादसों और उनके हमारी ज़िन्दगी में होने वाले असरात का सही तजज़िया कर पाते हैं। आइये, इसे और गहराई से समझने और इसे अपने हक़ में किस तरह इस्तेमाल किया जाये, यह जानने की कोशिश करते है।

रियाज़ियाती इमकानात का हमारे मज़हब से जो पहला ताल्लुक़ है वोह ख़ुदा पर यक़ीन रखने से जुड़ा है। हम जानते हैं कि हम सभी के पास किसी बात को मानने या न मानने की कई ठोस वजूहात होती हैं। जैसे-जैसे उस बात को मानने से जुड़े मन्तक़ी इमकानात बढ़ते जाते हैं वैसे-वैसे ही हम उस बात पर यक़ीन करने की जानिब बढ़ते जाते हैं। ख़ुदा को मानने के सिलसिले में भी यह फ़लसफ़ा बिलकुल

ऐसे ही काम करता है। क्योंकि हम मुस्लिमीन के पास दुनिया और कायनात की दिखाई देने वाली अनगिनत सच्चाईयां हैं, क़ुरान है, लाखों नबियों और रसूलों की गवाहियाँ हैं और खुद हमारा धड़कता हुआ दिल यक़ीन दिलाने के लिए मौजूद है, इसलिए हमारे पास ख़ुदा के मौजूद होने के मन्तक़ी इमकानात (Logical Possibilities) उसके न होने के मन्तक़ी इमकानात से ज़्यादा हैं और यही वजह है कि हमारा उसके होने पर ईमान (Faith) है। हालाँकि इसमें भी कोई शक नहीं कि दीन-ए-इस्लाम के हर फ़िरके के पास (और दुनिया के दीगर मज़हबों के पास भी) अपने-अपने इमकानात की एक ऐसी फहरिस्त होती है जिसमें बहुत-कुछ इमकान दुसरे से अलग होते हैं, मगर फिर भी ऐसी हर फहरिस्त नामुकम्मल ही होती है क्योंकि जिस हतमी ख़ुदा के वुजूद को तस्लीम कराने का काम इसके ज़िम्मे होता है उसके कमालात की कुल इन्तिहाँ हमें नालूम ही नहीं है कि जिसकी बिना पर हम किसी एक फहरिस्त को मुकम्मल तस्लीम कर सकें या कोई नई और मुकम्मल फहरिस्त बना सकें।

दुसरी तरफ़ जो चंद फ़लसफ़ी और सइंसदाँ ख़ुदा के न होने पर यक़ीन रखते हैं उनके इस फ़लसफ़े के पीछे भी रियाज़ियात और इमकानात से जुड़े फार्मूलें ही काम करते हैं। मिसाल के तौर पर उनके तजुर्बे उन्हें बताते हैं कि कुदरत का कोई भी अमल या निज़ाम रियाज़ियात के काम में किसी भी किस्म की कोई मदाखलत नहीं कर सकता है और न ही इसके किसी भी फ़ार्मूले को कभी भी कोई ग़ैर-मरई (Super Natural) ताक़त मुत्तासिर कर सकती है। उन्हें यक़ीन है कि रियाज़ियात के तमाम फ़ार्मूले सालिम (Intact) हैं और हमेशा बरक़रार रहते हैं, क्योंकि वो यह मुशाहिदा (Observe) पहले ही कर चुके हैं कि तमाम कायनात का निज़ाम रियाज़ियाती और उससे जुड़े ताबियाती फार्मूलों के तहत ही चल रहा है। और क्योंकि ये पूरी आज़ादी के साथ खुद तमाम कायनात को चला रहें हैं तो फिर दरम्यान में किसी ख़ुदा के होने का कोई इमकान ही नहीं होना चाहिए।

ग़ौर किया जाए तो उनका यह फ़लसफ़ा सही मालूम पड़ता है क्योंकि इसके पीछे एक ठोस दलील काम करती है जिसकी तरफ हममें से अक्सर लोग कभी मुतवज्जह (Attentive) ही नहीं होते। ख़ुदा के इंकार का यह फ़लसफ़ा समझने के लिए आइए रियाज़ियात के एक अलग पहलू पर ग़ौर करें।

फ़र्ज़ कीजिये की रियाज़ियाती गिनती में 0 से लेकर 9 तक के जो कुल 10 अदद हैं और जो मौजूदा दुनिया की तमाम रियाज़ियात की बुनियाद हैं, वो 0 से लेकर 9 तक न होकर सिर्फ 0 से 8 तक ही हैं और हमारे पास 9 का अदद नहीं है। यानि वो कुछ ऐसे हैं;

0, 1, 2, 3, 4, 5, 6, 7, 8

अगर हम इस नए फ़लसफ़े को आगे बढ़ाए और इस पर एक आलिमाना फ़िक्र करें तो हम पायेंगे की ऐसी सूरत में रियाज़ियात के तमाम मौजूदा फ़ार्मूले चाहे वो किसी भी शोबे (Field) से ताल्लुक़ रखते हो खुद-ब-खुद ही इस नए इन्तिज़ाम या इस नए फ़लसफ़े के तहत एक नई तरतीब (Sequence) पा लेते हैं और उनका पूरा वुजूद अब बिना 9 के भी वैसे ही काम करता है और वही नतीजे पेश करता है जैसा वोह 9 के रहते हुए कर रहा था। इस नई तरतीब में 9 का अदद ग़ैर-मौजूद होता है लेकिन फिर भी हमें ज़ाती तौर पर उनमें किसी किस्म की कोई तब्दीली करने की ज़ुरूरत पेश नहीं आती है। साथ ही साथ हम शुमारी तौर पर अदद की तादात 10 से कम रखें या ज़्यादा, रियाज़ियात के फार्मूलों पर इस तबदीली से कोई फ़र्क़ नहीं पड़ता और वो अपने आप ही अपनी नई तरतीब पाते रहते हैं। इसकी वजह यह है कि लामहदूद रियाज़ियाती तादात का हर अदद अपने आप में एक आज़ाद अदद है जिसकी अपनी कई अलग-अलग खुसूसियत होती हैं और जिन्हें किसी भी किस्म का कोई बाहरी, ग़ैर-मरई या ख़ुदाई क़ानून तब्दील नहीं कर सकता। और तो और

जब हम 0 से लेकर 9 तक पहुँचने के बाद दहाई या सौ के अदद लिखने के लिए इकाई के अदद ही दोहराने लगते हैं तब भी तादात का हर अदद अपने आप में आज़ाद और इन्फ्रादी (Individual) ही बना रहता है, जबकि उसे लिखने या बोलने के लिए हम महदूद अदद या लब्ज़ों का इस्तेमाल ही करते हैं। अगर इसकी मिसाल देखनी हो तो हम बाइनरी सिस्टम (Binary System) को देख सकते हैं जो दुनिया के हर कंप्यूटर (Computer) के काम करने की बुनियाद है और जिसमें सिर्फ दो अदद 0 और 1 के ज़रिए से ही तमाम रियाज़ियाती अमल अंजाम दिए जाते हैं क्योंकि इस निज़ाम में 0 और 1 के सिवाए गिनती का कोई और अदद नहीं होता।

यहाँ रूककर थोड़ी देर इस फ़लसफ़े के बारे में सोचा जाना चाहिए क्योंकि जितना हम इस फ़लसफ़े की गहराई में जायेंगे उतना ही हमारे सामने यह साफ़ होता जाएगा कि कम-से-कम रियाज़ियात इस ख़ुदाई कायनात का एक ऐसा मौज़ू (Subject) है जिस पर कोई कुदरती, कोई ग़ैर-मरई या कोई ख़ुदाई ताक़त काम नहीं करती और यह एक ग़ैर-ख़ुदायी आज़ाद निज़ाम है। ऐसे में जो फ़लसफ़ी और सइंसदाँ सब कुछ रियाज़ियाती तौर पर चलता हुआ देखते हैं वोह ख़ुदा के वुजूद को ग़ैर ज़ुरूरी तस्लीम करने लगते है क्योंकि यही इमकानात उनकी तहक़ीक़ (Research) ने उन्हें दिए होते हैं। हालाँकि इस फ़लसफ़े में जो ग़लती है वोह हयातियात (Biology) के हवाले से नज़र आती है। ऐसा इसलिए क्योंकि हयातियात का मौज़ू इतना पेचीदा है कि इससे पैदा होने वाले इमकानात जो ख़ुदा के वुजूद के हक़ में हैं वो इंकार-ए-ख़ुदा को पैदा करने वाले रियाज़ियाती इमकानात पर ग़ालिब (Overcome) आ जाते हैं। इसके अलावा वक़्त (Time), ख़ला (Space) और माद्दा (Matter) ये तीन अवामिल भी ख़ुदा के इंकार के फ़लसफ़े को मशकूक (Doubtful) बनाते हैं क्योंकि ये तीनों ही अवामिल खुद-ब-खुद ख़ल्क़ नहीं हो सकते। अलबत्ता ख़ुदा के इंकार के फ़लसफ़े का एक पहलू यह भी हो

सकता है कि ख़ुदा को रियाज़ियाती उसूलों पर इतना यक़ीन है कि उसने कायनात का तमाम निज़ाम ही इनके हवाले कर दिया और खुद एक पोशीदगी इख़्तियार कर ली। हालाँकि इस बात की तहक़ीक़ या तस्दीक़ करना एक मुश्किलतरीन अमल है।

हम रियाज़ियाती इमकानात और फार्मूलों को महज़ इसलिए ग़ैर ज़ुरूरी समझ सकते हैं क्योंकि हम किसी अमल से जुड़े इमकानात को अक्सर इत्तेफ़ाक़ या किस्मत से जोड़ कर देखते हैं जबकि ये सभी अमली इमकानात खुद-ब-खुद ही एक रियाज़ियाती सिलसिले (Mathematical Pattern) के तहत हमारी ज़िन्दगी के हर हिस्से में बिना हमें अपनी मौजूदगी का अहसास कराए लगातार चलते रहते हैं और हमें यह तय करने मे मदद करते हैं कि हम किसी अमल या शय पर यक़ीन करेंगे या उसका इंकार। ऐसा इसलिए क्योंकि दुनिया और कायनात में होने वाले सभी वाक़यों की कोई न कोई इम्कानी और रियाज़ियाती हैसियत ज़ुरूर होती है जो बिलआख़िर हमारे ज़हन में यक़ीन या इंकार की शक़्ल में मुन्तक़िल (Transfer) होती है।

आइए, अब इस यक़ीन और इस इंकार के बीच की बची हुई धुंध को भी साफ़ करने की कोशिश करते हैं। तसव्वुर कीजिए कि आप किसी नौकरी के मज़ाकिरे (Interview) के लिए एक ऐसी जगह पर मौजूद हैं जहाँ सिर्फ एक ओहदे (Designation) के लिए आपके अलावा 24 और उम्मीदवारों को भी बुलाया गया है। अगर आप और दीगर 24 उम्मीदवार क़ाबिलियत और शख़्सियत (Personality) के ऐतबार से एक ही सतह पर हैं तो ऐसे मे उस ओहदे पर आपके चुने जाने का रियाज़ियाती इमकान सिर्फ 1/25 या 0.04 यानि 4 फीसद होगा। क्योंकि यह एक रियाज़ियाती इमकान है जो किसी भी किस्म की कुदरती या दुनियावी मदाखलत से पाक है, लिहाज़ा आप चाहे तो अपने चुने जाने के लिए अपने ख़ुदा से दुआ कर सकते है लेकिन ऐसा करने के बावजूद भी आपके चुने जाने के रियाज़ियाती इमकान में कभी भी कोई तब्दीली नहीं आएगी और वोह अपने 4

फीसद वाले मुक़ाम पर ही क़ायम रहेगा। अगर दुआ करने से महज़ 4 फीसद के इमकान के साथ आप इस ओहदे को पा लेते हैं तो मुमकिन है कि आप इसे अपनी दुआ का क़ुबूल हो जाना ही शुमार करें, पर क्या आप दावे से कह सकते हैं कि आपकी दुआ क़ुबूल हुई है? क्योंकि मुमकिन है कि आपके सिवा दीगर 24 अफ़राद ने भी यही दुआ की हो। ऐसे में आप भले ही इसे अपनी दुआ का क़ुबूल हो जाना तस्लीम कर लें लेकिन फ़िर भी आप इसे मन्तक़ी तौर पर साबित नहीं कर सकते। यही वजह है कि ऐसा होने को महज़ इत्तेफ़ाक़ (Chance) या मुस्तसना (Exception) कहा जाता है, जबकि हममें से ज़्यादातर लोग इसे किस्मत कह कर ही मुखतिब करते हैं। फ़िक्र की बात यह है कि किसी होने वाले इत्तेफ़ाक़ की बुनियाद पर अगर हम अपनी ज़िन्दगी के फैसले करते हैं तो ऐसा करना दुनिया की किसी भी तहज़ीब में दानाई क़ुबूल नहीं किया जाता क्योंकि इत्तेफ़ाक़ और मुस्तसना किसी अमल से जुड़े सभी मुम्किना इमकानात में से किसी एक इमकान का नाम है जिसका हर वक़्त हमारे ही हक़ में होना मुमकिन नहीं है।

अब फ़र्ज़ कीजिए कि इस ओहदे के लिए एक ख़ास किस्म का तजुर्बा भी चाहिए जो सिर्फ आपके और दीगर 3 और उम्मीदवारों के पास ही मौजूद है। ऐसी सूरत मे बचे हुए 21 उम्मीदवार फौरी तौर पर मुस्तरद (Reject) कर दिए जाएंगे और यूँ आपके चुने जाने का रियाज़ियाती इमकान बिना कोई दुआ करे ही बढ़कर ¼ या 0.25 यानि 25 फीसद हो जाएगा जोकि पिछले इमकान के मुक़ाबिल 1 के ज़्यादा नज़दीक है, लिहाज़ा अब इस ओहदे पर आपके चुने जाने का इमकान पहले से ज़्यादा है। इस इमकान पर ग़ौर किया जाए तो हम पाएंगे कि हालात और शर्त बदलने के साथ ही इमकानात भी बदल जाते हैं क्योंकि हर नई शर्त के अपने अलग रियाज़ियाती इमकानात होते हैं। साथ ही साथ हम यह भी पायेंगे कि हमारे पास हमेशा ही कुछ ऐसे भी अवामिल (Factors) होते है जो बिना किसी बाहरी मदाखलत जैसे सिफारिश, रिश्वत, ताक़त या दुआ का इस्तेमाल किए ही हमें उन

रियाज़ियाती इमकानात के दायरों में ले आते हैं जो 1 के ज़्यादा नज़दीक होते हैं और वो अवामिल बिला-शुबह हमारी अपनी क़ाबिलियत और तजुर्बे होते हैं।

हमारे इस तजज़िये (Analysis) की बिना पर देखा जाए तो इसमें कोई शक नहीं कि वोह दुआ भी एक किस्म की बाहरी मदाखलत ही होती है जिसमें हम किसी ग़ैर-मरई ताक़त (Super Natural Power) से किसी अमल से जुड़ा कोई फैसला हमारे हक़ में करने की खुआहिश करते हैं। तब हम इस बात का हिसाब नहीं लगाते हैं कि ऐसा होने से दीगर अफ़राद पर उसका क्या मनफ़ी (Negative) असर पड़ेगा और क्या इससे ख़ुदा के आदिल (Just) होने पर भी कोई हर्फ़ आएगा, क्योंकि इतना तो कुरान से साबित है कि अल्लाह किसी एक के साथ इन्साफ करने के लिए किसी दूसरे के साथ नाइंसाफी नहीं करता। और यही उसका सच्चा अद्ल भी है की वोह वाक़ई ऐसा नहीं करता।

अब अगर आप मज़ाकिरा करने वाले लोगों (Interviewers) को अपने इल्म और अपने तजुर्बे के ज़रिए से यह यक़ीन दिला दें कि इस ओहदे के लिए आप ही सबसे बेहतर उम्मीदवार है जो अपनी क़ाबिलियत से उस ओहदे के साथ पूरा इन्साफ करने का माद्दा रखते हैं तो आपके चुन लिए जाने का इमकान फ़ौरन ही 1/1 यानि 1 हो जाएगा जो एक 100 फीसद मुमकिन इमकान है। ऐसा इसलिए होगा क्योंकि यह दुनिया आज भी जिस एक क़ानून पर शिद्दत से अमल करती है वोह क़ानून किसी इंसान की ज़ाती अहलियत (Competence) जुड़ा है जो उस ख़ास इंसान को दुसरों से अलग, भरोसेमंद और ज़्यादा क़ीमती बनाता है। अहलियत की क़द्रो-क़ीमत का यह क़ानून कभी बदलता नहीं है क्योंकि एक तो यह रियाज़ियाती इमकानात की रू से हमेशा ही 1 के सबसे नज़दीक होता है और दुसरे यह इंसान की बक़ा (Existance) के लिए सबसे अहम् क़ानूनों में से एक है क्योंकि इसी क़ानून पर चलकर दरअसल उन मक़ासिद (Goals) को हासिल किया जा सकता है जिन्हें दुनयावी तंज़ीमें (Organisations) अपनी बक़ा और अपने

लगातार चलते रहने के लिए पहले से तय करती हैं। दुनियावी निज़ाम के पेशे नज़र यूँ तो यह एक आम सी क़वायद मालूम पड़ती है लेकिन इससे जो एक ख़ास बात ज़ाहिर होती है वोह यह है कि इल्म और अहलियत वहाँ भी काम करते हैं जहाँ हमारी दुआएं या हमारा मज़हबी यक़ीन कभी काम नहीं कर सकता।

इमकानात का इल्म हमारे लिए क्यों ज़ुरूरी है?

हम चाहे इसे क़ुबूल करें या न करें मगर रियाज़ियाती ऐतबार से हमारी दुनियावी ज़िन्दगी का एक पहलू यह भी है कि जो कुछ भी हम अपनी ज़िन्दगियों में हासिल करते हैं वो सब उन ग़ैर-मुतासिब (Unbaised) इमकानात से होकर ही हम तक पहुँचता है जो बिलकुल किसी सीढ़ी की तरह हमेशा ही नीचे से ऊपर की तरफ़ या नामुमकिन से मुमकिन की तरफ़ उठते हैं और इस सीढ़ी के अलग-अलग पायदानों पर अलग-अलग लोगों की मौजूदगी ही उनकी दुनियावी हैसियत की नुमाइंदगी करती है। यानि जो सबसे नीचे है उसके लिए सबकुछ नामुमकिन है और जो सबसे ऊपर है उसके लिए सबकुछ मुमकिन है।

साथ ही साथ यह भी हक़ीक़त है कि हमें हासिल होने वाली हर एक शय भले ही अल्लाह की पैदाकर्दा हो लेकिन वोह कभी भी रियाज़ियाती क़वानीन को छोड़कर या इमकानात की इस सीढ़ी को तोड़कर हम तक नहीं पहुँचती बल्कि इनसे चलते हुए ही हम तक आती है। और दरहक़ीक़त किसी शय के हम तक पहुँचने के इस पूरे निज़ाम को ही हम कुदरत कह कर मुख़ातिब (Address) करते है। हालाँकि हम तक पहुँचने की उसकी इम्कानी राह उस कुदरती निज़ाम का हिस्सा नहीं है जिसे हम हमेशा ही ख़ुदा की ज़ात से जोड़कर देखते हैं। और इसे समझने के लिए हमारा इस हक़ीक़त को समझना ज़रूरी है कि हम सभी के लिए ज़िन्दगी की मिसाल उस अँधेरे कमरे की सी है जिसमें अलग-अलग धात (Metals) की बनी हुई एक जैसी अनगिनत गेंदे रखी हैं और ख़ुदाई कुदरत ने हमें उस कमरे में जाकर अपनी मर्ज़ी की कोई एक गेंद ले लेने का हक़ दे दिया है। यानि हम उस कमरे में रखी गेंदों को छू तो सकते हैं लेकिन देख नहीं सकते। अब यह हमारा ज़ाती फेल (Task) है कि हम उस अँधेरे कमरे से सोने की गेंद हासिल करते है, चाँदी की या किसी और धात की। अगर हम यह तस्सवुर करें कि ऐसे किसी कुदरती कमरे में अलग-अलग धात की कुल एक लाख गेंदे हैं और उसमें से सिर्फ सौ गेंदे ही सोने की हैं तब कोई एक सोने की गेंद हासिल कर लेने का हमारा रियाज़ियाती इमकान 100/100000 (1/1000) या 0.1 फीसद होगा। यानि अगर हम एक हज़ार बार भी उस अँधेरे कमरे में जाकर हर बार एक नई गेंद निकाल लाए तो भी हमारा सोने की गेंद पा लेने का इमकान हर एक हज़ार बार में सिर्फ एक बार ही होगा, जबकि इजाज़त हमें सिर्फ एक बार ही यह कोशिश करने की है। कुदरत के अताकर्दा ऐसे ही इंतज़ामात की वजह से हममें से ज़्यादातर लोगों की ज़िन्दगी में उस सोच की शुरुआत होती है जहाँ हम यह मानने लगते हैं कि अब हमारे हाथ में सोने की गेंद किसी दुआ या हमारी बुलंद किस्मत के सहारे ही आ सकती है, क्योंकि बिना देखे तो हमारे लिए सोने की गेंद को पा लेना एक निहायत ही मुश्किल या एक नामुमकिन अमल है। हालाँकि,

जब तक हम किसी शय को सिर्फ देखकर ही पहचानने की क़ाबिलियत तक महदूद रहते हैं, तब तक हम सोने की गेंद हासिल कर लेने के सबसे आखिरी इमकान यानि 1/1000 पर ही बने रहते हैं जिसे किसी दुआ या किसी मज़हबी यक़ीन के ज़रिए हरगिज़ बदला नहीं जा सकता। लेकिन जैसे ही हम किसी शय को पहचानने के कुछ दुसरे मन्तक़ी ज़राए (मसलन उसे छू कर या खुरच कर पहचानना) ढूंढ निकालते हैं, वैसे ही हमारा सोने की गेंद पा लेने का इमकान भी ज़्यादा यक़ीनी इमकानात की जानिब बढ़ने लगता है। और आखिरकार यही वोह तरीक़ा-ए-कार बनता है जिसके ज़रिए हम इंसान कुदरती असबाब (Natural Resources) को आपस में तक़सीम (Distribute) कर लेते हैं। अलबत्ता यहाँ आकर हमें ज़िन्दगी के उस सबसे पेचीदा सवाल का जवाब मिल जाता है कि क्यों कुछ लोग या कुछ क़ौमे ज़िन्दगी में दूसरों से ज़्यादा हासिल कर लेती हैं और आगे निकल जाती हैं? दरअसल, उन्होंने रियाज़ियाती इमकानात के हवाले से खुद को हमेशा ही ज़्यादा यक़ीनी इमकान के नज़दीक रखने और आने वाले नतीजों को अपने हक़ में मुत्तासिर कर लेने के इल्म को जान लिया है। यही वजह है कि ऐसे लोग या ऐसी क़ौमें अब लाइल्म या कम इल्म लोगों के लिए कुदरती असबाब में से फ़क़त उतना ही छोड़ती हैं जितना उन्हें खुद के लिए मुनासिब नहीं लगता। और इसी के बाइस मुआशिरे में ग़ैर बराबरी पैदा होती हैं। आप चाहकर भी इस सूरत-ए-हाल को बदल नहीं सकते क्योंकि असल हक़ीक़त यह है कि कुदरत अपने असबाब की तक़सीम के सिलसिले में रियाज़ियाती इमकानात के बाइस लगातार गैर-जानिबदार (Neutral) बनी रहती है, जबकि लाइल्म या कम इल्म लोग अक्सर इसे कुदरत की बेइंसाफी शुमार करते रहते हैं, हालाँकि यही उसका असल इंसाफ़ होता है। दरअसल हमने कभी कुदरत को इस नज़रिये से समझा ही नहीं है कि वोह ग़ैर-जानिबदार है इसीलिए इंसाफ़ पर है क्योंकि जहाँ इमकानात के साथ मदाखलत की गुंजाईश मौजूद होती है वहाँ कुदरती इंसाफ़ (Natural Justice) मौजूद नहीं होता।

इस तमाम इंतिज़ाम को समझ लेने के बावजूद भी इस बात से इंकार नहीं किया जा सकता कि वोह अल्लाह या वोह ख़ुदाई ताक़त जिसमें हर इंसान का अपना-अपना अलग तरह से यक़ीन है, हम सभी के लिए दुनिया में वो मुख़्तलिफ़ मौक़े पैदा करती है जिन्हें हम अपनी-अपनी अहलियत से जुड़े इमकानात के मुताबिक़ हासिल करते रहते हैं, बशर्ते कि हम अपने अमल के ज़रिए खुद को उन इमकानात के दायरे में ले आये जो उन मौक़ों से जुड़े हुए हैं। क्योंकि अल्लाह ने हर इंसान की ग़िज़ा पैदा करने का वादा हमसे किया है इसलिए उसकी कुदरत अपने इस काम को बखूबी अंजाम देती रहती है लेकिन इससे आगे की ज़िम्मेदारी खुद हमारी होती है क्योंकि इतना तो हम बिना किसी के बताए ही समझ सकते हैं कि दुनिया में वो मौक़े हमारे लिए हरगिज़ नहीं होते जिनके लिए ज़ुरूरी अहलियत हममें नहीं होती, लिहाज़ा उसने जुड़े इमकानात भी हमारी पहुँच से दूर ही बने रहते हैं।

इस फ़लसफ़े को पूरे यक़ीन से समझने के लिए सबसे पहले हमारा यह समझना ज़ुरूरी है कि दुनिया-ओ-कायनात में किसी भी शय की सबसे बड़ी खासियत उसका किसी दुसरी शय या किसी इल्म से जुड़ा वोह बाहमी ताल्लुक़ है जिसके रहते ही तमाम रियाज़ियाती इमकानात और इनके साथ साथ इल्म पैदा होता है। क्योंकि इस कायनात में सिवाए अल्लाह की ज़ात के कुछ भी मुतलक़ (Absolute) नहीं होता लिहाज़ा हर वोह शय रियाज़ियाती इमकानात के दायरे में होती है जिसका किसी दुसरी शय या किसी इल्म से कोई ताल्लुक़ जोड़ा जा सके। इन ताल्लुक़ात में एक बानगी (Pattern) मौजूद होती है जिसके चलते हम इनसे मुताल्लिक़ रियाज़ियाती फ़ार्मूलें दरयाफ़्त कर सकते हैं। हैरत की बात यह है कि ऐसी किसी शय का इल्म इंसान को है ही नहीं जो कायनात की हर एक शय या हर एक इल्म से हमेशा ही लाताल्लुक़ रहती हो। अलबत्ता, जैसे ही किन्हीं दो चीज़ों के बीच कोई ताल्लुक़ जुड़ता है तो फ़ौरन ही उनके बीच कोई फ़ार्मूला और वो तवील इमकानात पैदा हो जाते हैं जिनकी बिलाशुबह: (Undoubtedly) कुछ

रियाज़ियाती हैसियतें होती है और जिन्हें यक़ीनन कोई न कोई मन्तक़ी वज़ाहत (Decoding) दी जा सकती है, क्योंकि यही इमकानात उन दोनों के बीच के आपसी ताल्लुक़ की तशरीह पेश करते हैं। और यही दुनिया-ओ-कायनात की वो असल सच्चाई है जो आख़िरकार रियाज़ियाती फार्मूलों के मातहत काम करती हैं, फिर भले ही हम उन फार्मूलों को समझते हो या न समझते हो।

हमारी मज़हबी हदें और इमकानात

दुनिया के मुख़्तलिफ़ फ़लसफ़ियों ने यह बात बहुत पहले ही जान ली थी कि इंसान अपनी ज़िन्दगी को महज़ तक़दीर या तवील रियाज़ियाती इमकानात के सहारे नहीं छोड़ सकता क्योंकि ऐसा करना न तो उसकी अज़मत के शयाने शान है और न ही ऐसा करने से वोह अपने पास मौजूद कायनात की सबसे अज़ीम ख़िलक़त के साथ इन्साफ कर सकता है जो की उसका दिमाग़ और उस दिमाग़ का तजज़ियाई हुनर हैं। यह पहचानने में भी उन्हें ज़्यादा वक़्त नहीं लगा कि यूँ तो ईमानदारी का पास (Follow) रखते हुए रियाज़ियाती इमकानात को किसी लामहदूद ताक़त के ज़रिए भी मुतास्सिर नहीं किया जा सकता लेकिन अगर थोड़ी सी ज़िहानत इस्तेमाल की जाए तो इन्हें आसानी से लाँघ कर किसी अमल से जुड़े ज़्यादा यक़ीनी इमकानात तक रसाई (Access) हासिल की जा सकती है, और वो भी किसी मज़हबी या कुदरती कानून को तोड़े बग़ैर। और यक़ीनन इस तमाम फ़लसफ़े की शुरुआत इंसान के यह जान लेने के बाद ही हुई कि यह दुनिया-ओ-कायनात दरअसल रियाज़ियाती और ताबियाती क़वानीन के ज़रिए ही चलाए जा रहे हैं क्योंकि बिना किसी क़ानून या बिना किसी तय सिलसिले (Fixed Pattern) के दुनिया-ओ-कायनात को क़ायम नहीं रखा जा सकता।

हममें से लगभग सभी लोगों ने कभी न कभी यह महसूस किया है कि दीन-ए-इस्लाम के मानने वाले ज़्यादातर लोग अक्सर इस फ़िक्रमंदी में मुब्तला रहते

हैं कि उनका कोई भी अमल खिलाफ़-ए-कुदरत या खिलाफ़-ए-दीन न हो। इसके बाइस उनकी ज़िन्दगी की तमाम फिक्रें उन्हें ख़ुशनूदी-ए-ख़ुदा के खिलाफ़ जाकर किए जाने वाले किसी भी अमल से रोकती हैं। लेकिन अगर उन्हें इस बात का यक़ीन हो जाए कि उनका अमल न तो खिलाफ़-ए-कुदरत है और न ही खिलाफ़-ए-दीन, तब वो खुद ही उस अमल को करने के लिए आमादा हो जाते हैं। और यह यक़ीन सिर्फ इस बात से पैदा होता है कि दुनिया की सबसे ज़्यादा दौलतमंद क़ौमे अपनी दौलत का ज़्यादातर हिस्सा अपनी ऐशो इशरत पर नहीं बल्कि रियाज़ियाती और ताबियाती इल्म से मुत्तालिक़ तहक़ीक़ (Research) पर सर्फ़ करती हैं और अपने दौलत-ओ-सबाब के ज़रिए इन्हीं क़वानीन को अपने ज़ेरे दस्त लाती हैं जो उनके लिए एक अज़ीम ताक़त का सबब बनते हैं। यानि अगर दीन-ए-इस्लाम के मानने वाले भी रियाज़ियात और ताबियात के काम करने से जुड़े राज़ों को अपने ज़ेरे दस्त कर लें तो वो खुद-ब-खुद ही उन खेलों का हिस्सा हो जाते हैं जो इस दुनिया को चला रहे हैं। बस ज़रा सी जुम्बिश संजीदगी से उन क़वानीन को समझने और पहचानने की ही होती है जिनके बाइस दुनिया-ओ-कायनात का यह निज़ाम चलता है। और यह सिर्फ़ तभी मुमकिन है जब हम इज्तेमाई तौर पर एक साइंसिया मिज़ाज (Scientific Temperament) के क़ायल हो।

दुनिया की एक बोहत बड़ी आबादी दौलत की ताक़त को ही सबसे अज़ीम ताक़त शुमार करती है मगर वोह यह भूल जाती है कि दरअसल दौलत का इस्तेमाल करके भी वोह उन्हीं रियाज़ियाती और ताबियाती क़वानीन को अपने ज़ेरे दस्त करने की कोशिश करती है जो दरहक़ीक़त कायनात की तमाम लामहदूद ताक़त के मरकज़ हैं। इसलिए दीन-ए-इस्लाम के मानने वाले हर एक शख़्स को यह जान लेना चाहिए और इस पर मुक़म्मल यक़ीन करना चाहिए कि रियाज़ियाती क़वानीन बातिल से पाक क़वानीन है क्योंकि न ही ये ख़ुदा के पैदाकरदां क़वानीन हैं और न ही शयातीन (Devils) के। ये कोई ऐसी शय भी नहीं जिसका कोई जिस्मानी वुजूद

होता है और न ही कोई माद्दा है जिसे हम छू सकें। ऐसे में जो कुछ भी बातिल से पाक है क़ुरान उसे दीन का हिस्सा कहे या न कहे पर वोह हमारे लिए अपने आप में एक दीन ही है क्योंकि वोह भी ख़ुदा ही की तरह लाऐब (Faultless) है, और किसी भी ऐसी लाऐब शय का रियाज़ियाती इमकान हमेशा 1 होता है जिसके मुक़ाबिल कोई मुख़ालिफ़ (Opposition) मौजूद नहीं होता। इसीलिए यह कहना ग़लत नहीं होगा कि हमारे लिए रियाज़ियाती क़वानीन को जान लेना और उन पर अमल करना न ही शिर्क की तशरीह के अंदर आता है और न ही गुनाह की, क्योंकि अपने यक़ीन में हम कुदरत या अल्लाह को समझने का कोई भी दावा पेश करें, वोह दावा तब तक अपनी असल गहराई को नहीं पा सकता जब तक वोह रियाज़ियाती, ताबियाती, कीमियाई, हयातियाती या किसी और कुदरती इल्म-ओ-क़वानीन के ज़रिए साबित न कर लिया जाए। अलबत्ता यहाँ यह कह देना भी निहायत ज़रूरी है कि रियाज़ियाती क़वानीन खुद ख़ुदा नहीं हो सकते क्योंकि यह वक़्त, ख़ला और माद्दे की हद में होते हैं जबकि जो ख़ुदा है उसे किसी हद में क़ैद नहीं किया जा सकता।

रियाज़ियात और ताबियात का फ़र्क़ और उसका असर

रियाज़ियाती क़वानीन भले ही अपने आप में नाक़ाबिले तब्दील होते हैं मगर ताबियाती क़वानीन के लिए यह बात मुकम्मल सच नहीं है, और इसे साबित करने के लिए हमारे पास उन तमाम ताबियाती तजरबात (Experiments) की एक लम्बी चौड़ी फहरिस्त मौजूद है जहाँ हमने इन्हें कामयाबी के साथ तब्दील या मुत्तासिर किया है। एक तरफ जहां हमने कुदरती 92 अनासिर के बाद खुद अपने ताबियाती इल्म का इस्तेमाल करते हुए 24 से ज़्यादा नए और ग़ैर-कुदरती अनासिर ईजाद किए, वहीं दुसरी तरफ हमने अपनी लबोरिट्रीज़ (Laborotries) में ऐसे अनगिनत कुदरती आमाल को भी नक़ल किया जिन्हें कुदरती तौर पर रुनमा (Appear) होने में हज़ारों साल का वक़्त लग जाता है।

093. नेप्चुनियम	**094. प्लूटोनियम**	**095. अमेरिसियम**
096. क्यूरियम	**097. बेरकेलियम**	**098. कैलिफोर्नियम**
099. आइंस्टिनियम	**100. फर्मियम**	**101. मेंडेलेवियम**
102. नॉबेलियम	**103. लॉरेन्सियम**	**104. रदरफोर्डियम**
105. डब्नियम	**106. सेबोर्गियम**	**107. बोह्‌रियम**
108. हस्सियम	**109. मिटनेरियम**	**110. डार्मस्टडियम**
111. रोएंटगेनियम	**112. कोपर्निसियम**	**113. निहोनियम**
114. फ्लेरोवियम	**115. मॉस्कोवियम**	**116. लिवरमोरियम**

ये उन अनासिर की फ़ेहरिस्त है जो कुदरती तौर पर ज़मीन पर नहीं पाए जाते और जिन्हें इंसान ने ख़ुद अपने इल्म से दरयाफ़्त किया है।

अगर हम ताबियाती इल्म की गहराई में जाए तो हम पाएंगे कि क़ाबिल-ए-तब्दील होने के बावजूद भी यह 100 फीसद कुदरती इल्म है और इंसान इस दुनिया के दायरे में रहते हुए और बहुत ही महदूद तरीके से इस इल्म के साथ मुख़्तलिफ़ तजरबात अंजाम देता जा रहा है और अपनी उस बेहिसाब दिमाग़ी ताक़त को इस्तेमाल कर रहा है जो उसे अशरफुल मख़्लूक़ बनाती है। हक़ीक़तन ऐसा किए बग़ैर वोह इस ख़ुदाई लक़ब के साथ इन्साफ कर भी नहीं सकता। हालाँकि दुनियावी वक़्त की हदें और कायनात का फैलाव इंसान को इस दुनियाई खोल (Shell) में क़ैद किए हुए है मगर इस खोल को तोड़ डालने की उसकी कोशिशें लगातार जारी है

जिसमें रियाज़ियात और ताबियात ही उसके असल औज़ार हैं। इसलिए अगर हमें यह यक़ीन है कि तमाम रियाज़ियाती क़वानीन आज़ाद और तमाम ताबियाती क़वानीन खालिस तौर पर कुदरती होते हैं जो लगातार काम करते रहते हैं, और अगर क़ुरान ने भी हमें इल्म हासिल करने का हुक्म दिया हुआ है तब हमारे पास ऐसी कोई भी वजह नहीं होनी चाहिए जो हमें किसी आज़ाद निज़ाम या अपने ख़ुदा की कुदरत को जानने, समझने और उस इंसानी जद्दो जहद का हिस्सा बनने से रोकती हो जो वक़्त और कायनात के फैलाव को तोड़ डालना चाहती है। जो लोग ऐसी वजूहात पेश करते हैं दरअसल वो यह नहीं समझते कि कायनात की तमाम ताक़तें सिर्फ और सिर्फ यहीं क़ानून पैदा करते हैं जिन्हें समझने और जिन पर क़ाबू करने की क़ाबिलियत कुदरत हमें पहले ही अता कर चुकी है। यह क़ाबिलियत यक़ीनन कायनात में किसी और मख्लूक़ को अता नहीं की गयी है। और इसमें क्या शक़ हो सकता है की ख़ुदा जब कोई इख़्तियार देता है तो उसे इस्तेमाल करने का हुक्म भी उसके साथ ही अता कर देता है। ऐसे में जितनी जल्दी कोई क़ौम इन क़वानीन को अपने ज़ेरे दस्त कर लेती है उतनी ही जल्दी वोह क़ौम दुसरो से आगे निकल जाती है। और तो और इसमें ऐसी कोई तंग नज़री भी शामिल नहीं होती कि ये क़वानीन सिर्फ उन्हीं लोगों के लिए काम करेंगे जो एक ख़ास मज़हब या किसी ख़ास ख़ुदा के मानने वाले होंगे, क्योंकि इनका ताल्लुक़ मज़हब से है ही नहीं बल्कि इनका ताल्लुक़ या तो ख़ुदा के पैदाकर्दा अबदी (Eternal) और लाज़वाल इल्म से है या फिर रियाज़ियात से जो किसी एक क़ौम या किसी एक गिरोह की ज़ाती मिल्क़ियत नहीं हो सकते। और दीन-ए-इस्लाम के मानने वाले किसी शक़्स के लिए इसमें सबसे ज़्यादा ज़ुरूरी बात यह समझना है कि इस तमाम नज़रिये में कुछ भी ग़ैर-इस्लामी नहीं है बल्कि यह एक ऐन इस्लामी नज़ीरिया है क्योंकि दीन-ए-इस्लाम का काम हमें इन क़वानीन को समझने से रोकना नहीं है बल्कि इन क़वानीन के सिर्फ उस इस्तेमाल से रोकना है जो बातिल की तशरीह के दायरे में आते हैं।

जितनी जल्दी हो सके दीन-ए-इस्लाम के मानने वालों को यह बात क़ुबूल कर लेनी चाहिए कि इमकान और यक़ीन इन दोनों का ही सबसे नज़दीकी ताल्लुक़ रियाज़ियात से होता है मज़हब से नहीं। क्योंकि हमें यक़ीन दिलाने का काम हमारे दिमाग़ का है जो तजज़िया करने में माहिर है, लिहाज़ा हम चाहे किसी भी मज़हब या दीन के मानने वाले क्यों न हो, इमकान से यक़ीन तक आने के लिए हम सिर्फ और सिर्फ रियाज़ियाती क़वानीन पर ही इन्हिसार (Depend) करते है किसी और क़ानून पर नहीं। इसलिए हम भले ही रियाज़ियात का इल्म रखते हो या नहीं लेकिन हम अपनी ज़िन्दगियों और अपने यक़ीनों को इससे बाहर नहीं रख सकते क्योंकि ऐसा करना मुमकिन ही नहीं है।

रियाज़ियात और इंसाफ

अगर हम आलिम नहीं भी है तब भी हम तजज़िया करने की अपनी क़ाबिलियत का इस्तेमाल लगातार करते रहते है और हमारे तमाम तजज़िये और हमारा इल्म-ए-दीन हमें सही और ग़लत, हक़-ओ-बातिल और इन्साफ़-ओ-बेइन्साफ़ी में फ़र्क़ करना सिखाता रहता हैं या हम यह फ़र्क़ करना सीखते रहते हैं। ऐसे में जिसने भी हमे ख़ल्क़ किया है अगर वोह खुद को आदिल (Just) कहता है और अपने आप को नाइंसाफी और ज़ुल्म की तोहमतों से पाक रखना चाहता है तो उसे हमारी ज़िन्दगियों से जुड़े तमाम फ़ैसलों को किसी न किसी ऐसे निज़ाम के हाथ में रखना ही होगा जो किसी भी किस्म की ख़ुदायी या ग़ैर-ख़ुदायी मदाखलत से पाक हो, क्योंकि सिर्फ तब ही वोह अद्ल-ओ-इन्साफ के हर एक तक़ाज़े को पूरा कर सकेगा। यह बिलकुल वैसी बात है जैसे हम दो लोगों के बीच किसी बात का फैसला कराने के लिए किसी तीसरे और ग़ैर-जानिबदार (Neutral) शख़्स का इंतिखाब करते हैं। इसे एक आसान मिसाल से समझने के लिए फ़र्ज़ कीजिये की हमें मिलने वाली तमाम नेअमतों का दरोमदार रियाज़ियाती क़वानीन के हाथों में नहीं है और

हम कायनात की तमाम नेअमतें महज़ एक दुआ मांग कर हासिल कर सकते हैं। ऐसे में क्या आप यह तसव्वुर कर सकते है कि इस सूरत में इस दुनिया का निज़ाम कितने दिन तक चल सकेगा? क्योंकि तब कुछ मज़हबी हुनरमंद लोग इस दुनिया या शायद इस तमाम कायनात के हर एक हिस्से पर अपनी दुआओ के दम पर कब्ज़ा कर लेंगे और यह सारा इंतिज़ाम ही बेमानी होकर रह जाएगा। और तो और अगर ऐसा हो जाए तो उस ख़ुदा-ए-बेमिस्ल के आदिल होने पर भी एक हर्फ़ आ जाएगा जिसे फिर बदला नहीं जा सकेगा। इसलिए अगर आपको आज तक इस सवाल का जवाब नहीं मिला है कि क्यों हमारी सभी दुआएं क़ुबूल नहीं होती तो उसका एक मन्तक़ी जवाब यह है कि हमारी ज़िंदगियाँ भले ही ख़ुदा की पैदाकर्दा हैं लेकिन चलती वो उन आज़ाद रियाज़ियाती क़वानीन और इमकानात पर ही है जो ख़ुदाई कुदरत का हिस्सा नहीं है। और यही वोह वाहिद वजह है जिसके बाइस दीन में इल्म की शर्त को रखा गया है ताकि इंसान अपनी ज़िन्दगी और कुदरत की पैदाकर्दा नैमतों और उसके तराशीदां (Engraved) और ग़ैर-तराशीदां क़वानीन के बीच एक सही तालमेल बैठा कर लगातार खुद की बरतरी (Excellence) की जानिब बढ़ता रहे।

इमकान से यक़ीन तक

एक बार जब आप रियाज़ियाती इमकानात के काम करने के तरीके जान लेते हैं और उन्हें बरतना (Deal) सीख लेते हैं तो अगली मंज़िल यक़ीन की होती है। हक़ीक़तन, हमारी ज़िन्दगियों में यक़ीन की अहमियत किसी भी दुसरे इंसानी जज़्बात से ज़्यादा है। हम क्या करते हैं, क्या चाहते हैं, क्या सोचते हैं, और क्या मानते हैं यह सब हमारे यक़ीन पर मुनस्सिर होता है। हमारा यक़ीन ही हमारी मौजूदा ज़िन्दगियों को चलाता है और यही हमारा मुस्तक़बिल तय करता है। ज़िन्दगी के बहुत कम या शायद ना के बराबर ही मरहलें ऐसे होते हैं जहाँ हमें यक़ीन की ज़ुरूरत न रह जाती हो। यही वजह है कि दुनिया के अनगिनत फ़लसफ़ियों और साइंसदानों

ने यक़ीन के मौज़ूँ पर बहुत से अलग-अलग नज़रिए पेश किए जिन पर बहुत सी किताबें भी मौजूद हैं और जो हम सभी को यह समझने में मदद करती हैं कि इंसान की ज़िन्दगी में यक़ीन क्या-क्या करिश्माई अमल अंजाम दे सकता है।

यूँ तो तालीमी एतबार से यक़ीन एक तजज़ियाई (Analytical) नतीजे का नाम है जो किसी ज़हन में बिना अमली तस्दीक़ के बहाल नहीं होना चाहिए मगर हम जिस मुआशरे में रहते हैं वहाँ बहुत सी बातों पर हम सिर्फ इसलिए यक़ीन रखते हैं क्योंकि वोह हमारे माहौल का एक नाक़ाबिल-ए-तब्दील हिस्सा होती हैं। और यूँ भी ज़ाती तौर पर हम दुनिया की हर बात की तस्दीक़ नहीं कर सकते क्योंकि ऐसा करने के लिए हमारे पास न तो इतना वक़्त ही मयस्सर होता है और न ही इसके लिए ज़ुरूरी असबाब। लिहाज़ा कुछ ख़ास मामलात में जो कुछ हमें बता दिया जाता है वही हमारा यक़ीन बनता जाता है, जिस पर हम कभी कोई सवाल खड़ा नहीं करते बल्कि इसके उलट यही यक़ीन हम आहिस्ता-आहिस्ता दुसरों को भी मुन्तक़िल (Transfer) करते जाते हैं, बग़ैर यह सोचे कि कोई भी मुन्तक़िल यक़ीन दरअसल एक ऐसे अहसास का नाम है जो ठीक उसी वक़्त दम तोड़ देता है जिस वक़्त कोई ठोस, मुतज़ाद (Opposite) और मन्तक़ी दलील इसमें कोई शुबहा डाल देती है।

यूँ तो यक़ीन किसी इंसान के लिए एक निहायत ही हस्सास (Sensitive) और ज़ाती चीज़ है जिसे न ही आसानी से बदला जा सकता है और न ही इसे बदलने की कोशिश की जानी चाहिए (क्योंकि इस सिलसिले में तहक़ीक़ करना खुद उसी शक़्स का काम है) लेकिन अगर किसी ग़लत यक़ीन की वजह से किसी इंसान या किसी गिरोह की ज़िन्दगियाँ मनफ़ी (Negative) तौर पर मुत्तासिर हो रही हो लेकिन जिसका उन्हें इल्म न हो, तो फिर इस्लामी नुक़्ताए-नज़र से सभी दीन-ए-इस्लाम के माननेवालों के लिए यह एक वाजिब-ए-किफ़ाई अमल है कि वो इस यक़ीन के मुत्तालिक सही इल्म मुत्तासिर इंसान या गिरोह तक मुन्तक़िल करें ताकि वो इसके मनफ़ी असरात (Negative Effects) से निजात पा सकें। लेकिन मन्तक़ी

तौर पर ऐसा करना तभी मुमकिन है जब कोई वज़नी इल्मी दलील उनके किसी ग़लत यक़ीन को उसकी जड़ो से उखाड़ फ़ेंके।

मिसाल के तौर पर इस्लामी नुआशिरे में यह एक आम यक़ीन है कि दुनिया के हर मुसलमान को किसी इबादतग़ाह की तामीर में ज़ुरूर हिस्सा लेना चाहिए क्योंकि एक तो यह दीन-ए-इस्लाम के सबसे बड़े पैग़म्बर मुहम्मद(रज़ि) की सुन्नत (Practice) है और दुसरे यह दीन-ए-इस्लाम के मानने वालों के लिए एक ऐसी अज़ीम तामीर है जिसके एवज़ अल्लाह ने उनके लिए जन्नत का वादा किया है। हालाँकि इस यक़ीन की दीनी वजूहात अपनी जगह नाक़ाबिल-ए-तब्दील है मगर इसके पसे मंज़र में इंसानी दिमाग़ की तजज़ियाई काबिलियत भी एक अहम् किरदार निभा सकती है, बशर्ते कि उसे यहाँ इस्तेमाल करके देखा जाए।

इंसान की ज़िन्दगी में कैलकुलेशन और तजज़िया करने की अहमियत ठीक वैसी ही होती है जैसे चलने के लिए दो पैरों की या काम करने के लिए दो हाथों की। इंसान का दिमाग़ हर हाल में हर जगह और हर वक़्त चीज़ों को समझने और उन्हें इंसान के ज़ाती फायदे के लिए इस्तेमाल करने में मसरूफ (Busy) रहता है। यह एक ऐसा अमल है जो मुसलसल (Continually) जारी रहता है और इंसान को हमेशा ही उसके आस पास हो रहे वाक़्यात से आगाह रखता है। अगर कोई इंसान अपने ज़हन पर कुछ हद तक काबू करना जानता भी हो तो भी वोह दिमाग़ की इस कैफ़ियत (State) को क़ाबू नहीं कर सकता। यह इंसानी दिमाग़ का एक कुदरती तरीक़ा-ए-कार है जो उसे मुसलसल ज़िन्दा रहने, खुद को हर ज़हमत से बचाने और खुद का दिफ़ा (Self-Defense) करने के लिए ज़रूरी तवानाई फ़राहम करता है। इस बात का अंदाज़ा उस वक़्त लगाना ज़्यादा आसान हो जाता है जब कोई शख़्स किसी मुसीबत में फ़सा होता है या फिर शिद्दत से किसी शय की खुआहिश में मुब्तिला होता है। इस सूरत-ए-हाल में उसका दिमाग लगातार उस मुसीबत से बाहर निकलने या उस शय को हासिल करने की जुस्तुजू मे ही लगा रहता

है। हमारा दिमाग़ क्योंकि हमारी परवरिश के बाइस शुरू ही से हमारे ज़ाती मफाद के लिए तैयार हुआ होता है लिहाज़ा जैसे ही वोह मज़हब को जानना शुरू करता है उसी वक़्त से वोह इस ज़िन्दगी के बाद होने वाले वाक़यों के लिए भी वही सब कैलकुलेशन और तजज़िये शुरू कर देता है जो वोह दुनियावी ज़िन्दगी के लिए करता है। और यही वोह वक़्त होता है जब इंसान के दिल में जन्नत की ख़ुआहिश पैदा होने लगती है। इस ख़ुआहिश के पैदा होने की सबसे बड़ी वजह इंसानी दिमाग़ की वही कैफ़ियत है जो उसे किसी भी किस्म की ज़हमत से बचाने के लिए लगातार काम करती रहती है। क्योंकि इंसानी दिमाग़ को यह समझा दिया जाता है कि दोज़ख (Hell) एक तकलीफ़देह जगह है जहाँ उसे अपने दुनियावी गुनाहों के बाइस जाना पड़ सकता है लिहाज़ा फ़ौरन ही उसके अंदर एक **डर** पैदा हो जाता है जिसे काबू करना उसके मुश्किल होता जाता है। और यही से इंसान का दिमाग़ उसे हर हाल में इस तकलीफ़देह जगह से बचाने के लिए अपने दिफ़ाई (Defensive) कामों में जुट जाता है। इस तमाम कारगुज़ारी को ख़ुदगर्ज़ी का नाम नहीं दिया जा सकता क्योंकि यह एक कुदरती अमल है जो इस दुनिया में हमारी बक़ा (Existence) को क़ाबू किए हुए है। मुख़्तसर यह कि हमारे ज़हन में पैदा होने वाली तमाम ख़ुआहिशात जिसमें जन्नत की ख़ुआहिश भी शामिल है दरअसल हमारे दिमाग़ के उसी ख़ास तरीक़ा-ए-कार के बाइस उभर कर सामने आती हैं जो हमारे लगातार ज़िन्दा रहने, हमें ज़हमतों से बचाने और हमारे लिए दुनिया की सबसे अच्छी नैमतें चुनने के लिए हमेशा ही किसी न किसी किस्म की उधेड़-बुन में लगा रहता है। और इसी के बाइस हमारी ज़िन्दगी में उन आमाल की शुरुआत होती है जिनके ज़रिए से हम अपनी ख़ुआहिशात (जिनमें जन्नत की ख़ुआहिश भी शामिल है) को पूरा करने में जुट जाते हैं।

दीन-ए-इस्लाम, जन्नत हासिल करने के लिए अपनी तरफ से जो आमाल बताता है उनमें अल्लाह की तौहीद पर यक़ीन रखना, इबादतें करना, नेक अमल

करना, दूसरों के साथ इन्साफ करना और क़यामत पर यक़ीन रखने जैसे अहम् ऊसूल शामिल हैं। बतौर मुसलमान जिस अमल को हम जन्नत हासिल करने के कुछ एक सबसे बड़े आमाल के तौर पर देखते हैं इनमें से एक इबादतगाहों की तामीर करना है जहां बंदगान-ए-ख़ुदा आकर अपनी-अपनी इबादतों को तकमील (Completion) दे सकें। यक़ीनन इस अमल की दीन-ए-इस्लाम में बोहत बड़ी अहमियत है जिसका हरगिज़ इंकार नहीं किया जा सकता, मगर फ़िर भी इतना तय है कि कोई भी शक़्स लगातार एक के बाद एक इबादतगाहों की तामीर कराने के बावजूद भी अपने लिए जन्नत की दावेदारी पेश नहीं कर सकता है।

जैसा की हमने पहले बताया कि दीन-ए-इस्लाम में किसी मस्जिद या किसी इबादतगाह की तामीर को मुहम्मद(रज़ि) की सुन्नत होने का शर्फ़ हासिल है, और मुहम्मद(रज़ि) की हर एक सुन्नत को नक़ल करना ही मुसलमान होने की दलील है। इसलिए मुस्लमान पिछले 1400 सालों से एक के बाद एक लगातार मस्जिदों और दीगर इबादतग़ाहों की तामीर को ही जन्नत तक जाने की सीढ़ी के तौर पर तसव्वुर करते हुए इन्हें बनाने मे मसरूफ हैं, बग़ैर यह सोचे कि क्या इबादतग़ाहों के सिवा भी कोई और शय हो सकती है जिसकी तामीर का सवाब इबादतग़ाहों की तामीर जितना या उससे ज़्यादा हो?

मुझे नहीं मालूम कि क्या वाकई दीन-ए-इस्लाम की रू से कोई ऐसी शय मौजूद है जिसकी तामीर का सवाब भी किसी इबादतगाह की तामीर जितना या उससे ज़्यादा हो सकता है लेकिन जिस तरीक़ा-ए-कार से हमारा दिमाग़ तजज़िया करने मे माहिर है उस की बिना पर क्या हम एक ऐसा मुवाज़ना (Comparison) किसी इबादतगाह और किसी स्कूल या यूनिवर्सिटी की तामीर के बीच कर सकते है जो हमारे सामने यह साफ़ कर दे कि इस मौजूदा वक़्त में हमारे लिए किस तामीर को अहमियत देना ज़्यादा फायदेमंद है? ऐसा मुवाज़ना करना इसलिए भी ज़रूरी है क्योंकि जिस तरह सिर्फ एक अनासिर के ज़रिए से तमाम कायनात की तामीर

मुमकिन नहीं है ठीक उसी तरह महज़ एक ही तरह के यक़ीन के ज़रिए इल्म और दीन के सभी पहलूओं को उजागर करना भी मुमकिन नहीं। और जिस तरह से इस्लामी शरीयत वक़्त और हालात को मद्देनज़र रखते हुए फैसला लेने की सिफारिश करती है उस लिहाज़ से भी आज के हालात में यह मुवाज़ना करना ऐन इस्लामी ही होना चाहिए।

जब हम एक इबादतगाह की तामीर करते हैं तो दीन-ए-इस्लाम की रु से जो फायदें इबादतगाह की तामीर करवाने वाले लोगों और खुद दीन-ए-इस्लाम को होते हैं वो नीचे क़लमबद (Write) किए गए हैं। साथ ही साथ मुवाज़ने के तौर पर उन फायदों को भी बयान करने की कोशिश की गई है जो किसी स्कूल या किसी यूनिवर्सिटी की तामीर से मुआशरे को इज्तेमाई (Collectively) तौर पर हासिल होते हैं।

इबादतगाह	स्कूल
1. इबादतगाह लोगों को एक महदूद वक़्त के लिए उनके मज़हबी अमल अंजाम देने के लिए जगह मुहैया कराती है।	1. यह लोगों को निस्बतन लम्बे वक़्त के लिए उनके इल्मी अमल अंजाम देने के लिए जगह मुहैया करता है।
2. यह महज़ एक गिरोह की नुमाइंदगी करती है।	2. यह इज्तेमाई तौर पर (Collectively) सभी इल्म की ख़ुआहिश रखने वालों की नुमाइंदगी करता है।
3. इसका मकसद ज़्यादातर वक़्त मज़हबी अमल/मामलात से होता है।	3. इसका मकसद हर वक़्त महज़ इल्मी अमल और इल्मी मामलात से होता है।
4. यह ज़्यादातर मक़ामी (Local) लोगों के मफाद में होती है।	4. यह मक़ामी और ग़ैर मक़ामी दोनों के मफाद में होता है।

5. यह मुआशरे में यकजहती (Unity) और अम्न (Peace) क़ायम करने में मददगार होती है।	5. यह मुआशरे में तामीर (Construction) और ईजाद (Invention) पैदा करने में मददगार होता है।
6. इसका ताल्लुक़ सिर्फ इबादतों से होता है जो शुरू भी होती है और खत्म भी और जो ग़ैर क़ाबिले मुन्तक़िल (Non Transferable) होती हैं।	6. इसका ताल्लुक़ इल्म से होता है जो कभी ख़त्म नहीं होता और जो क़ाबिले मुन्तक़िल (Transferable) भी होता है।
7. यह इंसान की दायमी ज़िन्दगी (Here After) की नींव रखती है।	7. यह इंसान की दुनियावी ज़िन्दगी की नींव रखता है।
8. इनकी तामीर का नतीजा ग़ैर-तस्दीक़ी होता है, यानि हम उसकी तस्दीक़ नहीं कर सकते।	8. इसकी तामीर का नतीजा दिखाई देता है जिसे वक़्त वक़्त पर महसूस भी किया जा सकता है।
9. इनका ताल्लुक़ इन्सान की रूहानियत (Sprituality) से है।	9. इसका ताल्लुक़ इंसान की ज़िहानत (Mentality) से है।
10. इनका ताल्लुक़ इंफरादी यक़ीन (Individual Belief) से होता है।	10. इसका ताल्लुक़ आलमी यक़ीन (Universal Belief) से होता है।
11. यहाँ अंजाम दिए जाने वाले अमल सादा (Simple) होते हैं।	11. यहाँ अंजाम दिए जाने वाले अमल पेचीदा होते है।
12. इसका ताल्लुक़ अल्लाह के दीन से है।	12. इसका ताल्लुक़ अल्लाह के इल्म और उसकी मारिफ़त से है।
13. यह एक ग़ैर तरक़्क़ी शुदा (Non Progressive) तामीर है।	13. यह एक तरक़्क़ी शुदा (Progressive) तामीर है।
14. ये मुआशिरे को साथ खड़े होना सिखाती है।	14. ये मुआशिरे को अपने पैरों पर खड़ा होना सिखाती है।
15. इबादतगाह इंसान को चुप रहना सिखाती है जिसकी अपनी अलग अहमियत है।	15. स्कूल इंसान को बोलना सिखाता है जिसकी अपनी अलग अहमियत है।

यह छोटा सा मुवाज़ना एक इबादतगाह और एक स्कूल/यूनिवर्सिटी दोनों की तामीर से होने वाले दुनियावी और दायमी मफ़ादात (Advantages) को क़लमबद करता है और इसके ज़रिए से हमारे सामने यह भी काफी हद तक साफ़ हो

जाता है कि क्यों ये दोनों ही तामीरात किसी मुतवाज़िन मुआशरे (Balanced Society) के लिए निहायत ही ज़ुरूरी हैं।

आइए, अब कुछ देर के लिए यह तसव्वुर करें कि दायमी ज़िन्दगी में जन्नत हासिल करने के लिए हमारी तमाम तवज्जोहात इबादतगाहें बनाने तक ही महदूद है और हम अपनी तमाम इमदादी रक़म सिर्फ इबादतगाहें बनाने मे ही सर्फ़ करना चाहते हैं, किसी और तामीर के लिए नहीं। यह भी तसव्वुर करे कि हम एक ऐसी इबादतगाह की तामीर करा रहे हैं जिसमें एक वक़्त में करीब 500 लोग अपने इबादती आमाल अंजाम दे सकते हैं। दीन-ए-इस्लाम के हवाले से जो लोग भी हमारी बनाई हुई इस इबादतगाह में अपनी इबादतें अंजाम देंगे उसके एवज़ में कुछ सवाब हमें भी साहिल होगा। हमारे पास ऐसा तो कोई पैमाना नहीं है जिसके ज़रिए से हमें मिलने वाले उस सवाब की पैमाइश की जा सके लेकिन इतना तो तय है कि वोह सवाब इस बात पर मुनस्सिर होगा कि एक वक़्त में कितने लोगों ने उस इबादतगाह में अपनी इबादतें पूरी की और यह सिलसिला कब तक चलता रहा। यह एक फ़र्ज़ी (Hypothetical) तसव्वुर है जिसकी कोई तस्दीक़ या कोई पैमाइश मौजूद नहीं है अलबत्ता यह तसव्वुर उस तरीक़ा-ए-कार से मेल खाता है जिसके लिए हमारा दिमाग़ कुदरती तौर पर तैयार (Programmed) होता है। भले ही हमारे मज़हबी ज़हन को यह बात नागवार गुज़रे मगर फिर भी हमारे दिमाग़ का वोह हिस्सा जो चीज़ों को मन्तक़ी तौर (Logically) पर समझना चाहता है उसे यह बात दिलचस्प ही लगेगी क्योंकि कई बार किसी बात की असल गहराई को समझने के लिए किसी फ़र्ज़ी तस्सवुर का सहारा लेना भी हमारे तालिब-ए-इल्म (Student) होने की दलील होती है।

यानि अगर हमारी बनाई हुई किसी एक इबादतगाह में एक वक़्त में 500 लोग अपने इबादती आमाल अंजाम देते हैं और इस इबादतगाह की मियाद 100 साल है तो हमें मिलने वाला सवाब 91312500 (9 करोड़ 13 लाख 12 हज़ार 5

सौ) लोगों की एक वक़्त की इबादत के एवज़ मिलने वाले कुल सवाब के कुछ फीसद हिस्से के बराबर होगा। देखने और सुनने में यह तादात बहुत बड़ी जान पड़ती है, मगर फ़िर भी इल्म की लामहदूदी के सामने यह तादात मानो मौजूद ही नहीं है। अगर हम इसके मुक़ाबिल 10 गुना, 20 गुना, 100 गुना या 1000 गुना इबादतगाहें तामीर कराने का माद्दा भी रखते है तो भी वोह तादात इल्म की लामहदूदी के मुक़ाबिल ना के बराबर ही होगी। इसकी वजह यह है कि कोई शय या कोई तादात चाहे कितनी भी वसी (Huge) क्यों न हो लेकिन अगर हमें उसकी पैमाइश करने के लिए ज़ुरूरी आदात-ओ-शुमार (Data) का इल्म है तो हम रियाज़ियात का इस्तेमाल करते हुए उसकी ठीक-ठीक पैमाइश कर सकते हैं। इसे साबित करने के लिए सिर्फ इतना जान लेना ही काफी है कि किसी शय या किसी अमल की असल लामहदूदी तब तक ही क़ायम रहती है जब तक हमारे पास उससे ताल्लुक़ रखने वाले बुनियादी दायरे का कुल इल्म मौजूद नहीं होता। जैसे ही हम किसी शय के कुल दायरे का सही-सही हिसाब लगा लेते हैं वैसे ही हम उसके फैलाव की भी सही पैमाइश मालूम करने की हालत में पहुँच जाते हैं। अगर हम इसे किसी मिसाल के ज़रिए समझना चाहे तो हम कायनात की लामहदूदी का तस्सवुर कर सकते हैं। हमें यह कायनात भले ही आज हमारे दायरा-ए-इख़्तियार से बाहर नज़र आती है लेकिन जिस दिन हम इसके कुल दायरे का सही इल्म पा लेंगे उस दिन हम इसके फैलाव की भी दक़ीक़ (Accurate) पैमाइश कर सकने के क़ाबिल हो जाएंगे जोकि हमें एक बड़ी रक़म की सूरत में मिलेगी। और जिस दिन हम ऐसा कर सकेंगे उस दिन से यह कायनात हमारे लिए लामहदूद नहीं रहेगी क्योंकि किसी शय की दक़ीक़ पैमाइश कर लेना या उसके फैलाव की सही हद जान लेना भी दरअसल उसकी हदों की निशानदेही करना या उसे महदूद करना ही होता है।

हमने मुवाज़ने के तौर पर यहाँ जितने भी नुक़्ते इबादतगाह की तामीर के हवाले से बयान किये हैं, अगर आप उन पर गहराई से ग़ौर-ओ-फ़िक्र करें तो आप

पाएंगे कि उनमें से ज़्यादातर नुक़्ते ऐसे हैं जिनकी रियाज़ियाती पैमाइश की जा सकती है, जबकि इसके उलट किसी स्कूल या किसी यूनिवर्सिटी की तामीर से जुड़े ज़्यादातर नुक़्तों की रियाज़ियाती पैमाइश नहीं की जा सकती और वो लगातार एक लामहदूदी की जानिब बढ़ते हुए दिखाई देते हैं। आप चाहे तो इस मुवाज़ने में अपनी जानिब से दोनों तरफ़ इज़ाफ़ी नुक़्ते (Additional Points) शामिल करके देख सकते हैं और एक नया नतीजा हासिल कर सकते हैं मगर ऐसा करने से पहले ज़ुरूरत इस बात की होगी कि आप यह नतीजा अपने मज़हबी यक़ीन को अहमियत देते हुए नहीं बल्कि खुद एक ग़ैर-जानिबदार वुजूद की हैसियत से अक़्स करने की कोशिश करें, क्योंकि ऐसा किये बग़ैर आपका नतीजा अद्ल-ओ-इन्साफ की कसौटी पर खरा नहीं उतर सकेगा। अगर आप एक ग़ैर-जानिबदार आदिल (Unbiased Judge) की हैसियत से इस मुवाज़ने पर ग़ौर करेंगे तो जल्द ही आपको इस बात का अहसास हो जाएगा कि यह मुवाज़ना इस्लामी मुआशिरे को इबादतगाहों की तामीर करने से रोकता नहीं है बल्कि यह उन्हें इस बात की तरफ़ मुतवज्जे करता है कि इबादतगाहों के अलावा भी ऐसी तामीरात हो सकती हैं जिनकी हैसियत किसी मज़हबी यक़ीन से ज़्यादा होती है और जिनकी तामीर पर आप अपना माल इसलिए सर्फ़ कर सकते हैं क्योंकि उनके अंदर कही-न-कही एक अहसास-ए-लामहदूदी (Sense of Infinity) पाया जाता है जो मुआशिरे के लिए उससे ज़्यादा मुफीद है जितनी किसी इबादतगाह से तवक़्क़ो की जाती है। ऐसे में इन तामीरात को मज़हब की खातिर किसी भी सूरत में नज़रअंदाज़ नहीं किया जा सकता।

यह सच है कि किसी इबादतगाह या किसी स्कूल/यूनिवर्सिटी की तामीर किए जाने की अपनी अलग-अलग अहमियतें होती हैं जिन्हें हम काफी हद तक समझते भी हैं लेकिन फिर भी हम सभी पर मज़हबी अहकामात और यक़ीनों का दबाव इस क़दर हावी होता है कि जिनके चलते हम कभी भी इस फ़ैसले तक नहीं

पहुँच पाते हैं कि मौजूदा हालात में हमारे लिए किसी स्कूल या यूनिवर्सिटी की तामीर करना ही ज़्यादा मुनासिब है, इबादतगाह की नहीं। अगर हम ऐसा फ़ैसला ले भी लेते हैं तो मुआशरे का दबाव और अलग-थलग किए जाने का डर हमें अपनी इस सोच पर अमल नहीं करने देता। और यहीं हमारा यक़ीन हमें धोखा दे देता है।

मैंने अक्सर देखा है कि जब किसी इबादतगाह की तामीर की बात आती है तो दीन-ए-इस्लाम के मानने वाले पूरे जज़्बे से इस तामीर के लिए ज़रूरी रक़म जुटाने की कोशिश करते हैं। वो इस काम के लिए अलग-अलग तंज़ीमें या कमेटियाँ बनाते हैं, लोगों से इमदाद इकठ्ठा करते हैं, छोटे-छोटे तख्त (Counters) लगाकर दिन रात इसकी तामीर के लिए चंदा जमा करते हैं, रसूख़दार और मालदार लोगों से मोटी रक़मे वुसूलते हैं, सियासी सिफारिशें इस्तेमाल करते हैं, जुमे की नमाज़ों में दरखास्तें करते हैं, हदतां कि ग़ैर-मुमालिक (Foreign Countries) से आने वाली इमदाद को भी इबादतगाहों की तामीर में सर्फ़ कर देते हैं। लेकिन ऐसी पुरज़ोर जद्दो जहद वो किसी स्कूल या यूनिवर्सिटी की तामीर के लिए बमुश्किल ही करते हुए नज़र आते हैं, जबकि उन्हें सबसे ज़्यादा जद्दो-जहद इसी के लिए करनी चाहिए क्योंकि इस तामीर का सीधा ताल्लुक़ हमारे रौशन मुस्तक़बिल से होता है।

दरअसल ऐसा न करने की एक वजह तो यह है कि हम इल्म हासिल करने के लिए की जाने वाली किसी भी कोशिश को इबादत क़ुबूल नहीं करते और दुसरी बड़ी वजह किसी आम या कम इल्म मुसलमान का यह यक़ीन करना है कि कुदरत अपने तमाम नैमतों-असबाब उसे जिस रास्ते के ज़रिए से पहुँचाती हैं वोह अल्लाह और उसके बीच बराह-ए-रास्त एक सीधा रास्ता है जो कुछ ऐसा दिखाई देता है;

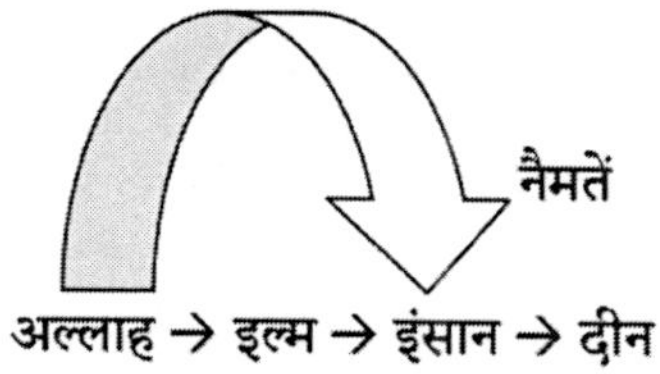

और यह एक ऐसा यक़ीन या ऐसा नज़रिया है जिसके चलते ज़्यादातर लोग जब खुद को हासिल नैमतों के लिए अपने ख़ुदा का शुक्र अदा करने का तसव्वुर करते हैं तो इसका सबसे नज़दीकी रास्ता उन्हें किसी इबादतगाह की तामीर के हवाले से ही नज़र आता है, न की किसी स्कूल/यूनिवर्सिटी की तामीर के हवाले से। हालाँकि ये दोनों नज़रिए ही ग़लत नज़रिए है जिन्हें अक्सरियत अपनी लाइल्मी या कम इल्मी के बाइस सदियों से दुरुस्त मानती आ रही हैं (क्योंकि अगर ये नज़रिए सही होते तो आज दुनिया की सबसे कामयाब क़ौम, क़ौम-ए-इस्लाम होती न की कोई और)। इसका नतीजा यह होता है कि इन ग़लत यक़ीनों या इन ग़लत नज़रियों के चलते इबादतों से ताल्लुक़ रखने वाले सभी इमकानात हमारे लिए कुछ ऐसी सूरत इख्तियार कर लेते हैं।

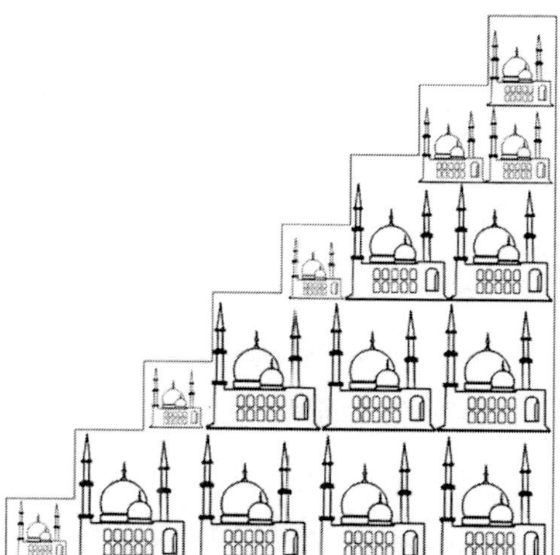

हालाँकि, अगर हमारा यह यक़ीन सालिम और सच्चा है कि अल्लाह और बन्दे के बीच का रास्ता एक सीधा रास्ता है तो फिर इससे जुड़े इमकानात की सूरत यक़ीनन ऐसी ही होनी चाहिए, लेकिन अगर इस यक़ीन में किसी किस्म की तरमीम (Amendment) की गुंजाइश मौजूद है (जो यक़ीनन मौजूद है) तो फिर इमकानात की इस सूरत को भी बदलना चाहिए। अलबत्ता, यह सूरत तब तक नहीं बदली जा सकती जब तक हम अपने इस यक़ीन पर कोई नज़र-ए-सानी (Reconsideration) नहीं करते। और जैसे ही हम अपने इस यक़ीन पर नज़र-ए-सानी करते हैं हमें बिलकुल साफ़ दिखने लगता है कि दरअसल ख़ुदाई कुदरत हमें अपनी तमाम नैमतें एक अलग ही रास्ते से पहुँचाती है जो हरगिज़ वैसा नहीं है जैसा हम यक़ीन करते आए हैं, और जो हक़ीक़तन ऐसा दिखता है।

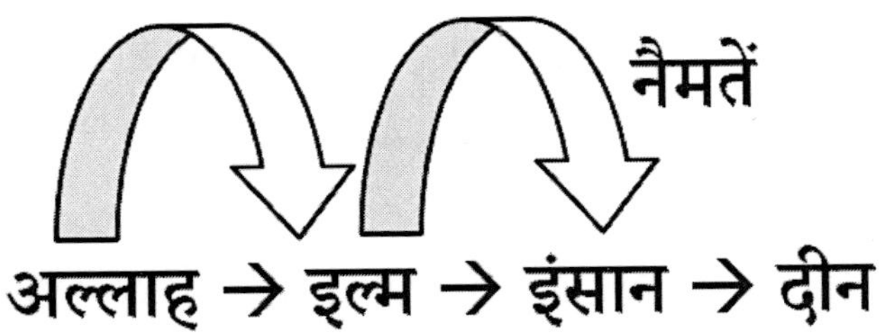

अगर हमें यह यक़ीन है कि दरअसल यही रास्ता कुदरती नैमतों-असबाब का हम तक पहुँचने का सही रास्ता है (जो हक़ीक़तन है) तो रियाज़ियाती ऐतबार से ऐसी कोई भी सूरत जहाँ हमें बेइल्मी के बाइस भी कुछ कुदरती नैमतें/असबाब हासिल हो रहें हैं तब या तो वो दूसरों के छोड़ दिए गए वो मौक़े हैं जो उन्हें खुद के लिए मुनासिब नहीं लगे या फ़िर यह महज़ इत्तेफ़ाक़ (Chance) या मुस्तसना

(Exception) है। और यही दीन-ए-इस्लाम को मानने वाली एक बड़ी जमात की ग़ुरबत (Poverty) का असल सबब है क्योंकि हम यह पहले ही जान चुके हैं कि यह तमाम कायनात न ही इत्तेफ़ाक़ पर चलती है और न ही मुस्तसना पर, बल्कि यह तो एक गैरजानिब्दार निज़ाम (Neutral System) के ज़रिए से चलती है जिसे रियाज़ियाती और ताबियाती इल्म के ज़रिए से जाना और समझा जाता है। यानि इल्म एक ऐसा **वसीला** (Source) है जो हमें ख़ुदा तक और उसके बनाए तमाम नैमतों-असबाब को हम तक पहुँचाता है। इन नैमतों-असबाब को रियाज़ियात और ताबियात के ज़रिए हासिल कर लेने का इल्म हमें न ही **क़ुरान-ओ-दीन***(Check footnote at next page) से हासिल होता है और न ही इबादतों और दुआओं से, बल्कि यह इल्म हमें सिर्फ मुसलसल तफ्तीश-ओ-तजज़िये के बाइस ही हासिल होता है जिसका सबसे मुनासिब मरकज़ कोई स्कूल या यूनिवर्सिटी ही हो सकते हैं, इबादतगाहें नहीं। हम इस बात को यूँ भी समझ सकते है कि बेइल्म इंसान की ज़िन्दगी में सबसे पहली ज़ुरूरत इल्म की होती है (क्योंकि बिना इल्म हासिल किए कोई जाहिल शक़्स दीन के साथ इन्साफ कर ही नहीं सकता) और किसी आलिम की ज़िन्दगी में सबसे अहम् ज़ुरूरत दीन की। और इसकी वजह ठीक वही है जो की हमारे मुल्क के साबिक़ सदर डॉ. ए.पी.जे. अब्दुल कलाम ने बताई थी कि "अज़ीम लोगों के लिए मज़हब या दीन नए दोस्त बनाने का ज़रिया है जबकि छोटे और जाहिल लोगों के लिए यह महज़ फ़साद का एक औज़ार है"। लिहाज़ा हम जब भी उन नैमतों-असबाब के लिए अपने ख़ुदा का शुक्र अदा करना चाहे जो हमें इस दुनिया में हासिल हैं तो उसका सबसे बेहतरीन रास्ता वोह है जो नीचे दिखाया गया है और जो इमकानी ऐतबार से ठीक उसी तरह नीचे से ऊपर की जानिब जाता है जैसा उसे जाना चाहिए।

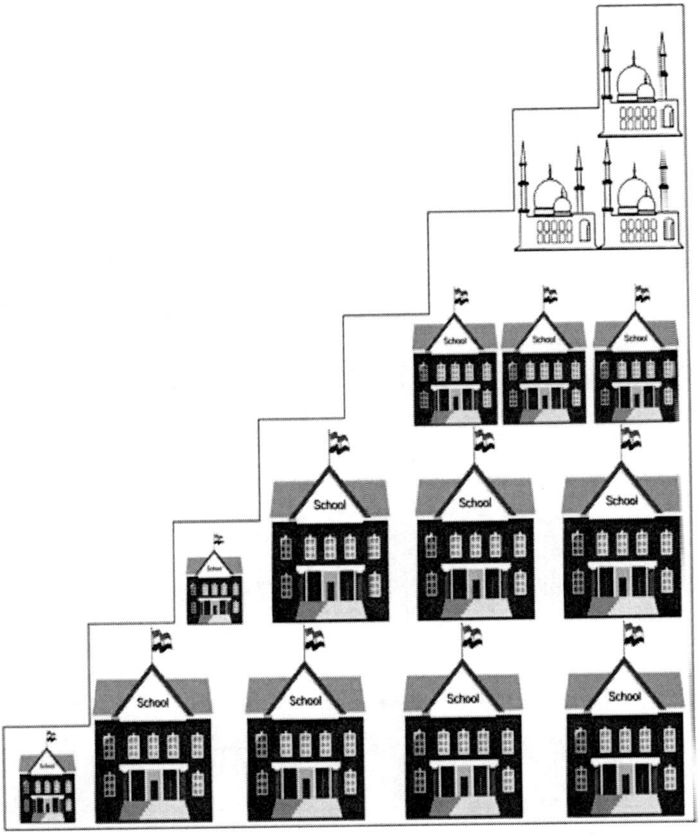

*क़ुरान-ए-मजीद के मुताल्लिक़ सिर्फ इतना कहना ही मुनासिब होगा कि यह किताब हमारे लिए तस्दीक़ करने का एक ख़ुदाई ज़रिया है जिसके रहते हम अपने ज़ेर-ए-दस्त इल्म की तस्दीक़ तो कर सकते हैं मगर कोई नया रियाज़ियाती या ताबियाती इल्म जान नहीं सकते। इसलिए क़ुरान के इस दावे की तस्दीक़ भी कि "इसमें कायनात के तमाम ऊलूम मौजूद हैं" सिर्फ तभी की जा सकती है जब हम खुद यह अहलियत रखते हो कि किसी इल्म की तस्दीक़ क़ुरान-ए-मजीद के ज़रिए से कर सकें, और यूँ क़ुरान और इल्म दोनों एक दुसरे की तस्दीक़ करते चलते रहें। हमें यह याद रखना चाहिए कि जिस तरह ख़ुदा की तस्दीक़ बिना इल्म के नहीं हो सकती उसी तरह क़ुरान की तस्दीक़ भी बिना इल्म के नहीं हो सकती है।

और इसीलिए हमारे या दुनिया की किसी भी क़ौम के लिए जो एक कामयाब और दानिश्वराना ज़िन्दगी जीना चाहती है इसका सबसे मुनासिब तरीक़ा-ए-कार यह है कि वोह अपने लिए स्कूल और यूनिवर्सिटी की तामीर इबादतगाहों के मुक़ाबिल ज़्यादा करें क्योंकि दुनिया-ओ-कायनात की तमाम नैमतें और ख़ुदा की सही मारिफ़त, ये सभी इल्म के ज़ेरे-ए-दस्त हैं इबादतग़ाहों के नहीं, और इसलिए इबादतग़ाहें इंसान की सानवी (Secondary) ज़ुरूरियात है अव्वल नहीं।

हो सकता है हममें से कुछ लोग इमकान और यक़ीन से ताल्लुक़ रखने वाले इस तमाम नज़रिए को क़ुबूल करने में किसी किस्म की बेचैनी महसूस करें। यह भी हो सकता है कि हम इस तमाम नज़रिए को सिरे से ही ख़ारिज करना चाहे क्योंकि यह हमारे किसी मज़हबी यक़ीन या अक़ीदे पर एक सवालिया निशान लगाता है। मगर फिर भी हम इस बात से इंकार नहीं कर सकते कि यह तमाम फ़लसफ़ा हमें अपने मज़हबी यक़ीनों और अक़ीदों को उनकी बेहतरी की जानिब फ़रोग़ (Boost) करने का मौक़ा देता है ताकि हम हक़ और बातिल के बीच मौजूद किसी बारीक से बारीक फ़र्क़ से भी लाताल्लुक़ (Unaware) न रह सकें। असल में यही तो दीन-ए-इस्लाम का पहला और आख़री हदफ़ है कि इंसान कभी भी हक़ और बातिल को आपस में मिलने न दे[2:42]। लिहाज़ा यह ज़ुरूरी है कि इसके मानने वालों को कम से कम हक़ और बातिल में फ़र्क़ करना बज़ाहिर आना चाहिए। जबकि उनके लिए ऐसा करना रियाज़ियात और इमकानात को समझे बिना मुमकिन नहीं है क्योंकि यही वोह एक अकेला मौज़ू है जो इस तमाम लामहदूद कायनात में कहीं भी अपने फार्मूलें और अपने फ़लसफ़े तब्दील नहीं करता और इसीलिए यह बज़ाहिर हक़ होता है। चुनाँचे इस आयत के मुताबिक़ अमल करने के लिए हमें सबसे पहले स्कूलों और यूनिवर्सिटियों की ज़ुरूरत है न की इबादतगाहों की।

अगर आप ने कभी खुद से यह सवाल किया हो कि कयामत के बाद भी इस कायनात में क्या बाकी रह जाएगा तो ज़रा से ग़ौर-ओ-फ़िक्र करते ही आप यह

जान लेंगे की कयामत के बाद भी रियाज़ियात का मौज़ू बाकी रह जाएगा। इसकी बक़ा का राज़ शायद यही है कि यह हर किस्म की तबदीली से खुद-ब-खुद ही पाक-ओ-पाकीज़ा है और कायनात में कोई भी शय इसके दस्त-ए-कुदरत से बाहिर नहीं, हदतां कि राख का वोह ढेर भी नहीं जो शायद क़यामत या इस पूरी कायनात के ख़त्म होने के बाद भी बचा रह जाएगा। इसलिए इसे नज़रअंदाज़ करना गोया अपने वुजूद को नज़रअंदाज़ करने के बराबर है।

हम चाहे इसे कुबूल करें या न करें लेकिन कुदरत के क़ानून सालिम होते हैं जिनका तरीका-ए-कार कुदरती तौर पर कभी बदलता नहीं है इसीलिए जो फ़लसफ़े, अक़ीदे, यक़ीन या मज़ाहिब कुदरती क़वानीन को नज़रअंदाज़ करके खड़े किए जाते हैं वो बिलआख़िर ढह जाते हैं। इसलिए आने वाले वक़्तों में जब यह दुनिया आज से ज़्यादा इल्म हासिल कर लेगी तब सिर्फ उन्हीं फ़लसफ़ों, अक़ीदों, यक़ीनों और मज़ाहिब को दुरुस्त कुबूल करेगी जो हमें कुदरती क़वानीन के हवाले से ज़्यादा ज़िम्मेदार और होशमंद बनाते होंगे। और जिनकी फितरत में इन क़वानीन से मुत्तालिक़ किसी भी किस्म की ग़फ़लत का कोई भी इमकान मौजूद होगा उन्हें बिलआख़िर मुस्तरद कर दिया जाएगा। यक़ीन मानिए यह इख़्तियार इंसान के पास है कि वोह ऐसा कर सकें। शायद इसीलिए दीन-ए-इस्लाम ने हमें हैवानात (Animals), ज़मीन और दरख़्तों के हुक़ूक़ (Rights) की जानिब भी मुतवज्जे किया है जिन्हें हम आज अपनी बेइल्मी या कम इल्मी के बाइस लगातार तबाह कर रहें हैं और जिनके सही हुक़ूक़ हम बिना तहक़ीक़ और सही इल्म हासिल किये जान ही नहीं सकते।

होशमद और लाशहूरी ज़हन (Conscious and Subconcious Mind)

अगर हम इमकानात और यक़ीन के हवाले से वहाँ तक पहुँच गए हैं जहाँ हम खुद को मुत्मईन (Satisfied) पाते हैं तो अब हमारे लिए यक़ीन के उस दुसरे पहलू को समझना ज़्यादा आसान होगा जिससे हम अभी तक अनजान थे। आइए, अब यक़ीन के उस पहलू पर भी एक नज़र डालें जिसे इस दुनिया के मुख़्तलिफ़ फ़लसफ़ियों ने सबसे बेहतर तौर पर काम करते हुए पाया है।

यक़ीन के इस फ़लसफ़े का ताल्लुक़ हमारे दिमाग़ के उन दो अहम् हिस्सों से है जिनमें से एक को होशमद (Conscious Mind) और दुसरे को लाशहूरी (Subconcious Mind) ज़हन कह कर मुख़ातिब किया जाता है। होशमंद ज़हन और लाशहूरी ज़हन से मुराद यह नहीं है कि ख़ुदा ने हमें दो अलग-अलग दिमाग़ दिए हुए हैं बल्कि इससे मुराद सिर्फ इतनी है कि हमारा दिमाग़ अपने ही दो अलग-अलग जुज़ (Parts) का इस्तेमाल करता है जिनमें से एक का काम हमारे लिए सोचना, तजज़िया करना, नतीजे निकालना, दलील देना, फ़ैसले करना और चुनना है, जबकि दुसरे का काम हमारे लिए उन आमाल को चलाए रखना होता है जिनकी वजह से हम ज़िंदा हैं, यानि हमारा सांस लेना, हमारे खून के दबाव (Blood Pressure) को क़ाबू में रखना, हमारा हाज़मा दुरुस्त रखना वगैरह। यही वजह है कि हमारा लाशहूरी ज़हन हमारे होशमंद ज़हन से अलग अपने काम में तब भी जुटा रहता है जब हम अपने होशमंद ज़हन को आराम की हालत में ले आते हैं।

यूँ तो हम सभी हर वक़्त अपने होशमंद ज़हन का इस्तेमाल करते हुए (जिसका असल काम हमारे लिए मुख़्तलिफ़ आदात-ओ-शुमार का तजज़िया करते रहना है) अपनी ज़िन्दगियों को चलाते हैं मगर तहक़ीक़ बताती है कि हमारे ज़हन की असल ताक़त हमारे लाशहूर ज़हन (Subconcious Mind) में होती है जो लगातार किसी पोशीदा वुजूद के तौर पर हमारी ज़िन्दगी के पस-ए-मंज़र (Background) में मुसलसल अपना काम करता रहता है। हमारा हर यक़ीन

और यहाँ तक कि हमारा ईमान भी दरअसल हमारे उस लाशऊर ज़हन का हिस्सा होता है जो हमारे ज़िंदा रहने के लिए हमारे होशमंद ज़हन से ज़्यादा ज़िम्मेदार है और जो हमारे होशमंद ज़हन की तरह पलटकर हमसे कभी कोई सवाल नहीं करता बल्कि जो कुछ भी हम उसे बता या समझा देते हैं उसे ही एक नाक़ाबिल-ए-तब्दील हक़ीक़त की शक्ल में क़ुबूल कर लेता है।

यक़ीन के हवाले से जो एक बात हमारे लिए जानना बेहद ज़ुरूरी है वोह यह है कि हमारे यक़ीन (जो हम तक इमकानात की सीढ़ी से गुज़र कर आते हैं) भले ही सच्चे हो या झूठे लेकिन यही हमारे ज़िन्दा होने की वजह होते हैं। यक़ीन के बिना हम अपने वुजूद का तसव्वुर भी नहीं कर सकते। हमारे यक़ीन ही हमारे इस दुनिया में रहने की सभी कोशिशों को ज़ुरूरी तवानाई (Energy) बख़्शते हैं क्योंकि बिलाशुबह: यक़ीन का काम ही हमारे लिए तामीर (Creation) करना है। इंसान का तामीर करना ही उसकी बक़ा है और यही उसके लिए वो वजूहात पैदा करता है जो उसे उन सफ़ों (Queues) में ले जाकर खड़ा कर देती हैं जहाँ उसके सिवा अल्लाह की बनाई कोई और मख़लूक़ खड़ी नहीं हो सकती क्योंकि तामीरी ऐतबार से इंसान के सिवाए दुनिया में मौजूद हर एक मख़लूक़ नाअहल (Unfit) या महदूद होती हैं। यह एक ऐसी अहलियत है जो हमें कायनात के आख़िरी सिरे तक जा कर भी किसी और मख़लूक़ में नहीं मिल सकती क्योंकि क़ुरान हमें **अशरफ़ुल मख़लूक़** कह कर पहले ही इस बात की तस्दीक़ कर चुका है और इसी लक़ब के ज़रिए हमसे बेहतर किसी और मख़्लूक़ की ग़ैर-मौजूदगी पर भी मुहर लगा चुका है।

यक़ीन कैसे काम करता है?

जब भी हम आसमान में 100 टन वज़नी लोहे को उड़ता हुआ देखते हैं या 500 टन वज़नी किसी जहाज़ को समंदर की लहरों को चीरता हुआ देखते हैं या उन अनगिनत ईजाद को अपने सामने पाते हैं जिन्हें हम कम इल्मी के बाइस हक़ीर

या शैतानी अशिया शुमार करते हैं (हालाँकि चलती वो किसी ख़ुदाई फ़ार्मूले पर ही हैं क्योंकि शैतान में इतनी अहलियत ही नहीं की वोह कोई तामीर या फ़ार्मूला दरयाफ़्त या ईजाद कर सके) तो वोह ज़ुरूर किसी इंसान के यक़ीन का ही नतीजा होती हैं क्योंकि बिना यक़ीन किए इंसान के लिए कोई भी तामीर करना एक नामुमकिन अमल है। हमारा यक़ीन ही हमें उन इमकानात का पता देता है जो सोची जा रही शय की तामीर को मुमकिन करने के सबसे नज़दीकी इमकान हो सकते हैं। अगर हम उन लोगों से बात करें जिन्होंने दुनिया को मुख़्तलिफ़ फ़लसफ़े या ईजाद अता किये तो हम यह आसानी से जान लेंगे कि कैसे उनकी ईजाद अपने सबसे पहले मरहलों में एक नामुमकिन शक्ल इख़्तियार किए हुए थी और कैसे उनके किसी यक़ीन ने उसे मुमकिन बना दिया। ऐसे लोगों के ज़ाती तजुर्बे हमें हर क़दम इस बात का अहसास देंगे कि दरअसल किसी यक़ीन ने ही उन्हें किसी मुश्किलतरीन अमल को आसान बना देने के लिए ज़ुरूरी तवानाई फ़राहम की।

तो सवाल यह उठता है कि क्या हम भी अपने यक़ीन का इस्तेमाल करते हुए किसी नामुमकिन या मुश्किलतरीन अमल को अंजाम दे सकते हैं जैसे दुनिया के दुसरे फ़लसफ़ी या मोअजिद (Inventors) देते हैं, और अगर हाँ, तो इसका सबसे आसान तरीक़ा-ए-कार क्या है? इस सवाल का जवाब जानने से पहले हमारा इन दो बातों पर मुकम्मल यक़ीन करना ज़ुरूरी है कि एक तो यह तमाम कायनात ही हमारे लिए ख़ुसूसी तौर पर दोस्ताना बनाई गई है लिहाज़ा हमें इससे डरने की ज़ुरूरत नहीं है और दुसरे यह कि अल्लाह की बनाई यह कायनात नाकामयाबी से नाआशना (Unaware) है। दिलचस्प बात यह है कि खुद को इन बातों का यक़ीन दिलाने के लिए हमें किसी दलील की ज़रूरत नहीं है क्योंकि इसके सुबूत तो हमारे चारों तरफ़ हमेशा ही बिखरे हुए होते हैं।

क्या वाक़ई कायनात हमारे लिए दोस्ताना है?

हमारा दिमाग़ एक बोहत ही सादा से फ़लसफ़े पर काम करता है जिसे महज़ एक जुमले में समझा जा सकता है कि "हमारी सोची गई हर बात के पीछे कोई वजह होती है और हमारे हालात उसका नतीजा"। और यही फ़लसफ़ा उस शर्त की बुनियाद है जो कहती है कि "इंसान अपनी सोच बदलकर अपने हालात बदल सकता है"। इसके अमली मानी ये हैं कि अगर हम लगातार मनफ़ी हालात या इमकानात को तसव्वुर (Imagine) करते है और हमारा ज़्यादातर वक़्त लोगों की बुराई करने, नुक्सान होने का ख़्याल करने, झिझकने या बेइज़्ज़त होने के डर में गुज़रता है तो हमारे दिमाग़ का यह फ़लसफ़ा हमारे लिए लगातार ऐसे दूसरे मौक़े अपनी जानिब मुतवज्जे (Attract) करता है जिनमें हमारे लिए और ज़्यादा बुराई, और ज़्यादा नुक्सान, और ज़्यादा डर या झिझक और ज़्यादा बेइज़्ज़ती के इमकानात शामिल होते हैं क्योंकि वोह लगातार एक मनफ़ी राह पर चल रहा होता है। जबकि इसके उलट अगर हम लगातार मशनती (Positive) हालात या इमकानात को तसव्वुर करते हैं और हमारा ज़्यादातर वक़्त लोगों में अच्छाइयाँ ढूंढने, ज़ाती फ़ायदे का ख़्याल करने या एतमाद (Confidence) और भरोसा हासिल करने में गुज़रता है तो हमारे दिमाग़ का यह फ़लसफ़ा हमारे लिए उन मौकों को अपनी जानिब मुतवज्जे करने लगता है जिनमें हमारे लिए ज़्यादा अच्छाइयों, ज़्यादा फ़ायदे, ज़्यादा एतमाद और ज़्यादा भरोसे के इमकानात शामिल होते हैं क्योंकि तब वोह एक मशनती राह पर ग़ामज़द (On the Move) होता है। यानि जैसा हम सोचते रहते हैं वैसा ही करते रहते हैं या वोह खुद-ब-खुद होता रहता है। यही नहीं मशनती ख़्यालात और तसव्वुरात हमें तनावों और कशीदगियों (Tension) से बाहिर निकलने में भी मदद करते हैं। यह फ़लसफ़ा इतना दक़ीक़ है की दुनिया की लगभग एक तिहाई आबादी (या शायद उससे भी ज़्यादा) इसमें यक़ीन रखती है और अपने ज़्यादातर आमाल सिर्फ इस फ़लसफ़े पर यक़ीन रखते हुए पूरी कामयाबी से अंजाम देती है। इस फ़लसफ़े में यक़ीन का सबसे अहम् पहलू यह है कि हमारे तमाम

तसव्वुरात हमारे यक़ीन की बुनियाद पर ही काम करते हैं इसलिए जो कुछ भी हमारे यक़ीन में शामिल नहीं होता वोह हमारे तसव्वुर का हिस्सा भी नहीं होता और इसलिए इस फ़लसफ़े का बहाव (Flow) कुछ इस सूरत में चलता है....

इंसान → इल्म → इम्कान → यक़ीन → तसव्वुर → हालात

इस फ़लसफ़े के बहाव में हर एक अवामिल का अपना एक अहम् किरदार होता है चुनाँचे इसके किसी भी अवामिल पर पड़ने वाले मनफ़ी और मशनती असरात इंसान के हालात की वज़ाहत करते हैं जिन्हें नफ़्सानी साइंस (Psychology) के ज़रिए मालूम किया जा सकता है। अगर हम इसे और गहराई से समझना चाहे तो हमें यह देखना होगा कि इल्म जो की लामहदूद है उसे थोड़ा बहुत हासिल कर लेने के बाद हमारे यक़ीनों में क्या बदलाव आता है और वो किस जानिब मुड़ते हैं। इसमें कोई शक नहीं कि हमारे तसव्वुरात हमेशा हमारे यक़ीन के मुतनासिब (Proportionate) होते हैं और हमारे हालात हमारे तसव्वुरात के। जैसे-जैसे किसी सही या ग़लत यक़ीन की शिद्दत खुद हमारे अंदर बढ़ती जाती है ठीक उतनी ही शिद्दत से उसका सही या ग़लत असर भी हमारे हालात में नज़र आने लगता है क्योंकि इसके बाइस हमारे तसव्वुरात बदल जाते हैं। और यही वजह है कि महज़ इल्म बढ़ने से हमारे हालात नहीं बदलते बल्कि इनके बदलने के लिए हमारे यक़ीन और इसके बाइस हमारे तसव्वुरात को भी बदलना ज़ुरूरी होता है, क्योंकि हमारा लाशहूरी ज़हन लफ़्ज़ों से ज़्यादा तसव्वुरात पर और सोच से ज़्यादा अक्स (Images) पर तव्वज्जो देता है। ग़ौर तलब यह भी है कि हम चाहे अपने अमल में कामयाब हो या नाकामयाब हो मगर कुदरत इन दोनों सूरतों में भी कामयाब ही होती है क्योंकि वोह हर बार हमें वही दिए चली जाती है जिसका तस्सवुर हम कुदरती तौर पर सबसे ज़्यादा करते हैं और जिसके चलते एक मुस्तक़िल निशान

(Impression) हमारे लाशऊरी ज़हन पर जमता चला जाता है क्योंकि यह एक साबित फ़लसफ़ा है कि किसी भी हाल का मुसलसल तसव्वुर उसे एक इस्तेहकामत (Stability) बख़्श देता हैं। यह कुछ ऐसा ही है कि जब हम किसी शख़्स की अच्छाइयाँ बयान करते हैं तो पलट कर वोह भी हमारी अच्छाइयाँ बयान करने लगता है और यही उस सूरत में भी होता है जब हम उसकी बुराइयाँ गिना रहे होते हैं। कुदरत भी ठीक इसी फ़लसफ़े पर सुलूक़ करती है।

दुनिया के तमाम मज़ाहिब दो अवामिल की मौजूदगी पर मुत्तफ़िक़ (Agree) होते हैं जिनमें से एक जिस्मानी (Physical) है और एक रूहानी (Spritual)। न्यूटन के तहरीकी क़ानून (Law of Motion) तमाम जिस्मानी अवामिल के साथ मुताबिक़त (Equality) रखते हैं लेकिन दुनिया के ज़्यादातर सइंसदाँ यह भी मानते हैं कि क़ानून-ए-तहरीक रूहानियत पर भी वैसे ही कान करते हैं जैसे वो जिसमानियत पर करते हैं। शायद यही वजह है कि कुदरत न्यूटन के अव्वल तहरीकी क़ानून के मुताबिक वही शय हमें उतनी ही शिद्दत से लौटा देती है जिस शिद्दत से हम उसे कुदरत की जानिब उछालते हैं (यानि जो हम लगातार सोचते हैं वही हमें वापस मिलता है)। ऐसे में हमें यह मानना ही होगा कि हक़ीक़तन कुदरत का बर्ताव हर इंसान के साथ दोस्ताना भी है और मुतनासिब भी।

ज़हनी कशिश (Mental Gravity)

हम सभी ज़मीन की उस कशिश (Gravity) से आशनाँ हैं जो हर चीज़ को अपनी जानिब खींचती है। मगर यह कशिश सिर्फ हमारी इस ज़मीन की ख़ुसूसियत नहीं है बल्कि यह तो कायनात की हर एक शय या यूँ कहें कि हर एक ज़र्रे की अव्वल ख़ुसूसियत है कि वोह हर दुसरी शय को अपनी जानिब खींचता है। कायनात का यह क़ानून कहीं बदलता नहीं है बल्कि यह क़ानून ही इस कायनात के वुजूद को क़ायम रखता है। यूँ तो कुदरत के इस क़ानून में किसी भी शय को लेकर

कोई रिआयत (Exception) नहीं है लेकिन कशिश का जो क़ानून हमारे लिए काम करता है वोह हमारे लाशहूरी ज़हन को इस सिलसिले में एक रिआयत देता है। हमारी ज़िन्दगियों में काम करने वाला कशिश का क़ानून भी किसी भी शय को अपनी जानिब खींच सकता है सिर्फ इसमें इतनी तब्दीली होती है कि यह हमारे लाशहूरी ज़हन को उन्हीं चीज़ों को अपनी जानिब खींचने देता है जो लम्बे वक़्त तक सोच कर हम अपने इस ज़हन पर छाप (Print) लेते हैं, उन्हें नहीं जिनकी हमारा होशमंद ज़हन खुआहिश रखता है। अब वोह शय हमारे लिए अच्छी है या बुरी इससे हमारे लाशहूरी ज़हन को कोई फ़र्क़ नहीं पड़ता क्योंकि उसका काम सिर्फ़ उन चीज़ो को हमारे सामने ले आना है जिन्हें हम मुसलसल तसव्वुर करते रहते हैं। हम चाहे तो इसे ज़हनी कशिश (Mental Gravity) कह कर मुख़ातिब कर सकते हैं, हालाँकि आसान लफ़्ज़ों में इस क़ानून से हमारी मुराद सिर्फ इतनी ही है कि कोई भी शय हमारे पास सिर्फ तभी आ सकती है जब हम मुसलसल उसका तसव्वुर इस यक़ीन और इस अमल के साथ करते हैं कि वोह हमें मिल जाएगी। **"सच्चाई यह है कि हमारा सोचने का तरीक़ा और उसके बाइस हमारे लाशहूर ज़हन पर जम गये अक़्स ही हमें मिलने वाले नतीजों को क़ाबू करते हैं"**। ऐसा होने की मन्तक़ी वजह यह होती है कि लगातार किसी शय की खुआहिश करने, उसे बार बार तसव्वुर करने और अपने लाशहूरी ज़हन पर उसे छाप लेने से हमारा ज़हन उन इमकानात पर खुद-ब-खुद तवज्जो (Focus) करने लगता है जो उस शय को हासिल करने के सबसे नज़दीकी इमकानात होते हैं। यहाँ आकर हमें इल्म की एक ख़ास अहमियत का भी पता चलता है और वोह यह कि जितना ज़्यादा हमारे इल्म का फ़ैलाव और हमारे ज़हन का खुलाव होता हैं उतना ही ज़्यादा हम इस कुदरती क़ानून को बेहतर ढंग से इस्तेमाल कर पाते हैं। और यही वजह है कि हम जब भी किसी नए इल्म या किसी बात को नज़रअंदाज़ करते हैं या उसे बिलकुल ही हक़ीर (Shallow) समझने की ग़लती करते हैं तो न चाह कर भी अपने अंदर उस ज़िद के लिए जगह

(Room) बनाते हैं जो हमें हमारे दीनी और ज़ाती मसलों के हल ढूंढने से रोकती है। साथ-ही-साथ यह भी निहायत ज़ुरूरी है कि जब भी हम किसी फ़लसफ़े या दलील को अपने यक़ीन में शामिल करें तो पहले उस पर एक आलिमाना ग़ौर-ओ-फ़िक्र कर लें ताकि जब वोह अपने मुस्तक़िल निशान हमारे लाशहूर ज़हन प्र छोड़े तो उससे हमारा रुख़ हमेशा हक़-ओ-सच्चाई की जानिब ही मुड़े, न की बातिल-ओ-झूठ की जानिब।

कुदरत का यह क़ानून इन मायनों में क़ाबिल-ए-तारीफ़ है कि हम किसी भी शय को हक़ीक़त में हासिल करने से पहले उसे अपने तसव्वुर में हासिल करते हैं। हम उस शय के बारे में बार-बार सोचते हैं जिसे हम पाना या खरीदना चाहते हैं। हम उन वाक़ेयात का भी तसव्वुर करते हैं जो हम अपनी मनपसंद शय को हासिल कर लेने के बाद अंजाम देंगे। जैसे-जैसे ये तसव्वुरात हम पर हावी होते जाते हैं हम किसी शय को हक़ीक़त में हासिल कर लेने के ज़्यादा नज़दीक पहुँचते जाते हैं और आखिरकार उसे हासिल कर लेते हैं। इसकी तस्दीक़ उन लोगों से बात करके की जा सकती है जिन्होंने हक़ीक़त में इस क़ानून को काम करते हुए महसूस किया है क्योंकि ऐसे अनगिनत लोग हमारे चारों तरफ हमेशा ही मौजूद होते हैं। लेकिन इस क़ानून में एक अजीब मगर ख़ास बात यह भी है कि यह हमारे डर के साथ भी वही सुलूक़ करता है जो हमारी खुआहिश के साथ करता है, यानि यह हमारे डर को भी हमारे सामने उसी तरह लाकर खड़ा कर देता है जिस तरह यह हमारी मनपसंद शय हमारे सामने ले आता है। और यही इस क़ानून की कामयाबी है जिसकी एक ग़ैर-दरयाफ़्त (Unexplained) शिकायत अक्सर हम अपने बनाने वाले से करते हैं। हालाँकि हमें यह बात अलग-अलग लोगों ने अलग-अलग मौक़ों पर कई बार बताई है के इंसान किस्मत का नहीं बल्कि अपने दिमाग़ का ग़ुलाम होता है। ज़रूरी सिर्फ यह समझ लेना है कि हमारा लाशहूरी ज़हन किसी अमल को हक़ीक़त में करने और उसे तसव्वुर में करने के बीच के फ़र्क को नहीं समझता, इसलिए जो लोग अपने लाशहूरी

ज़हन को ज़िन्दगी की मुख़्तलिफ़ सतहों कामयाबी से बेवक़ूफ़ बना लेते हैं वो तरक़्क़ी और दौलत के खेल में लगातार आगे बढ़ते जाते हैं।

अगर हम यह जानने की जुस्तुजू करें कि दुनिया के मुख़्तलिफ़ फ़लसफ़ी, साइंसदाँ, दीन-ए-इस्लाम के आलिम, मुफ़स्सिर, मुख़्तलिफ़ रहनुमाँ और अलग-अलग शौबो की मशहूर हस्तियाँ किन बातों को बिलकुल एक ही तरह से कहती और समझती हैं तो हम बहुत ही कम बातों में इनके बयानों को यकसां पाएंगे। मगर ये सभी हस्तियाँ हमें इस एक बात पर यकसां यक़ीन रखती हुई दिखाई देंगी कि हमें बनाने वाली वोह ज़ात-ए-मुतलक़ (Absolute God) जिसे अलग-अलग लोग अलग-अलग नाम से बुलाते हैं हमारी शुक्रगुज़ारी का हमेशा ही एक मशनती जवाब देती है। दीन-ए-इस्लाम में इस बात को कुछ इस तरह बयान किया जाता है कि "अल्लाह हमारे शुक्र अदा करने से हमारी नैमतों में इज़ाफ़ा कर देता है"। इसके मानी ये हुए कि हमारा लगातार शुक्र अदा करते रहना कशिश के उस क़ानून में तेज़ी पैदा करता है जिसके ज़रिए हमारा लाशहूरी ज़हन किसी शय को अपनी जानिब खींचता है, बशर्ते कि यह एक मुकम्मल यक़ीन की बुनियाद पर हो। और हमारे लिए इससे बेहतर बात और क्या हो सकती है कि हमारी किसी खुआहिश पर खुद हमारा ख़ुदा जवाब देने पर राज़ी हो जाए क्योंकि इसी एक सआदत की तो हम सब खुआहिश रखते हैं। यानि कुदरत का ये क़ानून भी ऐन इस्लामी है जिसे किसी सूरत भी नज़रअंदाज़ नहीं किया जा सकता।

शुक्र अदा करना भी दुआ करने का ही एक ख़ास तरीका है जो दुनिया के ज़्यादातर कामयाब लोगों के यक़ीन में शामिल है। उनके मुताबिक आप अपने ख़ुदा की जैसे चाहे इबादत करते हो मगर जब दुआ करने का वक़्त आए तो सिर्फ़ मुस्कुराते हुए उसका शुक्र अदा करके ही अपनी दुआ को मुक़म्मल कर लेना चाहिए। बहुत सी मशहूर हस्तियाँ इस तरीके को एक आलमी यक़ीन (Universal Truth) या साइंसिया यक़ीन (Scientific Fact) की शक्ल में क़ुबूल करती हैं।

यह अमल गिड़गिड़ाकर या रो-रो कर अपने ख़ुदा की बारगाह में सुबह शाम दरखास्तें पेश करने से बेहतर होता है क्योंकि इसमें हमारे मौजूदा हालात के वो मनफ़ी तसव्वुरात शामिल नहीं होते जो अपने लिए कुछ मांगते वक़्त हमेशा हमारे ज़हन में घूमते रहते हैं और जो दुआ जैसे एक मशनती अमल को भी मुतादिद (Infected) कर उसके होने वाले असर को भी मसनून (Contegious) कर देते हैं। हालांकि क़ुरआन के ज़रिए अल्लाह हमें यह इख़्तियार भी देता है और हमसे यह मतालबा भी करता है कि हम अल्लाह से कुछ माँगे लेकिन दीन-ए-इस्लाम की रू से वोह अमल ज़्यादा बेहतर है जहाँ इंसान को कुछ माँगने या ले लेने का इख़्तियार दिया गया हो और वोह सिर्फ़ एक मुस्कराहट के साथ शुक्र अदा करके ही इस इख़्तियार का इस्तेमाल कर ले। असल में यही तरीक़ा कशिश के क़ानून को एक बज़ाहिर तेज़ी अता करता है क्योंकि यह साइंसिया तरीक़ा है, सिर्फ हमारे पास मांगी जा रही शय का एक मशनती और गहरा तसव्वुर और हमारे लाशहूर ज़हन (Subconcious Mind) पर उसका एक मुस्तक़िल अक्स मौजूद होना चाहिए।

यक़ीन से इरादे तक

अब तक हमने यह जानने की कोशिश की कि किस तरह हमारा दिमाग़ अपने दो अलग-अलग जुज़ इस्तेमाल करते हुए हमारे लिए अगल-अलग तरह के अमल अंजाम देता है। हमने यह भी जाना कि किस तरह हमारे यक़ीन हमारे समाने उन हालात को रुनुमा कर देते हैं जिन्हें हम एक मुस्तक़िल तस्वीर की शक्ल में लगातार तसव्वुर करते रहते हैं। हमने यहाँ उन कुछ पेचीदा सवालों को भी सुलझाने की कोशिश की जिनके मन्तक़ी जवाब पाने के लिए हम लगातार जुस्तुजू करते रहते हैं और अक्सर नाकामयाब रहते हैं। यक़ीन और इमकानात के इस सिलसिले की आख़री कड़ी के तौर पर आइए अब हम **इंसानी इरादे (Desire)** की तवानाई को भी समझने की कोशिश करते हैं ताकि हम किसी ऐसे नतीजे तक पहुँच सकें जहाँ

हम अपनी दुनियावी और मज़हबी उलझनों के सिलसिले में किसी मुनासिब हल की उम्मीद रख सकते हो।

जैसा कि हमने जाना कि जो कुछ भी हम सोचते हैं उसके पस-ए-मंज़र में हमेशा ही कोई वजह काम करती है और वही वजह बिलआख़िर हमारे हालात की शक्ल में ज़ाहिर होती है। इसका साफ़-साफ़ मतलब यह हैं कि मनफ़ी सोच हमेशा मनफ़ी हालात ख़ल्क़ (Create) करती है जबकि मशनती सोच हमेशा मशनती हालात। हमारे लिए मुश्किल यह होती है कि जब हम मनफ़ी हालात में घिरे होते हैं तो आसानी से मशनती तसव्वुरात तक नहीं पहुँच पाते क्योंकि मनफ़ी असरात हमें उनके अपने घेरों से आसानी से बाहिर निकलने नहीं देते, लिहाज़ा हम उन इमकानात से भी दूर होते जाते हैं जो इस सूरत-ए-हाल को बदलने की क़ुव्वत रखते हैं। यह एक ऐसी हालत होती है जिस पर क़ाबू पा लेने वाले लोगों को ही हम ज़हीन या मुतवाज़िन शख़्सियत कह कर मुख़ातिब करते हैं जिसकी वजह यह है कि ऐसे लोग अपने दिमाग़ों पर एक मुनासिब हद तक क़ाबू करना सीख लेते हैं।

अगर हम अपने दिमाग़ पर क़ाबू कर सकने की क़ाबिलियत को पैमाना बना कर अपने मौजूदा हालात को बदलने की एक ईमानदार कोशिश करें तो सिर्फ़ एक **इरादे** को अपने लाशहूरी ज़हन तक मुन्तक़िल करके इस मुश्किलतरीन पहेली को आसानी हल किया जा सकता है। इसमें ज़हमत सिर्फ इस बात की है कि हम अपने लाशहूरी ज़हन को अपने इरादे के बारे में बार-बार बताते और समझाते रहें ताकि उसका एक मुस्तक़िल निशान (Permanent Impression) हमारे दिमाग़ की गहराइयों तक जज़्ब हो सके। यह काम हमारे लिए तब और भी आसान हो जाता है जब हम उस ताक़त की शिनाख़्त कर लेते हैं जो कुदरत ने इंसानी इरादे को बक्शी है।

इरादे की ताक़त

इरादे की ताक़त को बयाँ करने से पहले यहाँ वोह बयान पेश करना ज़ुरूरी समझता है जो **लियो टॉलस्टॉय** में अपनी सबसे बेहतरीन किताबों में से एक **A Confession** में एक मक़ाम पर कहा है कि, “जिस शक़्स में इरादे का खात्मा हो जाता है उसके लिए यह तमाम कायनात अपने तमाम सूरजों के साथ भी किसी कमाल की हामी नहीं हो सकती”। यूँ तो यह बयान लगभग 130 साल से भी ज़्यादा पहले एक किताब का हिस्सा हो गया है लेकिन इसमें वोह एक हमेशगी (Eternity) आज भी नज़र आती है जो इसे क़यामत तक पुराना नहीं होने देगी, हालाँकि इससे मुराद फ़क़त इतनी है की जिस शक़्स के पास ज़िन्दगी का कोई मक़सद नहीं होता उसके लिए ज़िन्दगी का मक़सद ही ख़त्म होकर रह जाता हैं क्योंकि किसी मक़सद की यह कमी ही आवारगी कहलाती है।

इरादा दरअसल हमारे दिमाग़ की उस ख़ास कैफ़ियत का नाम है जो हमें ज़िन्दगी में कुछ हासिल करने के लिए तरग़ीब (Motivation) और हौसला देती है। ये हमें उन मक़ासिद की जानिब धकेलता है जिन्हें हम अपनी बक़ा के लिए मक़सूद (Choose) करते हैं। हम मज़हबी तौर पर इस दुनिया में अपनी मौजूदगी की चाहे कोई भी वजह माने लेकिन हमारी ज़िन्दगी को एक सही मानी (Meaning) हमारा इरादा ही अता करता है। इरादा कुदरती तौर पर एक ऐसी क़ाबिलियत पर क़ाबिज़ है जो हमें नामुमकिन से मुमकिन की जानिब ले जाने की कुव्वत रखती है। इंसान का इरादा उसे कभी भटकने नहीं देता क्योंकि यह पहले दिन से ही अपने लिए एक ऐसे तसव्वुरी राह का इन्तख़ाब (Selection) कर लेता है जहाँ राह-ए-मंज़िल के सिवा कोई दुसरी गली आकर नहीं मिलती।

अगर हम इंसानी इरादे के फ़लसफ़े को अपनी उस कमज़ोरी के साथ जोड़कर देखें जो हमें मनफ़ी हालात में रहते हुए मशनती (Positive) ख़्यालात/तसव्वुरात तक आने से रोकती है तो हम पाएंगे कि जब भी हमारे अपने अंदर कोई इरादा शिद्दत से अपने पाँव जमाए हुए होता है तब हम अपनी इस

कमज़ोरी पर पूरी तरह से क़ाबू कर पाते हैं। जबकि इसके उलट किसी ठोस इरादे की ग़ैर-मौजूदगी हमें लगातार किसी-न-किसी उलझन (Confusion) में ही डाले रखती है।

जिन कुछ नुक़्तों पर हमारा इरादा हमारी ज़िन्दगियों को एक मानी दे सकता है उन्हें नीचे क़लमबद किया गया है ....

- इरादा इंसान की ज़रूरत है मजबूरी नहीं
- इरादा ख़ुदाई फ़लसफ़ा है जो इंसान को भी बख़्शा गया है
- इरादा वोह इबादत है जो पूरा होने पर अपनी तकमील (Completion) पाता है, बशर्ते कि वोह नेक हो
- इरादा नामुमकिन को मुमकिन बनाने की पहले सीढ़ी है
- इरादा इंसान को उन हालात से बाहिर आने में मदद करता है जिन्हें इंसान अपने लिए मनफ़ी समझता है
- इरादा इंसान के ख़्यालात को किसी एक नुक़्ते पर लाता है जहाँ उसके लिए बाकि सब, कुछ देर के लिए ग़ैर ज़रूरी हो जाता है
- इरादे की तासीर (Characteristics) तामीर है
- इरादा इंसान की ज़िहानत को परखने का सबसे मुनासिब मीज़ान (Weight Machine) है
- इरादा खुद को अपने या ख़ुदा के बनाए आईन (Constitution) पर मज़बूती से खड़ा रखने का नाम है
- इरादा उन इमकानात को पहचानता है जो कामयाबी के सबसे नज़दीकी इमकानात होते हैं

दुनिया के बेहतरीन फ़लसफ़ियों ने इरादे से मुताल्लिक़ सैकड़ों किताबें शाया (Publish) की हैं जो इंसानी दिमाग़ और तसव्वुरात को क़ाबू करने के भी हज़ारों नुस्खे बयान करती हैं और जो वाक़ई काम भी करते हैं। हममें से अक्सर (Majority) लोगों ने कभी इनका फैज़ उठाने की जुस्तुजू नहीं की क्योंकि या तो हम उन्हें क़ाबिल-ए-एतना (Trustworthy) नहीं समझते या फ़िर अपने मज़हबी यक़ीनों के बाइस उन पर तव्वज्जो नहीं देते। लेकिन जैसा हमने पहले कहा कि कुदरत अपने क़ानून खुद से कभी नहीं बदलती इसीलिए जो लोग या जो क़ौमें कुदरत के हवाले से किसी भी क़ानून या फ़लसफ़े की दरयाफ़्त (Disccver) करती हैं दरअसल वो अल्लाह की तौहीद और उसकी मारिफ़त में अपने दरयाफ़्तशुदा क़ानून या फ़लसफ़े के ज़रिए एक नया तूल (Dimention) जोड़ती हैं, लिहाज़ा उससे बेरुख़ी बरतना हमारे लिए किसी सूरत भी दानाई नहीं क्योंकि हम अभी इस हालत में नहीं हैं कि ऐसे आमाल खुद से अंजाम दे सकें।

अगर हम अपने आप से मुहब्बत करते हैं और खुद अपने अंदुरुनी अक्स (Image) से कोई शिकायत नहीं रखते तो हम अपने अंदर इरादे की शुरूआत खुद को कुछ मामूली हदफ़ (Targets) देकर कर सकते हैं। मशहूर प्लास्टिक सर्जन डॉ. मैक्सवेल माल्टज़ (Dr. Maxwell Maltz) के मुताबिक अगर हम खुद अपने अक्स से जूझते रहते हैं और अपने अंदरूनी वुजूद से हमेशा नाराज़ रहते हैं तो हमारे लिए ज़िन्दगी में कुछ भी हासिल करना मुश्किल होता जाता है। इसके उलट जब हम अपने अक्स से मुहब्बत करते हैं और अपने अंदरूनी वुजूद से मुत्मईन होते हैं तब हम अपनी ज़िन्दगी के ज़्यादातर हदफ़ हासिल कर पाते हैं और अपने अंदर एक एतमाद (Confidence) पैदा करते रहते हैं। होता यह है कि कोई भी छोटा हदफ़ हासिल कर लेने पर हमारे अंदर बड़े हदफ़ हासिल कर लेने की क़ुव्वतें बढ़ने लगती हैं और हमारा दिमाग़ खुलकर अपनी सलाहियतें इस्तेमाल करने लगता है। इसका सीधा साधा ताल्लुक़ इस बात से है कि जैसे-जैसे अपने हदफ़ से मुताल्लिक़

तसव्वुरात हम पर हावी होते जाते हैं और हम अपनी फ़िक्र को एक मुजस्सम शक्ल देते जाते हैं, हम खुद-ब-खुद ही बड़े हदफ़ हासिल कर लेने की हालत में आ जाते हैं जो आहिस्ता-आहिस्ता हमारे सामने एक जिस्मानी वुजूद इख़्तियार करने लगते हैं। हम सभी ने बहुत से मक़ामात पर इस फ़लसफ़े को काम करता हुआ महसूस किया है इसलिए यहाँ इसकी और ज़्यादा वज़ाहत करने की ज़रूरत नहीं है। मगर इतना कहना ज़ुरूरी है कि दुनिया की हर कामयाब क़ौम इस फ़लसफ़े को इसकी हदों तक इस्तेमाल करके ही आज उस मुक़ाम पर क़ाबिज़ है जिस पर कभी बिरादराने मिल्लत क़ाबिज़ हुआ करती थी।

ग़ैब का फ़लसफ़ा

दीन-ए-इस्लाम हमें ग़ैब पर यक़ीन रखने की हिदायत देता है जिसके मानी हमें आज तक यही समझाए गए हैं कि यहाँ ग़ैब से मुराद खुद अल्लाह की ज़ात और उसके रसूल के बयानकरदा वो उसूल हैं जिन्हें हम उनकी सुन्नत की शक्ल में महफ़ूज़ कर चुके हैं। बेशक यह बात एक हक़ीक़त है लेकिन यह एक मुकम्मल हक़ीक़त नहीं है क्योंकि इसके मानी हमारी सोच से कहीं ज़्यादा गहरे हैं। अगर हम इस फ़लसफ़े पर और ज़्यादा ग़ौर करें तो हम पाएंगे कि ग़ैब दरअसल उस ताक़त का नाम भी है जो हमारे अपने अंदर बेइन्तिहाँ और बेशुमार मिक़्दार (Quantity) में मौजूद है और जिसे खुद हमारे बनाने वाले ने हमारे अंदर दाखिल किया है। इसे महज़ दीन-ए-इस्लाम के क़वानीन तक महदूद नही किया जा सकता। हमें इसका अहसास इसलिए नहीं होता क्योंकि शायद हमने इसे अब तक पहचानने की कोशिश ही नहीं की जिसकी एक मन्तक़ी वजह यह हो सकती है कि यह ताक़त हमारे सामने मुजस्सम (Physically) शक्ल में मौजूद नहीं है। लेकिन हमें इसे पहचानना चाहिए क्योंकि इसे पहचानने का सलीक़ा ही हमें वोह क़ाबिलियत अता कर सकता है जिसके ज़रिए हम अपने **इरादे** की तक़मील का यक़ीन और उसे पूरा करने की

जुस्तुजू कर सकते हैं। ऐसा करना भी हमारे लिए ग़ैब पर यक़ीन करना ही है क्योंकि यही क़ानून हमें कुदरत ने दिया है और इसी की तस्दीक़ दीन-ए-इस्लाम ने की है। इस मौज़ू पर अमेरिका के साबिक़ सदर अब्राहिम लिंकन (Abraham Lincoln) ने निहायत ही मुनासिब बात कही है कि, "देखी या छुई जा सक्ने वाली चीज़ो पर यक़ीन करना हरगिज़ यक़ीन नहीं है बल्कि न दिखने वाली चीज़ों पर यक़ीन करना ही जीत और असल नैमत है"।

ख़ुलासा

जो कुछ हमने यहाँ सीखा अगर उसे चंद लफ़्ज़ों में समेटने की कोशिश की जाए तो वोह फ़क़त इतना है कि इंसानी ज़िन्दगी उन अनदेखे और नामुजस्सम इमकानात के ज़रिए चलती है जो उसे ज़िन्दगी के किसी भी शोबे में तन्हा नहीं छोड़ते और यही इमकान उसे वो यक़ीन अदा करते हैं जिन्हें वोह ताउम्र अपने दिल-ओ-दिमाग़ पर हावी किए रहता है। यही यक़ीन उसे कभी दुनिया का मुश्किलतरीन काम करने के लिए भी मना लेते हैं तो कभी निहायत ही आसान काम करने से भी रोक देते हैं। इसलिए, जिन्हें वोह छोड़ता है या जिन्हें अपनाता है ऐसे सभी यक़ीन उसकी ज़िन्दगी की इमारत की अलग-अलग दीवारें बनते जाते हैं और यही तामीर तय करती है कि उसकी ज़िन्दगी की इमारत क़ाबिल-ए-दीद होगी या नहीं। इस तामीर के दौरान वोह जिन मरहलों से गुज़रता है उनमें उसकी तालीम, उसके तसव्वुरात, उसके इरादे और उसका एतमाद ख़ुसूसी तौर पर शामिल हैं क्योंकि यही उन ईंटों का काम करते हैं जो आख़िरकार इस ईमारत की मज़बूती या कमज़ोरी के लिए ज़िम्मेदार होती हैं। लिहाज़ा इनमें से किसी भी शय के साथ बरती गई कोई भी ग़फ़लत इंसान की कशीदगियों में इज़ाफ़ा करती है जो न ही इस इमारत के लिए बेहतर होती है और न ही दीन के लिए।

जब भी हम अपने इस दुनिया में होने की वजह तलाश करते हैं तब हमें इस सवाल का कोई भी मुत्मईनकरदां (Satisfactory) जवाब नहीं मिलता कि हम यहाँ क्यों हैं और क्या कर रहे हैं? दीन-ए-इस्लाम हमें इस बात का जो जवाब देता है उसे अक्सर इबादतों तक ही महदूद कर दिया जाता है क्योंकि हम इल्म के दायरों को हमेशा ही इबादत के दायरों से बाहिर की शय समझने की ग़लती करते हैं। हम ऐसे तमाम यक़ीनों को अब तक इस किताब के ज़रिए ग़लत साबित कर चुके हैं, इसलिए हमारे लिए सबसे मुनासिब अमल यह क़ुबूल कर लेना है कि हमारा इस दुनिया में होने का मक़सद इमकानात को समझना और इल्म हासिल करना है और इसकी तकमील/कमाल हमारा हर वोह इरादा है जो हमें यह दुनिया छोड़ने से पहले इल्म के हवाले से इसे कुछ देते जाने की हिदायत देता है* ।

**और शायद ऐसा करना ही वोह कर्ज़-ए-हसना है जिसकी तलब (Demand) अल्लाह अपनी किताब के ज़रिए अपने बन्दों से करता है[2:245] ।*

बाब 3

दीन और हम

अभी तक मुख़्तलिफ़ हवालों और ताबियाती/रियाज़ियाती फ़लसफ़ों के ज़रिए से हमने यह समझने की कोशिश की है कि किस तरह दीन और इल्म दो मुख़्तलिफ़ शय न होकर एक ही वुजूद के दो अलग-अलग नाम हैं। हमने यह भी जाना कि किस तरह इंसान सिर्फ इनके ज़रिए से ही खुद को राहे हक़ पर क़ायम रख सकता है जबकि इनमें से किसी एक को भी छोड़ देने पर उसके लिए राह-ए-हक़ पर बने रहना मुमकिन नही होता। हम इस नतीजे पर भी पहुँचे कि इल्म का वुजूद खुद उस अल्लाह से जुड़ा है जिसने इस कायनात को पैदा किया और तब तक जुड़ा ही रहेगा जब तक वोह अल्लाह खुद मौजूद है।

अब अगर यहाँ से हम इस फ़लसफ़े को वसी तौर पर फैलाकर देखें और इसे और ज़्यादा गहराई में जाकर समझने की कोशिश करें तो आहिस्ता-आहिस्ता हमें एहसास होने लगता है कि यह बात जितनी दिखाई देती है उससे कहीं ज़्यादा कुशादा (Thick) और कहीं ज़्यादा उम्मीदें अपने अन्दर समाए हुए है। हमें लगने लगता हैं कि इस फ़लसफ़े में हमारे मुस्तक़्बिल की वो ऊचाईयाँ शामिल हैं जिनको हमने अब तक शायद नज़रअंदाज़ किया हैं या फिर जिनकी तरफ से हमने हमेशा एक ग़फलत बरती है। और तो और, जितना ज़्यादा हम इस पर ग़ौर ओ फ़िक्र करते जाते हैं उतना ही यह एहसास बढ़ता जाता है कि कायनात की कोई भी शय इस फ़लसफ़े से बाहर नही है; और अगर है तो गोया वोह शय है ही नही बल्कि सिर्फ एक अन्धेरा है।

अभी तक हमने दीन को एक अलग नज़रिए से समझने की कोशिश की है लेकिन अब आइए हम इसे इसकी मौजूदा सूरत में समझने की कोशिश करते हैं।

दायरा-ए-दीन

हमारे ज़हनों में दीन की जो तस्वीर बनी हुई है वोह एक ऐसे दायरे की शक्ल में है जिसके अन्दर अल्लाह और उसका दीन भले ही एक लामहदूद (Unlimited) ताकत की सूरत मे मौजूद है मगर ख़ुद हमारे लिए इसमें सब कुछ बहुत ही महदूद (Limited) हालत मे होता है। इस दायरे मे दीन-ए-इस्लाम के मानने वालों के लिए पाक़ीज़गी है, इबादतों की पाबन्दी है, रहन-सहन और पहनावें के कुछ तय क़वानीन (Law) हैं, खाने पीने की मुक़र्रर क़द्रे (Fixed Principle) हैं, ज़कात और इमदाद के हुक्म हैं, जिहाद है और कुछ लोग हैं, जिनके अलग-अलग अमल और मिसालों को पेशे नज़र रखते हुए हम सब अपनी तमाम ज़िन्दगी गुज़ारने की कोशिश करते हैं। इस पुरे दायरे का निज़ाम क़ुरान और हदीसों के ज़रिए से चलता हैं जिसकी तशरीह (Explanation) के लिए हम काफ़ी हद तक उन लोगों पर इन्हिसार (Depend) करते हैं जिन्हें या तो मज़हबी आलिम शुमार किया जाता हैं या फिर जिन्हें क़ुरान और हदीसों का इल्म हमसे बेहतर होता हैं। दीन के इस दायरे के मौजूदा इन्तिज़ाम को एक बार समझ लेने के बाद दीन-ए-इस्लाम के मानने वालें कभी भी इस दायरे से बाहर निकलने की जुस्तुजू नहीं करतें, क्योंकि उन्हें इस बात का यक़ीन होता है कि दरअसल इस दायरे के बाहर जो कुछ भी है वोह या तो शिर्क है या फिर उनके अल्लाह की नापसन्दगी का सामान है, इसीलिए उनका यह अक़ीदा है कि वो इस मज़हबी दायरे की हदों के अन्दर रहकर ही अल्लाह की नज़दीकी हासिल कर सकते हैं, बाहर रहकर नहीं। और जो लोग इस दायरे से बाहर होते हैं या बाहर आने की कोशिश करते हैं, उन्हें दीन-ए-इस्लाम से ख़ारिज मान लिया जाता है। इस सिलसिले मे जो एक मज़बूत दलील दी जाती है

वोह महज़ यही होती है कि “क्योंकि यह दायरा अल्लाह और उसके दीन से ताल्लुक़ रखता है लिहाज़ा न तो इसकी कोई अलग तशख़ीस (Evaluation) की जा सकती है और न ही इसके क़वानीन में किसी भी किस्म की कोई तबदीली की जा सकती है। लिहाज़ा कोई भी शक़्स सिर्फ इसके अन्दर रहकर ही मुस्लिम (Submitter to Allah) तस्लीम किया जा सकता है, इसके बाहर रहकर नहीं”।

क्योंकि इस दायरे मे तशख़ीस और तब्दीली की कोई गुंजाइश नहीं है इसलिए इस दायरे की एक मुक़र्रर शक्ल ही पिछले 1400 सालों से मुसलसल चली आ रही है जिसे मज़ीद फैलाया या समेटा नहीं जा सकता और न ही इसके क़वानीन में ही किसी भी तब्दीली को क़ुबूल किया जा सकता है। दूसरे मायनों में इस बात की हक़ीक़त यह है कि अगर दुनिया का हर एक शक़्स इस दायरे मे शामिल हो जाये तो भी इस दायरे मे किसी बदलाव की कोई गुंजाइश नही है, या अगर किसी एक को छोड़कर दुनिया के तमाम मुसलमान इस दायरे से बाहर निकल जाये तो भी इस दायरे मे किसी तब्दीली का कोई इम्कान (Possibility) नही होगा।

दायरें

हम जब भी कभी दायरों की बात करते हैं तो ऐसे मौक़ों पर अक्सर दानिशवर (Intellectual) और गैरजानिबदार (Neutral) लोग और ख़ुद हम इसे तंग-नज़री (Nerrow Mindness) या लाइल्मी का नाम देकर उन फ़लसफ़ों या नज़रियों को हक़ीर साबित करने की कोशिश करते हैं जो इंसानी समझ की दायराबंदी को सही ठहराने की कोशिश कर रहे हो। मगर जब मज़हब या दीन के दायरे की बात की जाती है तो हममें से ज़्यादातर लोग इस तरह की नुक़्ताचीनियों (Criticism) से बचने की कोशिश करते हैं। भले ही हमारी समझ हमें उन नुक्तों की जानिब ले आए जो मज़हबी मामलात में तनक़ीद की पैरवी करते हो मगर फिर भी हम अक्सर ऐसा कुछ कहने से बचते हैं जिसके बाइस हमारे मज़हब या हमारे

दीन पर कोई सवाल खड़ा होता हो या उसकी कोई कमी ज़ाहिर होती हो। ज़्यादातर मक़ामात पर देखा जाता है कि मज़हबी या दीनी मामलात में नुक़्ताचीनी करना अक्सर लोगों को जज़्बाती बना देता है, लिहाज़ा हम सब उन टकरावों से हमेशा खुद को दूर रखना चाहते हैं जो ऐसी बहसों या नुक़्ताचीनियों के बाइस पैदा होते हैं।

हममें से ज़्यादातर लोग किसी दायरे, फ़लसफ़े या नज़रिए को समझने के लिए उसके सिर्फ दो ही पहलुओं पर गौर करना पसंद करते हैं। पहला उसका जज़्बाती (Emotional) या तअस्सुबी (Preconceptual) पहलू और दुसरा उसका मन्तक़ी (Logical) या तशख़ीसी (Explanatory) पहलू। जब हम किसी दायरे, फ़लसफ़े या नज़रिए को उसके जज़्बाती या तअस्सुबी पहलू के ज़रिये से समझने की कोशिश करते है तब ज़्यादातर वक़्त हम उसमें सिर्फ अपने जाती मफ़ाद (Benefits) ही तलाश करते रहते हैं या उन इम्कानात पर गौर करते रहते हैं जो हमारे अपने हक़ में नहीं होते। हम उससे जुड़े उन पहलुओं पर कभी तवज्जों नही देतें जिनका ताल्लुक़ दीगर अफ़राद या तमाम इंसानियत से जुड़ा हो। जैसे-जैसे हमारी सोच का दायरा सिर्फ हम तक सिमटता जाता है, वैसे-वैसे ही हम उस दायरे, फ़लसफ़े या नज़रिए की एक हदबन्दी करते जाते हैं जिसके बाहर फिर कम-से-कम खुद हमारे लिए उसका कोई वुजूद नहीं रह पाता। दुसरी तरफ जब हम किसी दायरे, फ़लसफ़े या नज़रिए को उसके मन्तक़ी या तशख़ीसी पहलू के ज़रिए से समझने की कोशिश करते है तब हमारा सबसे पहला काम उस पर एक तन्क़ीदी (Critical) नज़र डालने का होता है। और जैसे-जैसे हम उसके मुख़्तलिफ़ पहलुओं और इम्कानात को समझते और सुलझाते जाते हैं वैसे ही आहिस्ता-आहिस्ता हमारे सामने उससे जुड़े तमाम हक़ाइक़ (Facts) और उससे जुड़ी तमाम कमियां ज़ाहिर होने लगती हैं। किसी शय, किसी फ़लसफ़े, किसी दायरे या किसी नज़रिए की बारीकी से तशख़ीस करना हमेशा ही एक तवील मुलाज़िमत (Prolonged Task) और ढेरों असबाब का हामिल अमल है, अलबत्ता किसी भी दानिशमंद

क़ौम के लिए यह अमल इतना ज़ुरूरी है कि जिसके बिना वोह मुस्तक़बिल की जानिब एक क़दम भी आगे नही बढ़ा सकती। ऐसे मे हमारे लिए भी यह सवाल पैदा होता है कि एक दानिशमंद और मुतवाज़िन (Balanced) क़ौम होने के नाते क्या हमें भी दायरा-ए-दीन को एक तशख़ीसी नुक़्ताए-ए-नज़र से देखने की ज़ुरूरत है? और अगर हां, तो हम उन एतराज़ात (Objections) और उन क़द्रों से होने वाले टकरावों से कैसे बच सकते हैं जो दायरा-ए-दीन के लिए की जाने वाली किसी भी तनक़ीद या तब्दीली को गैर इस्लामिक या गुनाह-ए-अज़ीम तस्सवुर करती हैं ?

यह एक निहायत ही हस्सास (Sensitive) मौज़ू है जिस पर कोई भी दलील पेश करने से पहले हमें कई अलग-अलग पहलुओं और इस दायरे मे मौजूद तमाम अवामिल (Factors) पर निहायत ही संजिदगी के साथ गौरों फिक्र करना चाहिए। ऐसा इसलिए भी ज़ुरूरी है क्योंकि बिना इसके तमाम पहलुओं और अवामिल पर गौर किये हम तशख़ीस-ओ-तनक़ीद की तमाम शर्तों के साथ इन्साफ नहीं कर सकते। इसके अलावा इल्म के तक़ाज़ें भी हमें मजबूर करते हैं कि किसी भी मौज़ू पर कोई भी तनक़ीद या कोई नुक़्ताचीनी करने से पहले हम उससे जुड़े तमाम पहलुओं को बारीकी से समझ लें।

इससे पहले की हम दायरा-ए-दीन के मुत्तालिक कोई तन्क़ीदी नज़रिया या कोई तशख़ीसी राय पेश करें, हमें इस बात पर गहराई से मुतालिया (Consideration) करना चाहिए कि वोह अल्लाह जिसकी हम सब अपने पूरे वुजूद से इबादत करते हैं दरअसल क्या है, कैसा है, कहाँ है और क्या करता है? बिना इन सवालों पर गौर किये दायरा-ए-दीन के मुत्तालिक़ कोई भी अलग राय क़ायम करना इस मज़मून की संजीदगी के साथ एक गैर ज़रूरी मदाखलत करने जैसा अमल है जिससे हम सभी को बचना चाहिए, क्योंकि ऐसे मौज़ू पर गैर संजीदा बातें अक्सर लोगों के जज़्बात को ठेस पहुँचाती हैं और ऐसे मे मज़ीद बात करना मुश्किल हो जाता है।

अल्लाह और उसकी तौहीद के मुत्तालिक जो कुछ भी हम क़ुरान और दीगर किताबों के हवाले से जानते हैं उसके मुताबिक़ अल्लाह उस रब्ब-ए-अज़ीम ताक़त का नाम है जिसने यह सारी कायनात ख़ल्क़ की, तमाम मौजूदात, इंसान और दीगर नैमतों को पैदा किया ओर जो कायनात के हवाले से हर शय का इल्म रखता है। वोह एक नही यक़ता (Not One But Absolute) है, अकबर (Greatest) है, नामुजस्सम (Non-Physical) है, हर जगह मौजूद है, हर इल्म का पैदा वाला और उसका आलिम है, रहमान-ओ-रहीम है और इंतिज़ान-ए-कायनात के हवाले से लाशरीक़ (Alone) है। अल्लाह और उसकी तौहीद की यह एक मुख़्तसिर सी तारीफ है जिससे दीन-ए-इस्लाम का मानने वाला हर शख्स वाक़िफ़ होता है और जो यक़ीनन इसी या थोड़ी बहुत मुख़्तलिफ़ शक्ल मे दीगर मज़ाहिब में भी मौजूद है। बेशक, इस तारीफ से हम अल्लाह की अज़मत और उसकी लामहदूद ताक़त का अंदाजा लगा पाते हैं पर हम में से ज़्यादातर लोग इस बात का अंदाज़ा नहीं लगा पाते कि जब हम उसकी अज़मतों को लामहदूद कहते है तो दरअसल यह लामहदूदी कहाँ तक जाती है। क्या यह महज़ इस दुनिया, इस निज़ाम-ए-शम्सी (Solar System), इस कहकशाँ (Milkyway) या खुले आसमां में जहाँ तक हमारी नज़र जाती है बस वही तक महदूद है ? और क्या अल्लाह की अज़मतों के लामहदूद होने के बावजूद भी उनकी कोई हदबंदी की जा सकती है?

इन सवालों का जवाब जानने के लिए हमें क़ुरान के साथ-साथ साइंस का भी सहारा लेना होगा क्योंकि महज़ मज़हब की बुनियाद पर इन सवालों के जवाब अकसर नामुकम्मल और गैर मन्तक़ी (Illogical) होते हैं जिन्हें देर सवेर किसी न किसी किस्म की सरकशी (Challenge) का सामना करना ही पड़ता हैं।

महदूद और लामहदूद

अगर हम अलग अलग इल्मी मज़्मूनों पर ग़ौर करें तो हम पाएंगे कि इंसान ने अपनी अक़्ल और अपनी जुस्तुजू के ज़रिए से कुदरत और कायनात के बहुत से राज़ों से पर्दा हटाया है। एक तरफ जहाँ उसने इस ज़मीन को अपने लिए बेहतर तौर पर तैयार करना सीखा वही दूसरी तरफ उसने अपनी आँखें आसमान की जानिब भी लगाए रखी ताकि वोह इस बेमिसाल कायनात मे उन मौकों को तलाश करता रहे जो मुस्तक़्बिल मे उसके किसी काम आ सकें। जैसे-जैसे वोह कायनात की गहराइयों मे झाँकता गया वैसे-वैसे ही उसे कुदरत की बेमिसाल कारीगरी और उसके लामहदूद फ़ैलाव का अंदाज़ा होता गया। यह इंसान की अक़्ल और जुस्तुजू का ही नतीजा है कि आज हम कायनात को किसी भी दूसरे दौर के मुक़ाबिल ज़्यादा अच्छी तरह और ज़्यादा गहराई से जानते और समझते हैं।

इंसान ने अपनी तहक़ीक़ मे पाया है कि यह कायनात दरअसल वैसी नहीं है जैसा इसे पुराने वक़्तों में समझा गया था (या आज भी कम इल्म लोग समझते हैं) और न ही इसका फैलाव इतना महदूद है कि जिसकी कोई हदबंदी की जा सके। हक़ीक़तन कायनात इतनी तवील है कि इसमे दूरियों को वैसे नहीं नापा जा सकता जैसे हम उन्हें ज़मीन पर नापते हैं। इंसानी तहक़ीक़ बताती है कि दो अलग-अलग आसमानी अशिया (Space Objects) के बीच की दूरियां इस क़दर तवील हैं कि उन्हें ज़मीनी दूरियों के मुक़ाबिल रखना गोया समन्दर को बारिश की एक के बूँद के मुक़ाबिल रखने के बराबर होगा। लिहाज़ा, पिछले लगभग 200 सालों से हम दो आसमानी अशिया के बीच की दूरी को **नूरी साल (Light Year)*** के ज़रिये से नापते आ रहें हैं। नूरी साल भी दरअसल दूरी नापने का एक वैसा ही पैमाना है जैसे ज़मीन पर दूरी नापते का पैमाना किलोमीटर या मील होता है, और यही वोह पैमाना

**नूरी साल (Light Year) वक़्त नापने का नहीं बल्कि दूरी नापने का पैमाना है जो रौशनी के 299792.458 किलोमीटर फी सेकंड की रफ़्तार से एक साल मे तय की गयी कुल दूरी के बराबर होता है।*

है जिसके ज़रिये से हम कुदरत के तवील फैलाव का अंदाज़ा लगा सकते है। मिसाल के तौर पर अगर हम अपनी इस ज़मीन के सबसे नज़दीकी सितारे "सूरज" की दूरी की बात करें तो यह हमसे महज़ 149,597,870 (लगभग 14 करोड़ 96 लाख) किलोमीटर दूर है और इसकी रौशनी को हमारी ज़मीन तक पहुँचने मे महज़ 8.32 मिनट लगते है। हैरतअंगेज़ तौर पर यह दूरी एक Light Year की महज़ 0.0016% दूरी है, न की पूरा Light Year।

इस बात को और गहराई से समझने के लिए आइये हम अपनी इस ज़मीन के सबसे नज़दीकी दूसरे सितारे की दूरी का हिसाब लगाते हैं जिसका नाम अल्फा सेंक्चरी (Alpha Centauri) है और जो हमसे 4.365 Light Years दूर है। किसी सितारे से निकली रौशनी 299792.458 किलोमीटर फी सेकंड की रफ़्तार से चलती है और खुली खला मे ऐसी कोई भी ताक़त मौजूद नहीं होती जो रौशनी की इस रफ़्तार को कम या ज़्यादा करने की कुव्वत रखती हो। लिहाज़ा कायनात में रौशनी के किसी भी मरकज़ से निकलने वाली रौशनी की रफ़्तार इतनी ही होती है। अल्फा सेंक्चरी नामक सितारे की रौशनी भी इसी रफ़्तार से चलते हुए लगभग 4.365 सालों में हम तक पहुँचती है। अगर हम इस दूरी का हिसाब लगाना चाहे तो सबसे पहले हमें वोह कुल दूरी हासिल करनी होगी जिसे रौशनी 1 साल की मुद्दत मे तै करती है और जो लगभग 9,460,730,472,581(94 खरब 60 अरब 73 करोड़ 4 लाख 72 हज़ार 581) किलोमीटर होती है। अब क्योंकि अल्फा सेंक्चरी नामक सितारे की रौशिनी को हमारी पृथ्वी तक पहुँचने में 4.365 साल लगते हैं तो इस लिहाज़ से यह सितारा हमसे लगभग 41,296,088,512,816 (412 खरब 96 अरब 8 करोड़ 85 लाख 12 हज़ार 816) किलोमीटर दूर है। यह एक ऐसी दूरी है जिसे तय करना तो दूर हमारे लिए इसका अंदाज़ा लगाना भी लगभग नामुमकिन है। ऐसा इसलिए क्योंकि इंसान की बनायी किसी भी शय ने आजतक जो सबसे ज़्यादा रफ़्तार हासिल की है वोह 1976 में तब की गयी थी जब

Helios-2 नाम के एक अमेरिकन-जर्मन तय्यारे (Spacecraft) ने खुली ख़ला में लगभग 252,792 किलोमीटर फी घण्टे की रफ़्तार उड़ान भरी थी। हालांकि यह तय्यारा बाद मे खुली ख़ला मे ही ग़र्क कर दिया गया मगर इसने जो रफ़्तार हासिल की वोह आज भी एक मिसाल है। अगर हम यह तस्सवुर करें कि हम किसी Helios-2 जितनी रफ़्तार वाले तय्यारे के ज़रिए से अल्फा सेंक्चरी तक का सफ़र बिना रुके तय करना चाहते है तो यक़ीन मानिए इतनी तेज़ रफ़्तार से चलने पर भी इस सफर को मुकम्मल करने मे हमें करीब 18635 साल लग जायेंगे। यहाँ ग़ौरतलब यह है कि हमने ये सारा हिसाब सिर्फ उस सितारे के लिए लगाया है जो हमारे लिए करीबतरीन है वगरना कायनात तो ऐसे अनगिनत सितारों और कहकशांओं से भरी हुई है जो यक़ीनन अल्फा सेंक्चरी के मुक़ाबिल हमसे बहुत ज़्यादा दूर हैं। हदतां की कायनात मे ऐसी कहकशायें भी मौजूद हैं (जैसे MACS0647-JD) जिनकी रौशनी को हम तक पहुँचने मे लगभग 13.3 अरब साल लगते हैं जो की अपने आप मे एक इतनी लम्बी दूरी है कि जिसकी कोई भी मिसाल नहीं दी जा सकती। इससे भी ज़्यादा हैरतअंगेज़ बात जो हमें पता है वोह यह है कि तमाम आसमानी अशिया के बीच दूरियाँ लगातार बढ़ती जा रही हैं क्योंकि हमारी यह कायनात लगातार ख़ुद को फैला रही है।

इस तमाम तजज़िये (Analysis) को साइंस की एक दूसरी थ्योरी से जोड़ने पर हम पाएंगे कि साइंस इस बात को तस्लीम करती है कि इस पूरी कायनात की ख़िलक़त एक बड़े धमाके, जिसे बिग बैंग (Big Bang) कहा जाता है के बाद एक साथ हुई है और इस कायनात का तमाम माद्दा (Matter) एक ही बड़े, बहुत बड़े ढेर का हिस्सा है। साइंस यह भी तस्लीम करती है कि बिग बैंग के दौरान कोई ताक़त मौजूद थी (जिसे फिलहाल कोई अंजान ताबियाती ताक़त ही तसव्वुर किया जाता है) जो इस तमाम वाक़ये पर बख़ूबी क़ाबू किये हुए थी और जो न ही तमाम माद्दे (Matter) को एक हद से ज़्यादा फैलने दे रही थी और न ही उसे एक हद से

ज़्यादा सिकुड़ने। क्योंकि अगर धमाके के बाद यह तमाम माद्दा एक हद से ज़्यादा फ़ैल जाता तो वोह खुली ख़ला मे गुम होकर रह जाता और अगर एक हद से ज़्यादा सिकुड़ जाता तो वोह अपने ही वज़न मे ढह जाता। लिहाज़ा इन दोनों ही सूरतों मे कायनात मे किसी भी शय की तामीर होना नामुमकिन होता।

यहाँ तक की तमाम गुफ़्तुगू के बाद अब हमारे सामने कायनात की एक ऐसी शक्ल मौजूद है जिसके बारे मे हम यक़ीन से कह सकते है कि हम अपने पूरे वुजूद से और अपनी तमाम कोशिशों के बाद भी इस कायनात का मुकम्मल तसव्वुर नहीं कर सकते हैं और न ही इसको किसी एक पैमाने या दायरे मे क़ैद कर सकते हैं। साथ ही साथ हम यह भी दावे से कह सकते हैं कि हमारी इस पूरी ज़मीन का वुजूद इस तमाम कायनात मे महज़ एक ज़र्रे से ज़्यादा कुछ भी नहीं है। लिहाज़ा बतौर एक इंसान इस ज़िन्दगी मे हमारा सबसे पहला काम खुद अपनी अज़मत को पहचानना है, क्योंकि क़ुरान ने इस पूरी कायनात मे सिर्फ इंसान को ही "अशरफ़ुल मख़्लूक़" कह कर मुख़ातिब किया है। और खुद को क़ुरानी ऐतबार से पहचानने के लिए हमारे पास जो सिर्फ और सिर्फ एक रास्ता मौजूद है, वोह इल्म का रास्ता है जिसे मज़हब के हाथों बदला नहीं जा सकता, और हमें इसे मज़हब से बदलना चाहिए भी नहीं क्योंकि इल्म के सिलसिले मे इंसान जितनी दूर तक जाता है उतना ही सच्चाई और हक़ के ज़्यादा नज़दीक होता है। दूसरी तरफ हमारे लिए अल्लाह और उसकी तौहीद है जिसके मुताबिक वोह अल्लाह कायनात मे हर जगह एक ही वक़्त मे मौजूद है, ताकि वोह इस कायनात का निज़ाम बदस्तूर चलाता रहे। ऐसे में अल्लाह का तस्सवुर किसी जिस्मानी शक्ल में नहीं बल्कि सिर्फ एक ऐसी ताक़त की शक्ल मे ही बन सकता है जिसके लिए तवील दूरियों के कोई मायने नहीं है और जो कायनात की लामहदूदी और हर एक सिम्त खरबों खरब मील फ़ैली खुली ख़ला (Open Space) के हर हिस्से और हर कोने मे एक ही वक़्त पर हाज़िर-ओ-नाज़िर है। इस पूरे बयान मे जो एक बात और जोड़ी जानी ज़ुरूरी है वोह यह है कि किसी भी

मुजस्सम (Physical) वुजूद के लिए कायनात की गहराइयों मे उतरना और उनसे पार पाना एक नामुमकिन अमल है। ऐसा इसलिए क्योंकि अगर कोई मुजस्सम शय रौशनी की रफ़्तार से भी चल पाए तो भी वोह इस कायनात की हर एक जगह और हर एक कोने तक एक ही वक़्त मे नहीं पहुंच सकती। ताबियाती और रियाज़ियाती ऐतबार से ऐसा होना मुमकिन ही नहीं है। जबकि वोह ताक़त जो बिग बैंग के वक़्त मौजूद थी, लाखों-करोड़ों Light Years के दायरे में फैले हुए तमाम माद्दे (Matter) के हर हिस्से को एक ही वक़्त पर क़ाबू किए हुए थी। ऐसे मे यह नतीजा निकलना बिलकुल दुरुस्त है कि वोह अल्लाह, ख़ुदा या जिस नाम से भी हम उसे पुकारते है कोई भी मुजस्सम वुजूद नहीं रख सकता, क्योंकि अगर वोह कोई भी मुजस्सम शक्ल इख्तियार करेगा तो वोह खुद अपनी लामहदूदी की हदबन्दी कर डालेगा और फिर उसके लिए भी कायनात मे हर जगह एक ही वक़्त पर हाज़िर रहना एक नामुमकिन अमल होगा। और यूँ उसका ख़ुदाई का दावा बेमानी होकर रह जायेगा क्योंकि किसी मुजस्सम शक्ल मे वोह अपनी तौहीद को बरक़रार नहीं रख सकेगा। लिहाज़ा जो ख़ुदा है उसके लिए यह ज़रूरी है कि वोह इस कायनात की निज़ामत (Operation) की खातिर अपनी तौहीद और अपनी लामहदूदी को मुसलसल बनाए रखे और खुद कोई मुजस्सम शक्ल इख्तियार न करे बल्कि वो रास्ते ईजाद करे जो न सिर्फ उसकी बात पूरी सच्चाई के साथ उसकी मख्लूक़ तक पहुँचा सकें बल्कि उसके वुजूद की पासदारी भी पूरी ईमानदारी से कर सकें।

दूसरी तरफ यह भी गौरतलब है कि कायनात के हवाले से जो कुछ हमने यहाँ बयान किया वोह महज़ एक साइंसिया नजरिया (Scientific Theory) है जो साइंस के अलग-अलग पहलुओं के जोड़ घटा का नतीजा है और जिसमे ग़लती और इस्लाह के इमकान (Possibilities) मौजूद हैं मगर यह फिर भी ज़ुरूरी है क्योंकि मन्तक़ी तौर पर किसी एक नज़रिये (Theory) के ग़लत साबित होने के बाद ही इंसान हक़ के किसी दूसरे नज़रिये तक पहुँच पाता है। और इसलिए यह

नज़रिया गौर-ओ-फ़िक्र करने के क़ाबिल है क्योंकि यह अल्लाह और उसकी तौहीद का एक नया रुख़ पेश करता है जो उसके मुख्लिस (Pure) वुजूद की मन्तक़ी तशख़ीस से जुड़ा है और जिस पर दीन-ए-इस्लाम के मानने वाले हर शक़्स को ग़ौर-ओ-फ़िक्र करना चाहिए और इसे आगे बढ़ाना चाहिए। ऐसा इसलिए क्योंकि जब भी कोई मज़हब या दीन खुद के दीन-ए-हक़ होने का दावा पेश करता है तो उसका सबसे पहला काम अपने अल्लाह (या जिस नाम से भी वोह अपने ख़ुदा को पुकारता है) के वुजूद को मन्तक़ी तौर पर साबित करना होता है। ऐसा करने के बाद ही उसके लिए खुद को दीन-ए-हक़ साबित करना आसान हो सकता है, ऐसा किये बगैर नहीं। दीन-ए-इस्लाम इस बिना: पर दीन-ए-हक़ होने के नज़दीक है कि यह अपने ख़ुदा के मुताल्लिक़ जिस नज़रिए को पेश करता है उसे अब तक किसी ताबियाती और रियाज़ियाती फ़लसफ़े के ज़रिए से किसी एतराज़ का सामना नहीं करना पड़ा है। लेकिन फिर भी ऐसे मज़हब या दीन के मानने वाले किसी भी शक़्स के लिए यह मुमकिन नहीं है कि वोह अपने ख़ुदा के वुजूद या उसकी तौहीद को बिना इल्म की गहराइयों मे उतरे फ़क़त मज़हब के ज़रिये से ही साबित करता रहे, क्योंकि सही ख़ुदा की मारिफ़त और उसकी तौहीद के तमाम राज़ इल्म से जुड़े होते हैं न की मज़हब से। और क्योंकि हम यह बात पहले ही जान चुके है कि इल्म लामहदूद है, लिहाज़ा यह ज़ुरूरी है कि दीन-ए-हक़ का दायरा भी लामहदूद हो ताकि कायनात की हर शय और हर नई सोच के लिए उसमे मुनासिब जगह मौजूद रहे जो आगे चलकर कहीं न कहीं मारिफ़त-ए-ख़ुदा से जुड़ा कोई नया पहलू उजागर कर सके और यूं वोह अपने लामहदूद ख़ुदा की अज़मत के साथ पूरा इन्साफ करता रहे।

दीन और इबादत

दायरा-ए-दीन मे जो दुसरा सबसे ज़ुरूरी अवामिल है वोह इबादत है जिसे दीन का सतून (Pillar) भी कहा जाता है और जिसको लगातार पूरा करते रहने या

न करते रहने पर ही किसी इंसान का दीन के अंदर या बाहर होना तय किया जाता है। यूँ तो दीन-ए-इस्लाम अपने मानने वालों के लिए बहुत वाज़े तौर पर इबादतों की तशरीह करता है मगर फिर भी इस्लाम के अलग-अलग फ़िरक़ों मे इबादतों के हवाले से अलग-अलग नज़रिये मौजूद हैं और वो सभी अपने-अपने इबादती आदाब को ही सही मानते हुए अपने दीन को आगे बढ़ाते हैं।

हदीसों के हवाले से जो पाँच बुनियादी ऊसूल दीन-ए-इस्लाम के मुताल्लिक़ बताए गए हैं और जो इस्लाम के तमाम फ़िरक़ों में एक जैसे ही हैं वो ये हैं कि

1. अल्लाह के सिवा कोई माबूद नहीं और मुहम्मद(रज़ि) अल्लाह के रसूल है।

2. हर मुसलमान को दिन मे 5 मर्तबा बाक़ायदगी से नमाज़ अदा करनी चाहिए।

3. रमज़ान के महीने मे रोज़े रखने चाहिए।

4. ज़कात देनी चाहिए (अगर साहिब-ए-हैसियत है तो) ।

5. हज के लिए जाना चाहिए (अगर साहिब-ए-हैसियत है तो) ।

इसके अलावा भी कुछ और अवामिल हैं जिन्हें दीन-ए-इस्लाम मे इबादत दर्जा का हासिल हैं जिसमे पाकीज़गी, इमदाद करना, जिहाद करना और नेकी करना अहम् तौर पर शामिल हैं।

जैसा की हम पहले पढ़ चुके हैं कि इंसान के वुजूद मे इबादत की अहमियत एक तय राह से चलकर आती है। किसी भी इंसान को इबादत के लिए आमादा होने से पहले खुद को यक़ीन की मंज़िल तक लाना होता है। और कोई भी यक़ीन इंसान के ज़हन मे तब तक पैदा नहीं होता जब तक इंसान सोची जा रही शय की तसदीक नहीं कर लेता। अगर हम साइंस की माने तो इंसानी दिमाग इस कायनात की सबसे पेचीदा ख़िलक़तों (Complicated Creations) में से एक है। ऐसा इसलिए क्योंकि अलग-अलग साइंसिया तजुर्बे (Scientific

Research) हमें बताते है कि इंसान का दिमाग़ हिसाब किताब, जोड़ घटा (Calculation) और तजज़िया (Analysis) करने के लिए ही तैयार किया गया है। जिस तरह हमारी आँखें लगातार देखती रहती है या हमारे कान लगातार सुनते रहते है ठीक वैसे ही हमारा दिमाग़ भी लगातार अपने पास मौजूद चीज़ों और आदाद-ओ-शुमार (Data) के तजज़िये मे लगा रहता है। यह एक ऐसा अमल है जो किसी इंसान की ज़िन्दगी में दौरान-ए-हमल (During Pregnancy) ही शुरू हो जाता है और उसकी आखरी साँस तक लगातार चलता रहता है। इस तमाम हिसाब किताब और जोड़ घटा (calculation) को अगर हम किसी क़ुरानी वज़ाहत के ज़रिये से समझना चाहे तो हम क़ुरान की उन तमाम आयतों को फिर से पढ़ सकते है जो कहती है कि "जो अक़्ल रखते हैं वो समझते हैं"। यानि जब इंसानी दिमाग़ हिसाब किताब, जोड़ घटा करता है तो आहिस्ता-आहिस्ता किसी शय की तसदीक कर लेता है और यही तसदीक उसे यक़ीन की मंज़िल तक ले आती है। हालाँकि उसका यक़ीन सही है या ग़लत यह उस मालूमात और आदाद-ओ-शुमार (Data) पर मुनस्सिर (Depend) होता है जिसका उसके दिमाग ने तजज़िया किया है। और क्योंकि इंसान की इबादतों का सीधा ताल्लुक़ उसके यक़ीन से है लिहाज़ा उसकी इबादतों का सही या ग़लत होना भी उसके यक़ीन के सही या ग़लत होने पर ही मुनस्सिर है। इसे साबित करने के लिए आइए हम इल्म-ए-नुजूम (Astrology) और उससे जुड़े उन अक़ीदों पर एक सरसरी नज़र डालें जो बहुत से मज़ाहिब में एक ज़ुरूरी अवामिल के तौर पर शामिल है।

दुनिया में कुछ मज़ाहिब ऐसे भी हैं जिनके मानने वाले लोग अपना मुस्तक़बिल (Future) जानने के लिए इल्म-ए-नुजूम पर यक़ीन रखते हैं। उनका यह अक़ीदा होता है कि उनकी ज़िन्दगियों नें होने वाले हर वाक़ये का ताल्लुक़ कुदरत तारों-सितारों और सय्यारों (Planets) की चाल के ज़रिए से तय करती है जिसे इल्म-ए-नुजूम के ज़रिए से जाना जा सकता है। लिहाज़ा ऐसे लोग अपनी

ज़िन्दगियों में पेश आने वाले हर एक अच्छे बुरे हादसे को रात के अंधेरों में दिखने वाले सितारों और सय्यारों की चालों और उनकी तब्दीलियों से जोड़ कर देखते हैं। उनके इस अक़ीदे की बुनियाद इतनी गहरी होती है कि इसके बाइस ही इस दुनिया में हज़ारों-लाखों लोगों का कारोबार महज़ इस तारा-सनाशी या इस इल्म-ए-नुजूम के ज़रिए चलता है।

अगर हम रात के आसमान में मौजूद किसी भी सितारे पर एक सरसरी नज़र डालें तो वोह हमें अपनी जगह पर ठहरा हुआ मालूम होता है, मगर जैसा की हम पहले जान चुके हैं कि हक़ीक़तन वोह अपनी कहकशाँ के मरकज़ के गिर्द एक तय चाल से घूम रहा होता है। हालाँकि हमें उसकी चाल का अहसास उसकी बेपनाह दूरी के बाइस फ़ौरन ही महसूस नहीं होता पर क्योंकि वोह आसमान में अपनी जगह लगातार तब्दील करता रहता है इसलिए थोड़े-थोड़े वक़्फ़े (Period) के बाद हम भी यह महसूस कर लेते हैं कि सितारा अब अपनी पहले वाली जगह पर मौजूद नहीं रह गया है। सितारे के यूँ अपनी जगह तब्दील करते रहने के बाइस उसके और इस ज़मीन के बीच मौजूद कशिश (Gravity) में भी एक मुख़्तसर सी तब्दीली आती है जिसे इस फ़ार्मूले ज़रिए नापा जा सकता है।

$$F = \frac{M_1 \times M_2}{R^2}$$

यहाँ **F** से मुराद दो आसमानी आशियाओं के बीच की कशिश से है, **M** से मुराद दो आशियाओं के अलग-अलग वज़न से है जबकि **R** से मुराद उन दोनों के बीच की दूरी से है। इस कशिश के मुताल्लिक़ यह जान लेना भी ज़ुरूरी है कि दो आसमानी आशियाओं के बीच चाहे जितनी भी दूरी क्यों न हो और उनको बनाने वाले अनासिर चाहे कुछ भी हो लेकिन उनके बीच की यह कशिश हमेशा मस्नती

(Positive) ही होती है। सितारों की दूरी और कशिश में होने वाली ये तब्दीलियाँ बहुत मुख़्तसर जान पड़ती है मगर रियाज़ियाती और ताबियाती जोड़-घटा हमें बताते हैं कि कायनात में ऐसा कोई भी सितारा मौजूद नहीं है जिसकी रौशनी को हम तक पहुँचने मे 4.365 साल से कम वक़्त लगता हो। हमें दिखने वाले तमाम सितारें जिनकी चालों की बुनियाद पर किसी शक़्स के मुस्तक़बिल का तसव्वुर किया जाता है दरहक़ीक़त हमसे अरबों-खरबों किलोमीटर दूर मौजूद होते हैं, जिनकी रौशनी हम तक एक तय चाल से चलते हुए ही पहुंच पाती है। इसलिए किसी सितारे के चलने से हमें महसूस होने वाली ज़रा सी तब्दीली भी दरहक़ीक़त अपने आप में करोड़ों किलोमीटर का फासला हो सकती है जिसका अंदाज़ा महज़ अपनी कुदरती बीनाई (Natural Sight) के ज़रिए लगा पाना हमारे के लिए मुमकिन नही है। इस सूरत-ए-हाल में जबकि किसी सितारे की रौशनी को हम तक पहुँचने मे 4 साल या उससे ज़्यादा वक़्त लग रहा है, हम इस बात को आसानी से समझ सकते हैं कि अब वोह सितारा या सितारों का वोह गिरोह (Constellation) जिसको हम अपने मुस्तक़बिल का मुसन्निफ़ (Writer) माने बैठे हैं, असल-वक़्त (Real Time) में उस जगह पर मौजूद ही नहीं है जिस जगह पर हमें वोह अपनी रौशनी के 4 साल या उससे भी ज़्यादा वक़्त बाद हम तक पहुँचने के बाइस आज दिखाई दे रहा है।

इस तमाम तजज़िये से जो एक हैरतअंगेज़ बात निकलकर सामने आती है वोह यह है कि कायनात में हम जब भी किसी सितारे को चमकता हुआ देखते हैं तो दरअसल हम उसे उसके असल वक़्त में नहीं बल्कि उसके माज़ी (Past) में देख रहे होते हैं। और तो और यह भी एक नाक़ाबिल-ए-यक़ीन सच्चाई है कि कायनात हमें किसी भी तारे, सय्यारे, सूरज या किसी और आसमानी शय को सिर्फ उसके माज़ी में ही दिखाती है, उसके असल वक़्त मे नहीं क्योंकि रौशनी की मौजूदा चाल के रहते ऐसा होना मुमकिन ही नहीं है। इसलिए भले ही हम यक़ीन करें या न करें मगर जिस वक़्त भी हम किसी आसमानी आशिया (चाँद और हमारी ज़मीन को छोड़कर) को

देख रहे होते हैं तब दरहक़ीक़त वोह उस जगह से काफी आगे बढ़ चुकी होती है जहाँ वोह हमें इस वक़्त दिखाई दे रही है। कुदरत का यह क़ानून इतना बेजोड़ है कि इस पर फ़ौरन यक़ीन नहीं किया जा सकता लेकिन इसे ग़लत साबित करना भी नामुमकिन ही है।

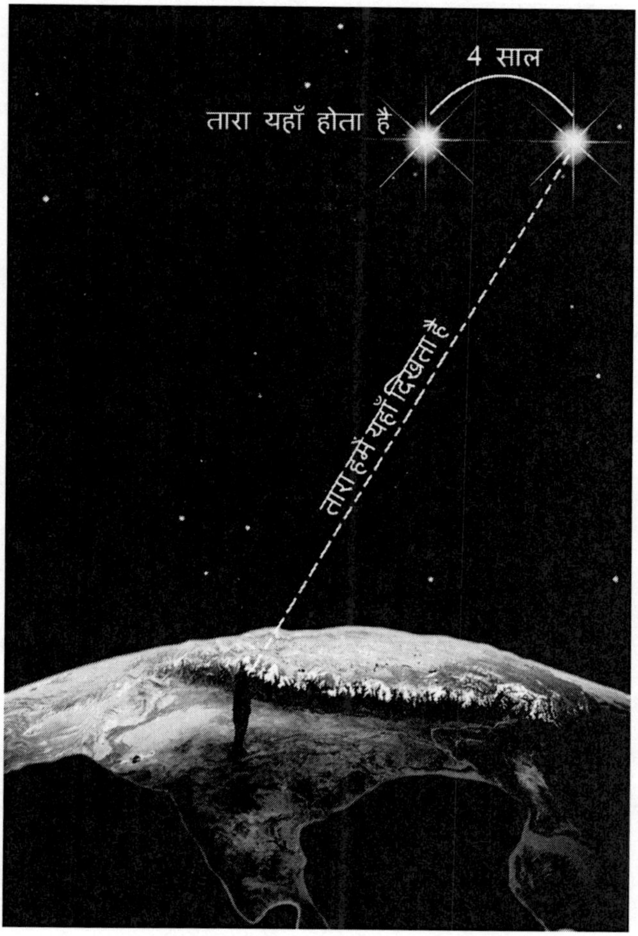

इस तस्वीर के ज़रिए यहाँ यह समझाने की कोशिश की गई है कि सितारे की रौशनी जिस मुक़ाम से भी हमारी जानिब बढ़ती है सितारा हमें उसी जगह दिखाई देता है जबकि इस तवील मुद्दत में सितारा अपनी जगह पहले ही बदल चुका होता है और वहाँ नहीं होता जहाँ दिखाई दे रहा है।

इल्म-ए-नुजूम के मुत्तालिक इस तमाम ताबियाती पहलू को जान लेने के बाद आइए अब इसके मज़हबी पहलू पर भी ग़ौर करें। भले ही दीन-ए-इस्लाम इल्म-ए-नुजूम को एक ग़ैर-मन्तक़ी इल्म के तौर पर देखता हो मगर दीगर ग़ैर-इस्लामी मज़ाहिब जो इल्म-ए-नुजूम को एक क़ाबिल-ए-यक़ीन इल्म के तौर पर क़ुबूल करते हैं उन सभी का किसी न किसी ख़ुदा के मौजूद होने पर तो एक गहरा यक़ीन होता है मगर वोह इस बात पर कोई तवज्जो नहीं देते कि उसी ख़ुदा ने इस कायनात को वैसा ही तामीर किया है जैसा की तमाम रियाज़ियाती और ताबियाती क़वानीन-ओ-उसूल बताते हैं। ऐसे में अगर रियाज़ियाती और ताबियाती क़वानीन को कुछ देर के लिए नज़रअंदाज़ कर भी दिया जाए तो भी इतना तय है कि हम जिस ख़ुदा पर भी यक़ीन रखते हैं वोह हमें अपनी कायनात की किसी भी शय को (सिवाए इस दुनिया में होने वाले हादसात के) उसके असल वक़्त में नहीं दिखाता बल्कि वोह हमें बस वही दिखाता है जो कायनात में पहले ही हो चुका होता है। यानी उसकी कुदरत हमें सिर्फ इस कायनात के माज़ी को ही देखते रहने तक महदूद करती है, उसका फाल-ए-हाल (Present) या मुस्तक़बिल (Future) देखने के लिए नहीं। ऐसे में इंसान का अपने मुस्तक़बिल को तारों-सितारों और सय्यारों की चाल से जोड़ कर देखना महज़ एक तखील (Imagination) ही हो सकता है कोई यक़ीन नहीं क्योंकि इल्म-ए-नुजूम कायनात से जुड़े उन तमाम ताबियाती पहलुओं से हमेशा ही लाताल्लुक़ रहता आया है जिनका हमने अभी ज़िक्र किया। और इसलिए यह कहना बिलकुल दुरुस्त है कि तारों-सितारों से जुड़े इन पहलूओं पर ग़ौर किए बग़ैर इंसान के मुस्तक़बिल से जुड़ा कोई भी नतीजा निकालना बेमानी है क्योंकि अगर इंसान के मुस्तक़बिल को इल्म-ए-नुजूम से जुड़ा हुआ मान भी लिया जाए तो भी इसके तकनीकी पहलूओं और तारा-सनार्श के रियाज़ियाती पहलूओं को जोड़े बग़ैर कोई भी नतीजा अक्स करना एक नादानी हो है।

इल्म-ए-नुजूम के मुताल्लिक़ यह तमाम वज़ाहत (Explanation) साबित करती है कि भले ही हर इंसान कुछ ऐसे फ़लसफ़ों पर यक़ीन रखता हो जो उसे अपने तमाम वुजूद में सही और सालिम (Intact) नज़र आते हैं लेकिन अगर उन्होंने किसी हक़ीक़ी इल्मी तजज़िये से गुज़रकर अपनी तक़मील (Completion) नहीं पाई है तो वो चाहे जितने भी सच्चे नज़र आए असल में झूठ या तोहम-परस्ती (Superstitions) ही होते हैं। हदतां कि दीन-ए-इस्लाम भी इस तजज़िये से बाहर नहीं हैं। यह तमाम वज़ाहत यह भी साबित करती है कि चाहे हम किसी शय या किसी अमल को सदियों से अपने यक़ीन या अपने अक़ीदे का एक ज़रूरी हिस्सा तस्लीम करते आ रहें हो लेकिन अगर आज कोई मन्तक़ी इल्मी तजज़िया हमारे उस यक़ीन को ग़लत साबित कर रहा है तब या तो हमें उसके जवाब में कोई ठोस इल्मी दलील रखनी चाहिए या फ़िर उसे क़ुबूल कर लेना चाहिए क्योंकि ऐसा न करके हम उस ख़ुदा को ही सवालों के घेरे में ले आते हैं जिसने हमारे सबसे गहरे यक़ीन में कायनात की हर शय को एक दक़ीक़ कारीगरी (Fine Art) के ज़रिए खल्क़ किया है। ऐसा करना इसलिए भी ज़ुरूरी है क्योंकि चाहे हम माने या न माने मगर दुनिया में इल्म आहिस्ता-आहिस्ता और लगातार बढ़ता रहता है और उसका यूँ बढ़ना हमेशा ही उन अक़ीदों के साथ टकराता रहता है जिनकी कोई मन्तक़ी वज़ाहत मौजूद नहीं होती। और इस तरह इल्म हर दौर में खुद को हक़ साबित करता चलता है। यानि अगर हमारा कोई यक़ीन किसी बातिल वुजूद के सहारे खड़ा है तो यह तय है कि इल्म के हाथों उसे देर सवेर फ़ना होना ही है, फिर भले ही यह बात हमें कितनी ही नागवार क्यों न गुज़रे। इसलिए वोह एक बात जिसका यक़ीन हम सबसे पहले कर सकते हैं यह है कि जिस तरह हिन्दू मज़हब की बुनियाद **मर्क़बाई (Meditation)** उसूलों पर और ईसाईयत की बुनियाद **रहम (Mercy)** के उसूलों पर है ठीक उसी तरह दीन-ए-इस्लाम की बुनियाद **अदल (Justice)** पर है। इसलिए दीन-ए-इस्लाम के मानने वाले किसी भी शख़्स के

यक़ीन की बुनियाद हक़ीक़त, सच्चाई और मन्तक़ (Logics) पर ही होनी चाहिए क्योंकि सिर्फ तब ही अदल-ओ-इन्साफ के तक़ाज़ों को तकमील दी जा सकती है। जो लोग यह तसहीर (Propagate) करते हैं कि दीन-ए-इस्लाम की बुनियाद **सुकून (Peace)** पर है दरअसल वो दिफ़ाई (Defensive) तौर पर इस नामुकम्मल दलील का सहारा लेते हैं, क्योंकि ज़रा सा ग़ौर करते ही हम जान लेंगे कि सुकून क़ायम करना दरअसल अदल-ओ-इन्साफ क़ायम किए बिना मुमकिन ही नहीं है और हक़ीक़तन अदल-ओ-इन्साफ ही सुकून की बुनियाद है।

आइए, अब वापस अपनी उसी बात की तरफ लौटते हैं जहां हम यह जानने की कोशिश कर रहें हैं कि क्या हमारी इबादतें और हमारा यक़ीन दोनों ही दुरुस्त हैं या इनमें कुछ ऐसा है जिसे हमने नज़रअंदाज़ कर दिया है? हालाँकि इस सवाल का ताल्लुक़ इबादती क़वानीन या आदाब-ए-इबादत से नहीं है क्योंकि यह सब तो दीन-ए-इस्लाम की मुख़्तलिफ़ किताबों मे पूरी वज़ाहत के साथ पहले से ही दर्ज हैं अल्बत्ता इसका ताल्लुक़ उन यक़ीनों और अक़ीदों से है जिन्हें या तो हम बिना तशख़ीस और तजज़िये की कसौटियों पर परखे ही इबादतों में शुमार कर लेते हैं या फिर उन्हें कभी इबादत क़ुबूल ही नहीं करते। मिसाल के तौर पर दीन-ए-इस्लाम के हवाले से देखा जाए तो हम पाएंगे कि नमाज़, रोज़ा और हज दुनिया के तमाम मुसलमानों के लिए तीन बड़ी इबादतें हैं जिनकी तज़दीक़ क़ुरान की मुख़्तलिफ़ आयातें मुख़्तलिफ़ मक़ामात पर करती हैं और जो बेशक दीन-ए-इस्लाम के मानने वाले हर एक शख़्स के यक़ीन का एक अहमतरीन हिस्सा है, मगर हम इस बात पर कभी तजज़िया नहीं करते कि महज़ इन्हें ही अपने ख़ुदा की वाहिद इबादत समझना दरअसल ख़ुदा की लामहदूदी की दायराबंदी करना है। यह दायराबंदी इसलिए है क्योंकि अगर अल्लाह हक़ीक़तन उस लामहदूद कायनात का ख़ालिक़ हैं जिसकी सरहदों से हम आज भी नावाक़िफ़ हैं, जिसने इस कायनात में उन अरबों अरब सितारों (जिनमें से हर एक हमारी इस ज़मीन से लाखों गुना बड़ा है) और दीगर

आसमानी आशियाओं को पैदा किया है और अगर वही अल्लाह उन तमाम ताबियाती और कीमियाई (Physics & Chemistry) उसूलों का भी ख़ालिक़ है जो इस तमाम कायनात के ज़र्रे-ज़र्रे का वुजूद क़ायम रखे हुए हैं तो यक़ीन मानिए, फिर हमारी महज़ 70-80 साला ज़िन्दगी की तमाम इबादतें भी उस ख़ुदा की परस्तिश करने का हक़ अदा नहीं कर सकती क्योंकि तब वो इस कायनात के कुल दायरे, कुल हुजूम और कुल वक़्त के वसी फ़ैलाव में जैसे कहीं मौजूद ही नहीं होंगी। और अगर हम फिर भी यही मान रहें हैं कि महज़ यहीं तीन इबादतें अल्लाह की परस्तिश करने का मुकम्मल हक़ अदा करती हैं तो ऐसे में हमारे लिए उस इल्म की अहमियत ही ख़त्म हो जाती है जिसकी यह ज़िम्मेदारी है कि वोह मारिफ़त-ए-ख़ुदा से जुड़े तमाम पहलूओं को हम पर ज़ाहिर करें क्योंकि हक़ीक़तन हमें ख़ुदा की मज़हबी मारिफ़त या मज़हबी वज़ाहत के सिवाए अब किसी दुसरी वज़ाहत की ज़ुरूरत ही नहीं है। इस तरह हम उस ख़ुदा की हदबंदी या दयराबंदी कर देते हैं जिसे किसी दायरे में क़ैद किया ही नहीं जा सकता और यूँ हम उसके वुजूद के साथ नाइंसाफी कर बैठते हैं जिसका हममें से ज़्यादातर लोगों को अहसास भी नहीं हो पाता। इसकी एक वजह यह भी है कि हम क्योंकि अल्लाह को इल्म के उन हवालों के ज़रिए से समझने की कोशिश नहीं करते जिन्हें दुनिया के अनगिनत आलिमों, साईंस्दानों और फ़लसफ़ियों ने मुख़्तलिफ़ ऊलूम के ज़रिए से दरयाफ्त (Discover) किया है, लिहाज़ा हम उसे लामहदूद मानने के बावजूद भी इबादती ऐतबार से महदूद समझने की ग़लती करते हैं। हम शायद कभी यह सोच ही नहीं पाते हैं कि हमें (जिन्हें ख़ुदा ने दिमाग़ जैसी अपनी सबसे अज़ीम ख़िलक़त से नवाज़ा है) ज़ाती तौर पर उस अल्लाह को और उसकी इबादतों को उतने ही वसीह (Broad) नज़रिए से देखना चाहिए जितना वसीह खुद उसका वुजूद या उसकी बनाई हुई यह कायनात है। क्योंकि अगर इबादत खुद को अपने ख़ुदा की बारगाह में मग़लूब (Surrender) कर देने और उसकी अता पर उसका शुक्र अदा करने का

नाम है तो इसमें कोई शक नहीं कि हमारे इल्म में उसकी अता का फ़ैलाव जितना तवील होगा हमारी इबादतों में भी उतनी ही गहराईयाँ शामिल होती जाएगी और उनका दायरा भी तवील होता जाएगा। और यूँ हमारे अमल और हमारी इबादतें लगातार अपना फ़ैलाव बढ़ाती रहेंगी।

कोई भी इबादत करते वक़्त जो एक बात दीन-ए-इस्लाम के मानने वाले किसी भी शख़्स को अपने ज़हन में रखनी चाहिए वोह यह है कि उस अल्लाह ने, जिसे हर मुस्लमान अपना वाहिद माबूद (Absolute God) क़ुबूल करता है, क़ुरान और मुहम्मद[(रज़ि)] के ज़रिए खुद यह ख़ुआहिश ज़ाहिर की है कि वोह पहचाना जाए, लिहाज़ा उसकी इस खुआहिश को पूरा करना भी दीन-ए-इस्लाम के मानने वाले लोगों का एक इबादती फ़रीज़ा (Duty) होना चाहिए। हालाँकि उसकी इस खुआहिश से मुराद उसके अक्स या उसकी शक्ल से क़तई नहीं है क्योंकि ऐसा करना यक़ीनन उसकी तौहीद के खिलाफ एक शिर्क है। इसलिए उसकी इस खुआहिश से मुराद सिवाए इसके और क्या हो सकती है कि वोह चाहता है कि हम उसकी कुदरत और उसके पैदाकरदां इल्म को पहचाने क्योंकि यही उसकी पहचान का सही वसीला है? इसे दुसरे लव्ज़ों में कहे तो इससे मुराद सिर्फ इतनी ही होनी चाहिए कि इंसान मुख़्तलिफ़ ऊलूम के ज़रिए अल्लाह की तस्दीक़ करता जाए और हर नई तस्दीक़ के बाइस सजदा-ए-शुक्र अदा करता रहे। ऐसा करने से न सिर्फ उसके इल्म में इज़ाफ़ा होगा बल्कि इसके नतीजे में उसकी ज़िन्दगी भी पहले से बेहतर होती जाएगी और उसकी इबादतें भी अपनी तकमील पाती रहेंगी। और यूँ वोह अपने लिए इबादतों के एक ऐसे सिलसिले का आग़ाज़ करेगा जो अबदी (Eternal) भी होगा और लामहदूद भी।

मज़हबी रहनुमा

दायरा-ए-दीन का तीसरा सबसे ज़ुरूरी अवामिल वो कुछ लोग हैं जिन्हें मुहम्मद(रज़ि) के बाद दीन-ए-इस्लाम के मानने वालों ने अपने मज़हबी और सियासी रहनुमाओं के तौर पर क़ुबूल किया और जिन्होंने बाद-ए-रसूल दीन-ए-इस्लाम के अलग-अलग फ़िरक़ों और अलग-अलग गिरोहों की नुमाइंदगी की। यूँ तो दीन-ए-इस्लाम मुहम्मद सल्ल अल्लाहु आलिही वसल्लम के सिवाए किसी और को यह इख़्तियार अता नहीं करता कि वोह दीन-ए-इस्लाम के सिलसिले में अपनी तरफ से कोई तशरीह, कोई फ़ैसला या कोई नतीजा अक्स करके उसे दीन-ए-इस्लाम का हिस्सा ठहराने की कोशिश करे मगर इस्लाम इस बात की इजाज़त देता है कि मुसलमानों के पास एक मज़हबी रहनुमा होना चाहिए [4:59] जिसका इक़्तिदार-ओ-इख़्तियार सभी दीन-ए-इस्लाम के मानने वाले लोगों को क़ुबूल हो। इसके चलते ही दीन-ए-इस्लाम के मानने वाले सभी लोगों ने मुहम्मद(रज़ि) के बाद उनके घर वालों और उनके साथियों का एक जैसा एहतराम किया और मुसलमानों के अलग-अलग गिरोहों ने मुहम्मद(रज़ि) के अलग-अलग साथियों को अपना-अपना रहनुमा बनाया। एक तरफ जहां एक इस्लामी गिरोह ने जम्हूरियत या इन्तख़ाबात (Elections) के ज़रिए से अपने लिए रहनुमा चुने तो दुसरी तरफ एक अलग गिरोह ने मुहम्मद(रज़ि) के साथ कराबतदारी (Relationship) की बुनियाद पर अपने रहनुमाओं का इन्तख़ाब किया। और यूँ इस्लाम में फ़िरक़ावारियत का आग़ाज़ हुआ जिसके बाइस मुसलमान मुसलसल अलग-अलग फ़िरक़ों (Groups) में बटते चले गए।

देखा जाए तो दीन-ए-इस्लाम में उन लोगों की फहरिस्त बहुत लम्बी है जिनके आमाल की बतौर मुसलमान हम सभी को नक़ल करनी चाहिए या जिनके बताए तरीक़ों पर हमें अमल करना चाहिए। लेकिन एक ख़ास वक़्त के बाद और अगल-अलग इस्लामी फ़िरक़ों के अलग-अलग बुनियादी अक़ीदों के बाइस किसी ख़ास रहनुमा के आ जाने के बाद यह फहरिस्त ठहर जाती है। तहक़ीक़ करने पर हम पाएंगे कि इस फहरिस्त में सबसे पहले तो ख़ुदा के भेजे हुए 1 लाख 24 हज़ार

पैग़ंबर-ओ-रसूल आते हैं जो यक़ीनन अपने आप में ही दुनिया के हर इंसान के लिए मिसाली हैं। इसके बाद उन पैग़ंबरों और रसूलों के वो साथी हैं जिन्हें किसी ख़ास गिरोह की नुमाइंदगी के लिए कोई कुदरती इख़्तियार हासिल है (मिसाल के तौर पर पैग़ंबर मूसा के भाई हारुन)। इसके बाद दीन-ए-इस्लाम के पैग़बर मुहम्मद(रज़ि) है जिनका रुतबा और हैसियत अपने से पहले के भी सभी पैग़बरों या नबियों से बड़ा है। और सबसे आखिर में मुहम्मद(रज़ि) के अपने घरवाले और वो अनगिनत साथी हैं जिनकी अनगिनत मिसालों को हम सभी दीन-ए-इस्लाम के मानने वाले नक़ल करने की कोशिश करते हैं ताकि हम भी उस कैफ़र-ए-कमाल तक रसाई हासिल कर सकें जो हमारे रसूल के करबातदारों और उनके हज़ारों साथियों को हासिल थी।

दीन-ए-इस्लाम के ज़्यादातर फ़िरक़े मुहम्मद सल अल्लाहु आलेही वसल्लम के बाद जिन लोगों को अपना रहनुमा क़ुबूल करते हैं उनमें से ज़्यादातर मुहम्मद(रज़ि) के वो सहाबी (Friends/Followers) हैं जिन्होंने अपनी दीनी ज़िन्दगी का एक बड़ा हिस्सा मुहम्मद(रज़ि) के साथ गुज़ारा। बाद-ए-रसूल इन्ही में से कुछ लोगों को मुसलमानों की एक बड़ी तादात ने मुहम्मद(रज़ि) का ख़लीफ़ा क़ुबूल किया और उन्हीं के इक़्तिदार को दीन-ए-इस्लाम और हुकूमती इंतिज़ाम के हवाले से हतमी (Final) माना जिसके चलते दीन-ए-इस्लाम में ख़लीफ़ा-ए-राशिदून के सिलसिले का आग़ाज़ हुआ। ख़लीफ़ा-ए-राशिदून का सिलसिला यूँ तो रसूल-ए-ख़ुदा के दामाद, उनके साथी और उनके सहाबी अली इब्न अबी तालिब(रज़ि) की ख़िलाफ़त के साथ ही खत्म हो गया लेकिन खित्ता-ए-अरब (Arabian Peninsula) की इस्लामी हुकूमत में ख़िलाफ़त का सिलसिला इसके बाद भी जारी रहा जिसके इक़्तिदार-ओ-इख़्तियार को ज़्यादातर मुसलमानों ने क़ुबूल किया। दीन-ए-इस्लाम का एक छोटा गिरोह ऐसा भी रहा जिसने ख़लीफ़ा-ए-राशिदून के इस फ़लसफ़े को कभी भी ऐन इस्लामी तस्लीम नहीं किया क्योंकि उनके मुताबिक़ इस इक़्तिदार पर पहला हक़ मुहम्मद(रज़ि) के कराबतदारों (Close Relatives)

का था। लेकिन जब अली इब्न अबी तालिब(रज़ि) इस सिलसिले का एक हिस्सा हुए और उन्होंने सरज़मीन-ए-अरब का ख़लीफ़ा होना क़ुबूल किया तो इस छोटे से गिरोह ने भी अली(रज़ि) के हुकुमती इक़्तिदार को कुबूल किया, और यूँ थोड़े देर के लिए ही सही लेकिन इस्लामी हुकूमत में एक ऐसा दौर भी आया जब दीन-ए-इस्लाम के मानने वाले ज़्यादातर गिरोह या फ़िरक़े किसी एक हुकूमत के इक़्तिदारी इख़्तियार के हवाले से एक ही प्लेटफार्म पर आ गए। हालाँकि उनका यह ताव्वुन (Cooperation) ज़्यादा देर तक क़ायम न रह सका क्योंकि अली इब्न अबी तालिब(रज़ि) के दौर-ए-ख़िलाफ़त में ही इस्लामी मुआशरे में खाना-जंगी (Civil-War) का आग़ाज़ हुआ जिसके बाद इस्लाम के तमाम फ़िरक़े फिर कभी एक न रह सके।

दीन-ए-इस्लाम का यूँ अलग-अलग गिरोहों में बट जाना दरअसल दो ख़ास वजहों से रहा। इसकी पहली वजह हुकुमती इक़्तिदार के हवाले से थी तो दुसरी वजह इस्लाम के अलग अलग फिरकों के निज़ाम-ए-अक़ीदे (School of Thought) का एक दुसरे से अलग हो जाना था। और इन दोनों वजहों के चलते ही दीन-ए-इस्लाम मज़ीद और भी कई फ़िरक़ों में बंटता चला गया। इस किताब का मक़सद यहाँ दीन-ए-इस्लाम के मुख़्तलिफ़ निज़ाम-ए-अक़ीदों के हवाले से कोई भी ऐसी कोशिश करना नहीं है जहाँ किसी एक फ़िरक़े या एक गिरोह को सही या ग़लत साबित किया जाए बल्कि इसका मक़सद इन फ़िरक़ों और गिरोहों के बीच मौजूद उन पहलूओं को उजागर करना है जिनके ज़रिए तमाम दीन-ए-इस्लाम के मानने वालों को फिर से एक ही प्लेटफार्म पर इकट्ठा किया जा सके।

इस सिलसिले में जो पहली दलील दी जा सकती है वोह क़ुरान मजीद की उस आयत से है जो हमसे यह मतालबा करती है कि जब भी दो लोगों या दो गिरोहों के बीच किसी बात को लेकर कोई इख़्तिलाफ़ (Dispute) हो तो सबसे पहले वो उन बातों की तरफ रुख करें जो उन दोनों ही में यक़्सा (Common) हैं[3:64]। बहुत

मुमकिन है कि हममें से ज़्यादातर लोगों ने इस आयत की दीनी वज़ाहत सुनी हो लेकिन यक़ीनन हममें से ज़्यादातर लोग इसकी साईंसिया वज़ाहत से नावाक़िफ़ हैं। लिहाज़ा यहाँ पर हम इस आयत की एक साईंसिया, फ़लसफ़ियाना और मन्तक़ी वज़ाहद पेश करने की कोशिश करेंगे ताकि हम उन इख़्तेलाफ़ात के साथ ख़िताब कर सकें जो दीन-ए-इस्लाम के मानने वाले मुख़्तलिफ़ फ़िरक़ों के बीच तक़सीन की वजह हैं।

अगर हम दीन-ए-इस्लाम के मुख़्तलिफ़ फ़िरक़ों के बीच उन अवामिल की बात करें जो दीन के अंदर मौजूद हैं और सभी फ़िरक़ों में यक़सा हैं तो ये बिलाशुबह: अल्लाह, मुहम्मद(रज़ि) और कुरान ही हैं, जबकि अगर हम दीन के बाहर मौजूद किसी अवामिल को ढूंढने निकलें तो वोह सिर्फ "इल्म" है।

अल्लाह के मुताल्लिक़ हमने जो कुछ भी इस बाब (Chapter) में पढ़ा और जाना है अगर उसे किसी रियाज़ियाती अलामत (Symbol) के तौर पर लिखें तो वोह यह होगा;

अल्लाह = ∞ (लामहदूद, Infinity)*

इसके बाद जो दुसरी शय हमारे इस फ़लसफ़े को मानी देगी वोह क़ुरान है जिसकी एक आयत और उसकी मुख़्तलिफ़ तफ़्सीरें हमें बताती हैं कि अल्लाह ने आदम के वुजूद में खुद अपना इल्म दाखिल किया[2:31,32,33], जिसके इल्मी मानी ये हैं कि इंसान का वुजूद दरअसल एक लामहदूद ख़ुदा या उसके इल्म का एक जुज़ है यानि उसका हिस्सा है। अगर इन आयात को हम अपने इस फ़लसफ़े की बुनियाद बनाए तो रियाज़ियाती अलामत के तौर पर इंसान को भी ऐसे ही लिखेंगे कि

इंसान = ∞

* ∞, *अंग्रेजी में इस अलामत (Symbol) का मतलब है infinity यानि लामहदूद*

हो सकता है कि यह बयान हमें एक ग़ैर-मन्तक़ी और नाजायज़ बयान लगे मगर हक़ीक़तन किसी लामहदूद वुजूद के जुज़ का लामहदूद होना भी रियाज़ियाती और मज़हबी दोनों ऐतबारों से एक फतरी बात है और इसमें कुछ भी नाजायज़ या ग़ैर-इस्लामी नहीं। अलबत्ता यह नामुमकिन है कि किसी वुजूद का जुज़ भी खुद उसी वुजूद के बराबर हो इसलिए हमें इसे कुछ इस तरह भी लिखना होगा जिससे हम खुद को अल्लाह के बराबर समझने की ग़लती न कर बैठे। लिहाज़ा हम इसे कुछ इस तरह लिखेंगे....

अल्लाह $= \infty \neq$ **इंसान** $= \infty$**

इस बयान से जो एक बात साफ तौर पर निकल कर सामने आती है वोह यह है कि कोई इंसान अपने यक़ीन, मज़हब, इल्म या अक़ीदे के हवाले से चाहे किसी भी अमल की पैरवी करता हो लेकिन हम उसके इल्म-ए-ख़ुदा से आरास्ता: होने, उसके जुज़-ए-ख़ुदा और लामहदूद होने का इंकार नहीं कर सकते क्योंकि क़ुरान ऐसा कह रहा है। लिहाज़ा इस सतह पर क़ुरान-ए-मजीद की इस आयत को जवाज़ देते हुए दुनिया के सभी इंसान यक़सा हैं भले ही फिर उनका मज़हब या फ़िरक़ा कोई भी हो।

अब यहाँ हमें एक तीसरी शय को भी शामिल करना होगा जिसे अल्लाह अपनी फ़ितरत बताता है और जो बिलाशुबह: अल्लाह का एक अलग जुज़ और उसी की तरह लामहदूद है। वोह शय दीन है, जिसे हम फिर से उसी तरह लिखेंगे कि

दीन $= \infty$

लेकिन फिर भी

अल्लाह $= \infty \neq$ **दीन** $= \infty$

*** ≠, अंग्रेजी में इस अलामत (Symbol) का मतलब है not equal to यानि दोनों शय बराबर नहीं हैं*

दीन कोई ज़िंदा शय नहीं बल्कि इंसान के लिए एक दस्तूर-ए-अमल (Constitution) है क़ुरान जिसके मुक़म्मल होने का ऐलान करता है[5:3] और इसे अल्लाह की जानिब से वोह अज़ीम मर्तबा भी अता करता है जो इसके बाद क़िसी दुसरी शय को अता नहीं किया गया। हमारे लिए इसमें जो सबसे बुनियादी और अहम् तजज़ियाई पहलू है वोह यह है कि हमें किसी मुकम्मल शय के मुताल्लिक़ क़ुरान की शक्ल में एक ऐसे फ़ार्मूले का इल्म दे दिया गया है जो अब उसे तमाम तरह के शुबहात (Doubts) और तनक़ीद से पाक रखेगा। ठीक उसी तरह जैसे कोई रियाज़ियाती फ़ार्मूला किसी तादात के मानी तय करता है और ये मानी कायनात में हर मकाम पर हमेशा एक जैसे ही बने रहते हैं। साथ-ही-साथ वोह इंसान को भी **अशरफ़ुल मख्लूक़** कहकर एक ऐसा मर्तबा अता करता है जिसे फिर किसी और को मुन्तक़िल नहीं किया जा सकता, लिहाज़ा अगर दीन भी ख़ुदा की जानिब से एक मख्लूक़ है तो हम कह सकते है कि....

$$\textbf{अल्लाह} = \infty \neq \textbf{इंसान} = \infty \neq \textbf{दीन} = \infty$$

लेकिन

$$\textbf{अल्लाह} = \infty > \textbf{इंसान} = \infty > \textbf{दीन} = \infty$$

यानि जिस दीन को हम मख्लूक़-ए-अज़ीम मान रहे हैं वोह खुद "हमारे" सबसे अफ़ज़ल होने का ऐलान कर रहा है। और क्योंकि अल्लाह ने दीन को अपनी फितरत बताया है लिहाज़ा उसकी फितरत (दीन) को समझने के लिए हमें उसकी कायनात की फितरत को समझना होगा। जबकि इसमें कोई शक नहीं कि जो कायनात की फितरत को समझ सके दरअसल वही मख्लूक़-ए-अफ़ज़ल है।

अल्लाह, दीन-ए-इस्लाम और इंसान के वुजूद की यह एक ऐसी सच्चाई है कि जिसके चलते दीन-ए-इस्लाम के मानने वाले सभी लोगों को एक ही तरह के यक़ीनों, अक़ीदों और फ़लसफ़ों का हामी होना चाहिए। और अगर वो अपने दीन के हवाले से एक ही सतह पर या यूँ कहें कि यकसां नहीं हैं तो फिर इस तक़सीम और इस फ़िरक़ावारियात की असल वजह ढूँढी जानी चाहिए।

अगर आप दीन-ए-इस्लाम के किसी भी फ़िरक़े के मज़हबी आलिमों से उनके अक़ीदों और उनके यक़ीनों के मुताल्लिक़ बात करेंगे तो बहुत मुमकिन है कि वो आपको अपने-अपने अक़ीदों और यक़ीनों के हवाले से यह मानने के लिए मजबूर कर दें कि उनका अक़ीदा या उनका यक़ीन क़ुरान और सुन्नत-ए-रसूल की बुनियाद पर है न की उनके ज़ाती यक़ीनों या तअस्सुब की बुनियाद पर। हवालों के तौर पर वो आपके सामने उन तमाम आयतों और हदीसों को भी पेश कर देंगे जो उनके यक़ीन की पैरवी करती हैं और उसे एक मन्तक़ी जवाज़ देती हैं। ठीक इसी तरह जब अपने अक़ीदों और यक़ीनों को साबित करने की आपकी बारी आएगी तो आप भी बिलकुल यही करेंगे। बावजूद इसके न ही आप खुद और न ही वो किसी एक नुक़्ते पर आकर एक दुसरे की तस्दीक़ कर पाएंगे क्योंकि आप दोनों के ही निज़ाम-ए-अक़ीदे एक दुसरे से अलग हैं। लिहाज़ा यह न ख़त्म होने वाली अलहदगी (Division) लगातार चलती रहती है जैसा की यह पिछले करीब 1400 सालों से चलती चली आ रही है। और तो और इस सिलसिले में हम हरगिज़ यह भी नहीं कह सकते हैं कि ये तमाम अलहदगी, इख़्तेलाफ़ या तक़सीम खुद क़ुरानी आयतों के बाइस है क्योंकि महज़ इतना कहते ही खुद हमारे लिए क़ुरान और दीन-ए-इस्लाम दोनों की ही क़द्र-ओ-मन्ज़िलत ढह जाएगी क्योंकि क़ुरान पहले ही दीन के मुक़म्मल होने का ऐलान कर चुका है। लिहाज़ा दीन-ए-इस्लाम में पेवस्त इस तमाम तक़सीम और फ़िरक़ावारियात के हवाले से हम जब भी बात करते हैं तो हर बार हम एक ऐसे मक़ाम पर वापस लौट आते हैं जहाँ से हमें फिर कोई और रास्ता

दिखाई नहीं देता और हम इसकी सारी ज़िम्मेदारी क़ुरानी आयात की तफ़्सीर पेश करने वालों, उनके मानी बताने और समझाने के मौजूदा निज़ाम और उन लोगों पर मुन्तक़िल कर देते हैं जिन्हें बाद-ए-रसूल दीन-ए-इस्लाम के मानने वाले लोगों ने अपना-अपना रहनुमा क़ुबूल किया।

इस तक़सीम और फ़िरक़ावारियात को ख़त्म करने के सिलसिले में वैसे तो मज़हबी आलिमों ने कई सतहों पर कई कोशिशें की हैं और आज भी कहीं न कहीं कर रहे हैं लेकिन इस मसले को सुलझाने के लिए इल्मी तौर पर क्या कोशिशें की गई हैं उसका हमें मुकम्मल इल्म नहीं है। लिहाज़ा इन मसलों पर यहाँ जो कुछ भी बयान किया जा रहा है वोह हमारी ज़ाती राय है जिसमें यक़ीनन ग़लती और इस्लाह के इमकान मौजूद हैं।

अगर हम उस अमलिये (System) पर ग़ौर-ओ-फ़िक्र करें जिसके ज़रिए दीन-ए-इस्लाम के मानने वालों ने हदीसों को इकठ्ठा किया और क़ुरानी आयतों की तशरीह पेश की तो हम पाएंगे कि यह काम ज़्यादातर उन लोगों के हाथों अंजाम दिया गया जो मज़हबी तौर पर तो यक़ीनन एक ऐसी सतह पर थे जहाँ उनको आलिम तस्लीम किया जाता था मगर इस बात के कोई सुबूत नहीं मिलते कि ये लोग रियाज़ियाती या साईंसिया तौर पर भी आलिम क़ुबूल किये जाते थे या नहीं। लिहाज़ा उनकी पेश की गई तमाम क़ुरानी तफ़सीलें और तशरीहें मज़हबी तौर पर चाहे जितनी भी क़ामिल और क़ाबिल-ए-एहतराम नज़र आये लेकिन अगर हम उनके ज़रिए तमाम दीन-ए-इस्लाम के मानने वालों को एक प्लेटफार्म तक नहीं ला सकें हैं तो ये सभी तफ़सीलें और तशरीहें यक़ीनन एक नज़र-ए-सानी की हामिल हैं और इन्हें भी साइंस और रियाज़ियात के तमाम उसूलों-ओ-क़वानीन की तरह ही क़ायम करने की ज़रूरत है।

अगर हमें इस बात का यक़ीन है कि दीन-ए-इस्लाम और क़ुरान-ए-मजीद भी उसी हक़ीक़ी ख़ुदा का पैदाकर्दा निज़ाम है जिसने इस कायनात को पैदा

किया है तो हमें यह मानना ही होगा की उसका बयानकरदा क़ुरान भी उन्हीं उसूलों के ज़रिए साबित किया जाएगा जिनके ज़रिए इस कायनात और इसके तमाम निज़ाम को साबित किया जाता है क्योंकि इस कायनात में सब कुछ उसूलों-ओ-क़वानीन के ज़रिए ही चल रहा है (Everything is governed by law)। और क्योंकि सब कुछ किन्हीं उसूलों-ओ-क़वानीन पर चल रहा है इसीलिए

सूरज दुनिया को ज़िंदा रख पाता है
आसमान से बारिश हो पाती है
कुदरत अपनी पैदाकरदां हर शय को दुबारा इस्तेमाल के क़ाबिल (Recycle) बना पाती है
हमारी छत से लगा पंखा घूम पाता है
तय्यारें हवा में बने रहते पाते हैं
दवाएं जिस्म के अंदर अपना काम कर पाती हैं
दूर बैठे लोग आपस में बात कर पाते हैं
तस्वीरें सफ़र कर पाती हैं

ऐसे में जिस तरह हमने इस कायनात की ताबियाती और रियाज़ियाती क़द्रे दरयाफ़्त की हैं जो अपने उसूल कभी नहीं बदलती और अपने दायरों में रहते हुए ही अपने काम में लगी रहती हैं, उसी तरह हमें क़ुरान की आयतों से ताल्लुक़ रखने वाले उसूलों, फ़लसफ़ों और उन सबसे आख़री क़द्रों को भी दरयाफ़त करना चाहिए जो क़ुरानी की आयतों को एक नाक़ाबिल-ए-तब्दील साईंसिया वज़ाहत (Explanation) दे सकें ताकि उनकी क़द्रों को क़ामिल किया जा सके और उन अलग-अलग तफ़्सीलों से हमें निजाद मिल सकें जो दीन-ए-इस्लाम के मानने वालों के बीच तकसीम की बाइस हैं। हमें याद रखना चाहिए कि जिस शय को अपनी

वज़ाहत इल्म के ज़रिए से हासिल होती है फिर उसमें इख़्तिलाफ़ की सभी गुंजाइशों का ख़ात्मा हो जाता है। लिहाज़ा जब तक हम ऐसा नहीं करते तब तक दीन-ए-इस्लाम के मानने वाले तमाम अफ़राद एक सतह पर नहीं आ सकते। यानि इस सिलसिले में भी आख़री रास्ता वही है जिसे हमने इस किताब के अव्वल बाब में समझा था।

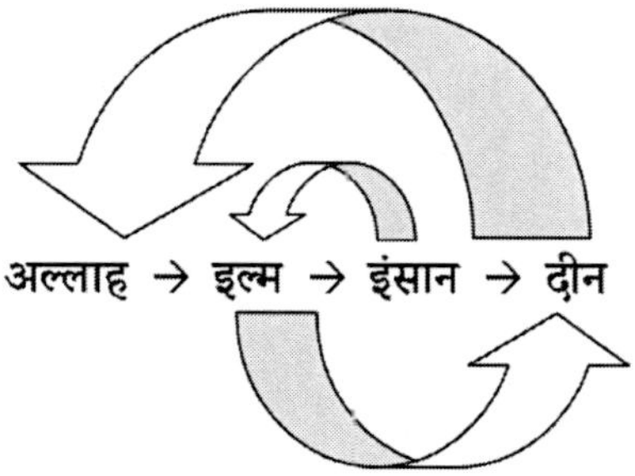

यक़ीन मानिए, दीन के सिलसिले में अगर हम आज भी खुद को क़ामिलियत (Perfection) के मुक़ाम पर नहीं पाते हैं तो इसकी सबसे बड़ी वजह हमारे वो ज़ाती यक़ीन ही हैं जो किन्हीं फार्मूलों के तहत काम नहीं करते बल्कि उन अक़ीदों या उन दायरों के तहत काम करते हैं जिन्हें कुदरत के मुक़र्रर और सालिम क़वानीन के ज़रिए से साबित नहीं किया जा सका है। मिसाल के तौर पर हम चाँद या सूरज गिरहन (Eclipse) को आज भी मुसीबत या ज़हमत का सबब समझते हैं जबकि हक़ीक़तन ये दोनों ही तक़रीबात (Events) चाँद और ज़मीन के अपने महवर (Axis) पर चक्कर लगाने और सूरज के गिर्द घूमने के बाइस एक दूसरे के सामने आने से रुनुमा होते हैं। ऐसी ही और अनगिनत ग़लतफ़हमियाँ हैं जो हमारे दीन में उन मुख़्तलिफ़ अमल-ओ-फैल को पैदा करती हैं जिन्हें हम अपने-अपने अक़ीदों की बुनियाद पर सही या ग़लत की तशरीह के अंदर डालते रहते हैं। जबकि

किसी अमल के मुताल्लिक़ ऐसा सिर्फ तभी किया सकता है जब पहले उसे इल्म के ज़रिए से साबित कर लिया जाए और फिर दीन के ज़रिए उसके हक़ या बातिल होने की तस्दीक़ की जाए। हक़ीक़तन यही किसी मज़हब या किसी दीन का असल काम है। हालाँकि यह बात हम तब तक क़ुबूल नहीं कर सकते जब तक हम यह क़ुबूल न करें कि मज़हब या दीन के दायरे के अंदर रहते हुए हमारा अमल हमेशा ही इसके इख़्तियार में होता है लेकिन हमारा दिमाग़ तब भी आज़ाद ही रहता है क्योंकि इंसान "अशरफ़ुल मख़्लूक़" अपने दिमाग़ के बाइस है न की उसे दिए गए दीन के बाइस। यही वजह है कि मज़हब या दीन को यह इख़्तियार नहीं कि वोह हमारे दिमाग़ को ही अपना ग़ुलाम बना ले क्योंकि तब इंसानी दिमाग़ की ख़िलक़त के मानी ही ढह जायेंगे। इंसानी दिमाग़ की ख़िलक़त की सबसे बड़ी वजह ख़ुद इल्म का भी ख़ुदा ही की तरह लामहदूद होना है और इसीलिए हम इल्म और ख़ुदा के ताल्लुक़ से नीचे लिखी इन सवालिया अलामतों को मज़हब के ज़रिए से सही या ग़लत साबित नहीं कर सकते कि

अल्लाह $= \infty \neq$ **इल्म** $= \infty$?

अल्लाह $= \infty =$ **इल्म** $= \infty$?

अल्लाह $= \infty \geq$ **इल्म** $= \infty$?

अल्लाह $= \infty \leq$ **इल्म** $= \infty$?

$\geq$, अंग्रेजी में इस निशान का मतलब है greater than or equal to यानि दोनों में से पहली शय दूसरी से बड़ी या उसके बराबर है

$\leq$, अंग्रेजी में इस निशान का मतलब है less than or equal to यानि दोनों में से पहली शय दूसरी से छोटी या उसके बराबर है

इन तमाम अलामतों की सही वज़ाहत सिर्फ इल्म ही कर सकता है। इसलिए जब तक ये सभी अलामतें अपनी सवालिया शक्ल में मौजूद रहेगी इंसानी दिमाग़ काम करता रहेगा और कभी किसी दूसरे निज़ाम के मातहत नहीं जाएगा, फ़िर भले ही वोह दीन हो या उस दीन के अलग-अलग फ़िरक़े हो। ग़नीमत यह है कि मुहम्मद(रज़ि) का वोह दीन जो उस क़ुरान से साबित होता है जो दीन-ए-इस्लाम के सभी फ़िरक़ों के लिए एक मुश्तर्का (Similar) कड़ी है ऐसी कोई कोशिश नहीं करता है। चुनांचे इंसान के लिए अपने ज़ाती अक़ीदे या फ़रक़े की अहमियत न के बराबर ही है क्योंकि ऐसे में वो सभी यक़ीन खुद-ब-खुद ही नमाज़ूर हो जाते हैं जो इंसान को महदूद दायरों में क़ैद करते हैं या इंसानों के बीच ख़ुदा की पहचान को फ़रोग़ देने की बनिज़बत दूरियाँ पैदा करते हैं। हमें इसे दीन से बग़ावत की शक्ल में नहीं बल्कि अपने ज़ाती यक़ीनों और अक़ीदों की तहारत (Purification) के तौर पर क़ुबूल करना चाहिए।

यहाँ से आगे बढ़ते हुए अब हमारे लिए यह समझना आसान है कि जो कुछ भी हमें अब तक मज़हब के नाम पर बताया या सिखाया गया है हम उस पर पूरी तरह यक़ीन करें या नहीं और जिन लोगों ने भी मुहम्मद(रज़ि) के बाद हमारी रहनुमाई की है हम उनके बताए फ़लसफ़ों पर एतमाद करें या नहीं। हालाँकि यह मुमकिन नहीं है कि इस्लामी फ़लसफ़ों और मज़हबी रहनुमाओं की बताई गईं तफ़्सीरों और तशरीहों को महज़ इसलिए ग़ैर-मुनासिब मान लिया जाए क्योंकि इल्म के ज़रिए उनकी मुकम्मल तस्दीक़ नहीं हुई है, लेकिन इसमें जो एक ज़ुरूरी तरमीम (Amendment) की जा सकती है वोह यह मान लेना है कि इंसान को किसी भी मज़हबी रहनुमा को अपने लिए आख़री हदफ़ मान कर और अपना दिमाग़ बंद करके उनकी बताई हर बात को "ख़ुदाई कलाम" नहीं मानना चाहिए। साथ ही साथ उसे उन्हें मन्ज़िलत के किसी ऐसे मुक़ाम पर भी तसव्वुर नहीं करना चाहिए जहाँ पहुंचना खुद उसके लिए मुमकिन न हो। ऐसा इसलिए क्योंकि इंसान के लिए सबसे

ज़ुरूरी हदफ़ खुद अपने इल्म में इज़ाफ़ा करना है जिसे वोह महज़ इसलिए नज़रअंदाज़ नहीं कर सकता कि वोह तमाम इल्मी कोशिशों के बाद भी किसी दुसरे बेहतर शक़्स जैसा नहीं हो सकता है। यह एक ग़ैर-कुदरती और इसीलिए एक ग़ैर-इस्लामी दिमाग़ी क़ैफ़ियत (State of Mind) है जिसकी कोई मन्तक़ी बुनियाद नहीं। इसमें कोई शक नहीं कि हम सभी अपने तमाम मज़हबी रहनुमाओं का अपने पूरे वुजूद से एहतराम करते हैं जो हमें अख़्लाक़ी तौर पर ऐसा करना भी चाहिए लेकिन फिर भी हम खुद को उनके ज़ाती दायरों में क़ैद नहीं कर सकते क्योंकि मन्तक़ी तौर पर इस कायनात में छोटे से छोटा होने की तो एक कुदरती हद मौजूद है मगर बड़े से बड़ा होने की कोई भी क़ैद इस कायनात में मौजूद नहीं है। ऐसे में हमें यह हक़ नहीं है कि हम खुद को किसी दुसरे शक़्स से कमतर साबित करने की कोशिश करें और इस तरह अपने दायरे को किसी दुसरे इंसान के बनाये दायरे के अंदर लें आये, और वोह भी तब जबकि इस कायनात में हर किसी के ज़ाती दायरे के लिए मुनासिब जगह (Space) मौजूद है। और अगर हम फिर भी ऐसा चाहते हैं तब न ही हम अपने से बेहतर लोगों से बड़ा कुछ कर सकेंगे और न ही उनके बराबर ही कुछ हासिल कर पाएंगे। इसके उलट हम उन क़द्रों के रुतबों और मन्ज़िलत को कम ही करेंगे जो हमारे बुज़ुर्गों या मज़हबी रहनुमाओं ने हासिल की हैं।

ख़ुलासा

अगर हम यहाँ से इस बात को समेटने की कोशिश करें तो महज़ यह कहना काफी होगा कि दीन को समझने की शुरुआत बेहतरीन तौर पर कुदरत को समझने से होती है और कुदरत को समझना तब तक मुमकिन नहीं है जब तक इंसान अपनी ज़हन को उसकी हदों तक न खोल डालें क्योंकि दुनिया को देखने-समझने का हमारा तरीका ही कुदरत को समझने की हमारी दिलचस्पी को बयान करता है। अगर इंसान अपने खोल (Shell) में क़ैद रह कर ही कुदरत को समझने

का दावा करें तो यह दावा यक़ीनन एक ग़लत दावा है जिसकी कोई तस्दीक़ नहीं है। ऐसे में उसकी इबादतें उसकी कुदरती समझ की नुमाइंदगी नहीं कर सकती हैं जो किसी भी इंसान के नज़दीक उसके ख़ुदा की सही मारिफ़त के लिए एक ज़रूरी शय है। हालाँकि इस सिलसिले में वोह अपने से पहले के लोगों को अपना रहनुमा क़ुबूल कर सकता है और उनके तवस्सुआत (References) भी इस्तेमाल कर सकता है लेकिन हर वक़्त खुद को उनसे कमतर समझना और आने वाली नस्लों के लिए खुद कोई तवस्सुत पैदा न करना ही उसका खुद अपने वुजूद और वक़ार को झुठलाना देना है, क्योंकि इस दुनिया में नई तामीर हमेशा दूसरों के दिए गए फ़लसफ़ों को आगे बढ़ाने से ही मुमकिन होती है।

इसलिए कायनात के हर मौज़ू पर हमारी फ़िक्र ऐसी होनी चाहिए

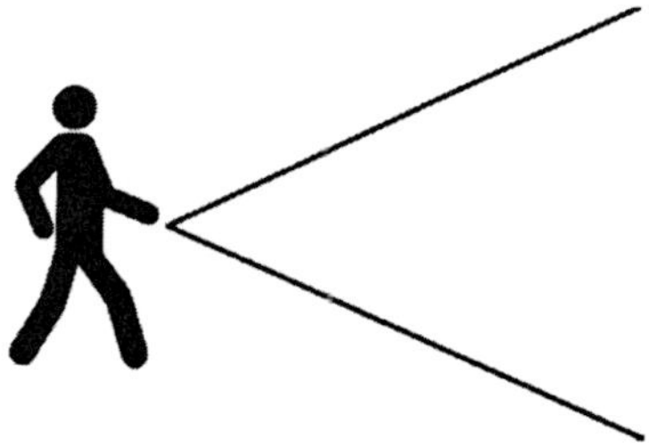

न कि ऐसी होनी चाहिए

बाब 4

हमारी उम्मीदें

लगभग 1400 साल पहले इस दुनिया में एक ऐसे शक़्स की आमद हुई जिसने हमें अलग-अलग सफ़ों से उठाकर एक सफ़ में खड़ा कर दिया और उन मुख़्तलिफ़ ख़ुदाओं से हमारे रुख को मोड़कर जो हमारे लिए तौहम परस्ती (Superstition) के बाइस थे एक ख़ुदा की जानिब मोड़ दिया। मुहम्मद(रज़ि) ने हमें जिस दीन और अख़लाक़ की तालीम दी वोह दूसरों से इन मानी में जुदा थी कि ये उन नज़्म-ओ-ज़ब्त (Diciplines) पर ज़ोर देती थी जिनकी ग़ैर मौजूदगी इंसान को बेहतर नज़्म-ओ-ज़ब्त वाली क़ौमों का ग़ुलाम बना देती है। उनकी तालीम थी कि ग़ुलामी (चाहे जिस्मानी हो या ज़हनी) ही दुनिया में उन फ़साद की जड़ है जिनकी मुमानियत क़ुरान में की गई है। मुहम्मद(रज़ि) ने हमें सुलूक़ करना सिखाया और बशरियत (Humanity) के सही मानी समझाए ताकि हम दुनिया की दीगर मख़्लूक़ की तरह सिर्फ ख़ुद तक महदूद रहने की बजाए इज्तेमाई मफ़ाद की फ़िक्र कर सकें जिसके चलते मुआशरे में वोह इन्साफ़ आम हो सके जो एक मीज़ान (Balance) के तौर पर हर एक नबी और रसूल को दिया गया था और जो उन्होंने अपनी-अपनी उम्मतों (Followers) तक पहुँचाया।

दीन-ए-इस्लाम का पुराना दौर चाहे जितना भी सुनहरा रहा लेकिन वोह हमारे आज को मुतास्सिर न कर सका क्योंकि हाल के सालों में हमने उतार-चढ़ाव के सैकड़ों दौर देखें और उन वक़्तों का मुज़ाहिरा भी किया जब दुनिया ने हमारे दीन को एक शक की नज़र से देखा। अव्वल तो ऐसे इल्ज़ाम किसी मज़हब पर लगने ही नहीं चाहिए थे मगर ऐसा होने के बावजूद भी हम अपने तई दुनिया को ये साबित

करने में मुकम्मल कामयाबी हासिल न सकें कि जो इल्ज़ाम वोह हम पर लगाती है हमारा दीन उनकी पैरवी नहीं करता है। हम उन वजूहात को क़ाबू करने में भी नाकामयाब रहे जो वजूहात इन इल्ज़ामात की बाइस थी। तारीख़ गवाह है कि क़ौमों पर उरूज-ओ-ज़वाल (Ups & Downs) आते जाते रहते हैं लेकिन हम उन फ़लसफ़ों और क़वानीन को खुद पर लागू करने में भी नाकामयाब रहे जिनके ज़रिए बहुत सी क़ौमे माज़ी में मुख़्तलिफ़ ज़वाल उठाने के बावजूद भी बाहिर निकल आयी। चुनाँचे दीन-ए-इस्लाम आज भी उन्हीं इल्ज़ामात के घेरे में हैं, अलबत्ता वोह इनसे बाहिर आने की जद्दो-जहद ज़ुरूर कर रहा है।

हम जिन वक़्तों में जीते हैं सिर्फ उन्हीं के शाहिद (Witness) होते हैं और इसीलिए तारीख़ हमारे लिए चाहे कितने भी फ़ख्र की बाइस क्यूँ न हो लेकिन वोह कभी हमारे आज को बेहतर नहीं बना पाती। हालाँकि वोह हमारी रहनुमाई ज़ुरूर कर सकती है लेकिन फ़िर भी हम उसे हरगिज़ दोहरा नहीं सकते क्योंकि इस कायनात का एक नाक़ाबिले-तब्दील क़ानून यह भी है कि जो शय एक बार आगे बढ़ जाती है वोह पलट कर उसी जगह वापस नहीं आती।

इस आख़िरी बाब के ज़रिए हम तमाम दीन-ए-इस्लाम के मानने वालों को उन बातों की जानिब मुतवज्जे करना चाहते हैं जो इन मसलों का एक मुमकिन राह-ए-हल हो सकती हैं। हम अपने तई उन तजावीज़ पर क्या अमल कर रहे हैं जो हमें इन इल्ज़ामात के घेरे से बाहिर निकाल सकती हैं उसका मुक़म्मल इल्म हासिल करना तो हममें से किसी के लिए मुमकिन नहीं लेकिन इस सिलसिले में यहाँ कुछ ऐसे नुक़्ते पेश करने की कोशिश की जा रही है जो हम सभी की एक मुश्तरक़ा रहनुमाई कर सकते हैं और जिनका तवील मुद्दतों में यक़ीनन हमें फ़ायदा ही मिलेगा।

उम्मीद-ए-अव्वल

मैंने अपनी मुनज़िम जमाती तर्ज़-ए-ज़िन्दगी (Corporate Career) की शुरुआत 2006 में तब की थी जब मुझे दुनिया की बेहतरीन कंप्यूटर कम्पनियों में से एक IBM में काम करने का मौक़ा मिला था। वहाँ मेरा काम उन अमेरिकी ग्राहकों के कंप्यूटर सॉफ्टवेयर से जुड़े मामलात को सुलझाना होता था जो उन्हें बैंकों से खुद-ब-खुद लेन देन का हिसाब करने की आज़ादी देता था। ये तमाम काम एक फ़ोन कॉल के ज़रिए किया जाता था जहाँ हम फ़ोन करने वालों की परेशानी सुनकर उसे मुख़्तलिफ़ तकनीकियों के ज़रिए हल किया करते थे। अक्सर कंप्यूटर के मसलों पर काम करते वक़्त मैं अपने ग्राहकों से दोस्ताना बातचीत भी किया करता था जिसकी वहाँ एक मुनासिब हद तक इजाज़त थी। उस दौरान एक रात मेरी बातचीत मार्क डेविस (Mark Davis) नाम के एक शक़्स से हुई जिन्हें अपने सॉफ्टवेयर में बैंक की वेबसाइट से अपने लेन देन का ब्यौरा डाउनलोड (Download) करने में दिक्क़त का सामना करना पड़ रहा था। मैंने शुरूआती रसम अदायगी के बाद जब उनसे बातचीत शुरू की तो मुझे कुछ ही देर में यह अहसास हो गया कि मिस्टर डेविस 60-65 साल के एक रिटायर्ड शक़्स हैं जिनकी सामाजिक मसलों पर एक गहरी सोच है। उनका मसला हल करते-करते मैंने इत्तेफ़ाक़न (Casually) ही उन से पूछ लिया कि वो अमेरिका में किस तरह की तहज़ीब के क़ायल हैं और जब वो अपने बच्चों को बडा कर रहें होते हैं तो उन्हें कौन सी क़द्रे (Values) मुन्तक़िल करते हैं ताकि उनके बच्चे ज़िन्दगी की जद्दोजहद में बेहतर तौर पर अमल कर सकें। इस मामले में मिस्टर डेविस का जवाब निहायत ही मुख़्तसर लेकिन बड़ा ही गहरा था। उन्होंने निहायत ही संजीदगी से जो कुछ मुझसे कहा वोह यह था कि “हमारे लिए सबसे ज़ुरूरी अपने बच्चों को यह समझाना होता है कि वो हर हाल में सच बोलना और उसे क़ुबूल करना सीखें और हमेशा एक दुसरे के मुख़्तलिफ़ ख़्यालात, मुख़्तलिफ़ किरदार और आज़ादी की इज़्ज़त करें क्योंकि आख़िर में यही चीज़ें तारीख़ (History) में ज़ैब-ओ-अख़लाक़ की शक्ल में दर्ज होती हैं, जबकि

तारीख़ के बाकी तमाम पहलूओं में इंसान अपनी सोच और अपने यक़ीनों के मुताबिक़ जोड़तोड़ (Manipulation) कर लेता है"। हालाँकि मिस्टर डेविस की यह बात तारीख़ के हवाले से कुछ अजीब थी मगर उनका यह जवाब सुनकर मुझे इस बात का एहसास हुआ कि इंसान अपने तई अपनी ज़िन्दगी भले ही खुद की शर्तों पर या अपने मज़हब की शर्तों पर जीता रहे लेकिन अगर वोह तारीख़ के लिए कुछ छोड़कर नहीं जा रहा या फिर जो कुछ भी छोड़ रहा है वोह फ़क़त एक मनफ़ी (Negative) मिसाल से ज़्यादा कुछ भी नहीं है तो फिर वोह इंसान न ही दुनिया के लिए मुफीद रह सका और न ही शायद अपने ख़ुदा के सामने सुर्ख़रू हो सकेगा। और तो और जब तारीख़ उसे एक मौज़ू के तौर में लिखेगी तब लिखने वाला उसे अपने ज़ाती यक़ीनों की बुनियाद पर तशरीह देने की कोशिश करेगा जिसमें सही और ग़लत दोनों ही इमकान मौजूद होंगे। मुमकिन है कि वोह उसके किए किसी भी नामुनासिब अमल को बढ़ा चढ़ा कर ही लिखे, जबकि इसके उलट उसके लिए किसी बेहतर शक़्स का अख़लाक़ किसी भी किस्म की इल्ज़ाम तराशी से पाक होगा। हालाँकि अमेरिका की जदीद तारीख़ (Modern History) भी खाना जंगियों (Civil Wars) और दो-दो आलमी जंगों (World Wars) के बाद इस मुक़ाम तक पहुँची है, मगर मेरे पास मिस्टर डेविस की बात पर यक़ीन करने की दो साफ़ वजहें थी। पहली वजह तो यह थी कि मैंने अपने उस दिन तक के तजुर्बे में ज़्यादातर अमेरिकियों को हमेशा ही सिर्फ अपने मुद्दे तक ही बोलते हुए पाया था जिसे वो हमेशा निहायत ही सुकून और उसके सही दायरों में ही बयान करते थे और दुसरी वजह यह थी की मैं यह जानता था कि एक आम अमेरिकी हर फ़लसफ़े और हर तजुर्बे को एक तन्क़ीदी (Critical) नज़र से देखता और बयान करता है। चुनांचे उनकी इस बात ने मुझे यह मानने पर मजबूर कर दिया कि क़द्रे (Values) किसी मज़हब या किसी क़ौम* की ज़ाती जागीरें नहीं होती बल्कि ये तो हर दौर के, हर

*इस तमाम बाब (Chapter) में क़ौम से मुराद हर बार तहज़ीब (Civilization) से है किसी मज़हब से नहीं।

क़ौम के और हर मज़हब के निज़ाम का एक अहम् हिस्सा हैं और हमेशा एक दुसरे से मिलती जुलती होती हैं, जिन्हें अलग-अलग लोग अलग-अलग तरह से बयान और इस्तेमाल करते हैं।

अब मेरे लिए सवाल यह था कि क्या सच बोलना, उसे क़ुबूल करना और दुसरों के मुख़्तलिफ़ नज़रियों और उनकी आज़ादी की इज़्ज़त करना किसी क़ौम या किसी समाज को कामयाबी की उस मंज़िल तक ले जा सकता है जहाँ एक वक़्त ऐसा भी आए जब बाकी दुनिया उसे एक अज़ीम ताक़त की शक्ल में क़ुबूल करने के लिए मजबूर हो जाए? मैंने इस सवाल पर फ़लसफ़ियाना और तन्क़ीदी दोनों ऐतबार से ग़ौर किया और उन वजूहात को समझने की कोशिश की जिनके ज़रिए सच हक़ में और नज़रिए फार्मूलों में तब्दील हो जाते हैं। मैंने सच बोलने के उन पहलूओं पर भी ग़ौर किया जिन्हें हम ज़्यादातर वक़्त नज़रअंदाज़ कर देते हैं क्योंकि उनमें हमारे ज़ाती ख़सारे (Loss) का इमकान होता है।

लियो टॉलस्टॉय (Leo Tolstoy) ने अपनी किताब **A Confession** में एक जगह कहा है कि "क़ाबिलियत, सच्चाई, भरोसा, नरमी और अख़लाक़ जैसी क़द्रे ग़ैर-मज़हबी लोगों में मज़हबी लोंगो से ज़्यादा पायी जाती हैं"। मैं उसकी इस बात से इत्तेफ़ाक़ नहीं रखता था लेकिन मैं इस बात पर एक तजज़िये का क़ायल ज़ुरूर था कि ऐसा कहने के पीछे कहीं टॉलस्टॉय का ज़ाती तास्सुब (Preconception) तो काम नहीं कर रहा था। इस शक की वजह यह थी कि अगर मज़हबी लोग ही इन क़द्रों को इस्तेमाल करने से गुरेज़ करते हैं तो फिर उनके मज़हब में सिवाए उनके "ख़ुदा" के बाकि बचता ही क्या है? टॉलस्टॉय (जिसने अपनी ज़िन्दगी शहर के अशराफ़ (Elites) के साथ गुज़ारी लेकिन वोह कभी भी उनकी तर्ज़-ए-ज़िन्दगी (Lifestyle) से मुत्मइन न हो सका) ने उसी किताब के आख़िर में अपने तमाम तजुर्बे को निचोड़ते हुए यह क़ुबूल किया कि यह दुनिया हक़ीक़तन उन्हीं लोगों के कन्धों पर खड़ी है जो कड़ी मेहनत करते हैं, मज़हबों के

ग़ैर-तस्दीकी यक़ीनों को अपने सरों पर ढोते हैं, हुकूमतों और दौलतमंद अफ़राद के हाथों इस्तेहसाल (Exploitation) उठाते हैं और अपनी ज़िन्दगियों का ज़्यादातर हिस्सा ज़ुरूरी असबाब की कमी में ही गुज़ार देते हैं। मैं टॉलस्टॉय की इस बात की गहराई से तहक़ीक़ करना चाहता था और अपनी तहक़ीक़ के सिलसिले में जब मैं मुंशी प्रेमचंद्र के लिखे कुछ इक़्तिबास (Quotes) पढ़ रहा था तब मेरी निगाह उनके एक मशहूर नावेल **"गोदान"** के एक बयान पर गई जहाँ उन्होंने कहा था "इंसान का धर्म सुख में कुछ और होता है और दुःख में कुछ और"। इस इक़्तिबास से प्रेमचंद का इशारा मज़हब में किसी किस्म की तब्दीली से नहीं बल्कि इंसान की मजबूरियों से था, लिहाज़ा इस एक बात ने मेरे सामने से उस धुंध को साफ़ कर दिया जो मुझे टॉलस्टॉय की बात मानने से रोक रही थी और साथ ही साथ मुझे भी अपने एक ज़ाती नतीजे तक पहुँचा दिया। दरअसल टॉलस्टॉय अपने बयान में जिनकी बात कर रहा था ये वो अफ़राद थे जो नेकी और गुनाह में गहरा यक़ीन रखते हैं। वो अगर झूठ बोलते हैं तो यह उन कमियों को पूरा करने के लिए होता है जो समाज में अशराफ़ ने अपनी ज़िहानत, इल्म और चालाकियाँ इस्तेमाल करते हुए पैदा कर दी हैं। उनके झूठ का मकसद कभी भी इक़्तिदार (Authority) हासिल करना नहीं बल्कि खुद के और अपने बच्चों के लिए ज़िन्दगी के वो ज़ुरूरी असबाब इकठ्ठा करना होता है जो उनकी कड़ी मेहनत भी उन्हें नहीं दे पा रही है। इसके उलट जब हुकूमतें या अशराफ़ झूठ बोलते हैं तो उसका मक़सद यक़ीनन इक़्तिदार-ओ-इख़्तियार (Power) हासिल करना ही होता है। शायद यही वजह है कि दुनिया में हर किसी की ज़ुरूरत के लिए सब कुछ मौजूद होकर भी ज़्यादातर लोगों के पास असबाब की कमी होना मुआशरे में क़ाबिलियत, सच्चाई, भरोसा, नरमी और अख़लाक़ की कमी पैदा करता है। और ये कमियां उन्हीं लोगों पर अपना असर सबसे पहले डालती हैं जिनका ज़िक्र टॉलस्टॉय ने किया क्योंकि ये कमियां इंसान से उसकी आज़ादी और उसका वक़ार (Dignity) छीन लेती हैं। हालाँकि, मैं इस बात का फ़ैसला करने की

हालत में कभी नहीं पहुँच सका कि आम इंसान की ये कमियां या उसके ऐसे झूठ गुनाह के दायरे के अंदर हैं या नहीं लेकिन इनसे पैदा होने वाली तमाम बदहालियाँ मेरे सामने फ़ौरन ही ज़ाहिर हो गई थीं।

सच क्या है?

अगर हम "यक़ीन और इमकान" के बाब में बयान किए गए फ़लसफ़ों की बुनियाद पर कहें तो इसमें कोई शक नहीं कि कुदरती तौर पर चल रहे किसी भी अमल की हक़ीक़त ही **सच** कहलाती है और जो कुछ भी इस हक़ीक़त से अलग तराश (Fabricate) लिया जाता है वही असल में झूठ होता है जो किसी भी मुआशिरे में तोहम परस्ती, बे-ऐतबारी और नाकामयाबी की वजह बनता है। सच दरअसल एक ऐसी हस्सास (Sensitive) शय है जिसमें अगर अपनी जानिब से कुछ जोड़ दिया जाए तो यह झूठ बन जाता है और अगर कुछ निकाल लिए जाए तो भी यह झूठ बन जाता है। और इसलिए सच बोलने की अपनी एक अलग नफ़सियात (Psychology) है जो कभी भी दुनियावी उसूलों पर नहीं चलती बल्कि कुदरती उसूलों पर चलती है। इसे साबित करने के लिए क़ुरान-ए-मजीद से इस हवाले को लिया जा सकता है कि "अल्लाह ख़ुद क़ुरान की हिफाज़त करता है"। अगर हम इस बात को फ़लसफ़ियाना अंदाज़ में समझने की कोशिश करें तो हम पाएंगे कि सच या हक़ खुद ही अपनी हिफाज़त कर सकता है बशर्ते की उसे हक़ के तौर पर साबित कर लिया गया हो। एक बार साबित हो जाने के बाद इंसान के लिए हक़ की क़द्र (Attribute) मुस्तक़िल हो जाती है और फिर वोह ताक़यामत भी नहीं बदल सकती। इसके उलट नाहक़ और झूठ खुद अपने ही वज़न से ढह जाने की ख़ासियत के साथ पैदा होते हैं और आख़िरकार बिखर जाते हैं। इनमें वो हमेशगी होती ही नहीं जो सच या हक़ की सबसे पहली खासियत है। और इसीलिए सच को

किसी की हिफाज़त की ज़ुरूरत नहीं क्योंकि हमेशगी तो खुद उसकी फ़ितरत में शामिल है।

सच बोलने और सच कुबूल करने, इन दोनों ही कामों के लिए इंसान में अज़्म (Determination) का होना निहायत ही ज़ुरूरी शर्त है और इसलिए औसत दर्जे के लोगों के लिए ये दोनों ही अमल निहायत ही मुश्किल साबित होते हैं। सच दरअसल इंसान के मुख़्तलिफ़ यक़ीनों में अलैहदगी (Segregation) पैदा करता है और उन्हें झूठ में मिल जाने से रोकता है। हमारे पास क्योंकि हमेशा ही सही और ग़लत आदात-ओ-शुमार (Data) का एक अम्बार होता है लिहाज़ा जब तक हम झूठ को सच से अलैहदा करना नहीं सीखते न ही हम तरक़्क़ी कर सकते हैं और न ही अपने मज़हब ही सही नुमाइंदगी कर सकते हैं। और अगर हम सच की इस पाबन्दी के बग़ैर तरक़्क़ी कर भी लेते हैं तो वोह सही क़द्रों पर खड़ी नहीं होती लिहाज़ा तारीख़ में किसी तरह के ज़ैब-ओ-एहतराम के निशाँ नहीं छोड़ती।

आइए, इसे कुछ इस तरह समझे। फ़र्ज़ कीजिए कि कोई मुफ़लिस (Poor) शक़्स ज़िन्दगी में हमेशा सच बोलने का अहद लेता है और अपने हर मिलने वाले को अपने मौजूदा हालात के मुताल्लिक़ सच ही बताता है। ऐसे शक़्स को बिलकुल शुरूआती वक़्तों में एक शर्मिंदगी का सामना करना पड़ता है जो उसे बार-बार झूठ की जानिब मुतवज्जे करती है। मगर इस अहद का फ़ायदा यह है के तवील मुद्दतों में दुनिया ऐसे ही शक़्स की मिसाल देती है जो नामुनासिब हालात में भी सच का दामन नहीं छोड़ता। इस अहद का एक अहम् फ़ायदा यह है कि जैसे ही इंसान इस एहसास से गुज़रता है कि उसका सच उसे फिर से शर्मिन्दा करेगा, उसका दिमाग़ उसे इस शर्मिन्दिगी से बचाने के लिए फ़ौरन ही उन कोशिशों की तरफ़ रुजू करने लगता है जो बिलकुल सीधी, ईमानदार और मुख्लिस होती हैं और जिनका एक मशनती असर उसकी तामीर करने की क़ाबिलियत (Productivity) पर पड़ता है जो आहिस्ता-आहिस्ता सुधरने और बढ़ने लगती है (बशर्ते की वोह उन पर

अमल करें)। हालाँकि ऐसा अहद लेना किसी भी आम इंसान के लिए एक मुश्किलतरीन कोशिश है मगर जिस मुआशरे में इस तरह के लोगों की तादात ज़्यादा होती है असल में वही मुआशरा आख़िर में एक तरक़्क़ियाफ़्ता और मुतवाज़िन (Balanced) मुआशरा बनता है, जिसका दीन उसके अमल और उसकी बातों से साबित होता रहता है। इस ख़ास ऐतबार से देखा जाए तो **"सच"** ही वोह सीधा रास्ता **(सिरात-ए-मुस्तक़ीम)** है जिसका ज़िक्र क़ुरआन बार-बार करता है क्योंकि मुसलसल झूठ और फ़रेब तो क़ौमों को ग़ैर-भरोसेमंद और मज़हबों को नाक़ाबिल-ए-यक़ीन बनाता है।

इसमें कोई शुबह नहीं कि किसी भी क़ौम को तुलुदगी (Rise) सिर्फ कुदरती क़वानीन की राह पर चलकर ही नसीब होती है जिसमें सच की पाबन्दी (जो की एक कुदरती क़ानून है) अफ़ज़लतरीन हैं। सच दरअसल इन्सान के साइंसिया मिज़ाज (Scientific Temperament) की नुमाइंदगी भी करता है क्योंकि कोई भी नामुमकिन हदफ़ सिर्फ़ सच की राह पर चलकर ही हासिल किया जा सकता है। झूठ क्योंकि एक ग़ैर-कुदरती बातिल वुजूद है जो कभी भी ढह जाता है और जिसके साथ किये गए किसी भी तरह के समझौते मुआशरे के लिए कोई मिसाली हालात (Ideal Situations) ख़ल्क़ नहीं करते लिहाज़ा यह वोह तुलुदगी पैदा नहीं कर सकता जिसकी तवक़्क़ो हम ज़ाती तौर पर करते हैं या हमारा दीन हमसे करता है। इसमें भी कोई शुबह नहीं कि तवील मुद्दतों में सच का असर शीरीं (Sweet) होता है क्योंकि यह इंसान को ज़रख़ेज़ी (Productive) बख़्शता है, जो रातों-रात पैदा होने वाली कोई शय नहीं है। सच दरअसल मुख़्तलिफ़ लोगों के मुख़्तलिफ़ यक़ीनों के बीच एक इस्लाह पैदा करता है और उन्हें एक दुसरे के मुख़्तलिफ़ नज़रियों की इज़्ज़त करना सिखाता है। इसलिए सिर्फ सच की राह ही किसी क़ौम को वो इज्तेमाई कोशिशें करने की सलाहियतें दे सकती है जो हर एक की तरक़्क़ी के लिए उम्मीद-ए-अव्वल हैं। अगर हममें से कोई इस राह पर चल

सकने का हामी नहीं है तो फिर वोह अपनी क़ौम के हालात बदलने की कोशिशों के हवाले से कभी भी ज़्यादा दूर तक नहीं जा सकता क्योंकि नामुमकिन हदफ़ सिर्फ़ मुश्किलतरीन राहों पर चलकर ही हासिल होते हैं।

दुसरी उम्मीद

विलियम शेक्सपियर (William Shakespeare) का एक निहायत ही मशहूर जुमला है कि "नाम में क्या रखा है"। शेक्सपियर ने भले ही यह बात अपने दौर के लिए कही थी जो लगभग 5 सदियों से बाक़ी दुनिया के लिए भी क़ाबिल-ए-क़ुबूल बनी हुई है लेकिन अब यह बात दुनिया के कुछ हिस्सों में अपनी फ़िक्र खो रही है। इसकी वजह यह है कि मौजूदा दुनिया में सबसे पहले लोग किसी का नाम सुनकर यह जानने की कोशिश करते हैं कि उस शक़्स का मज़हब क्या है और वोह किस फ़िक्र का हामी हो सकता है। यह बात जुनूबी (South) एशिया और उन मग़रिबी (Western) मुल्क़ों के हवाई अड्डों पर तो ख़ासतौर से बेमानो हो जाती है जहाँ दीन-ए-इस्लाम के मानने वाले लोग रहते या आते जाते हैं। मैं इसकी शिद्दत की सही-सही पैमाइश तो पेश नहीं कर सकता लेकिन इतना ज़ुरूर कह सकता हूँ की यह एक ऐसी हक़ीक़त है जो आहिस्ता-आहिस्ता अपना दायरा फ़ैला रही है। इसके पीछे जो वजह काम कर रही है वोह यह है कि जब से अरब मुमालिक और जुनूबी एशिया और खलीज (Gulf) के मुख़्तलिफ़ मुल्क़ों में पैदा हुई सरकारी और ग़ैर-सरकारी शिद्दत पसंदी (Extremism) का दायरा बढ़ना शुरू हुआ और अमेरिका जैसे मुल्क़ पर 9/11 का हमला हुआ तब से दीन-ए-इस्लाम के मानने वाले सभी लोगों की क़ुबूलियत (Acceptability) भी आहिस्ता-आहिस्ता दाँव पर लगती चली जा रही है क्योंकि इसे कम करने के लिए हमारी तमाम कोशिशें अभी तक नाकाफ़ी रही हैं।

जब मैं उन वजहों की तलाश कर रहा था जिनके बाइस यह हालात पैदा हुए है तब मैंने इसके पस-ए-मंज़र में उन अनगिनत सियासी वजूहात को काम करते हुए पाया जिन पर हम लगातार कई सालों से बहस किये जा रहे हैं। लेकिन इसके साथ साथ मुझे एक ऐसे वाक़ये का भी पता चला जिसने मेरे सामने उन तमाम वजूहात को खोलकर रख दिया जिनके चलते दीन-ए-इस्लाम के मानने वालों को कई जगहों पर अपने ख़िलाफ़ एक शक-ओ-शुबह का सामना करना पड़ता है।

बात उन दिनों की है जब 1983 मे सोवियत रूस और अमेरिका के दरम्यां सर्द जंग (Cold War) चल रही थी। हुआ यह था कि 1 सितम्बर 1983 की एक सर्द रात में कोरियाई एयर लाइन्स का एक तिजारती तय्यारा KAL Flight-007 जो अमेरिका के न्यूयोर्क शहर से उड़ा था और अमेरिका के ही एक दुसरे शहर एंकरेज (Anchorage, Alaska) होते हुए कोरियाई शहर सीओल (Seoul) तक की अपनी बाक़ायद उड़ान (Routeen Flight) पर था, वोह कुछ तकनीकी खराबियों के चलते ग़लती से रूस की हवाई सरहदों में दाखिल हो गया। तय्यारे के पायलटों को इस बात का इल्म नहीं था की वोह अपने तयशुदा रास्ते से कुछ डिग्री भटक गए है, लिहाज़ा वो बिना किसी किस्म के खतरे को महसूस किये लगातार अपनी उड़ान भरते रहे और भटकते-भटकते बदकिस्मती से रूसी ममनूई (Ristricted) हवाई सरहद में दाखिल हो गए। दुसरी तरफ रूसी हवाई फ़ौज को भी फ़ौरन ही इस बात का इल्म हो गया था कि एक अनजान तय्यारा उनके ममनूई हवाई इलाक़े मे दाखिल हुआ है जिसे उन्होंने शुरू ही से एक अमेरिकी टोही तय्यारे की शक्ल मे तस्सवुर किया क्योंकि इत्तेफ़ाक़न रूसी हवाई फ़ौज के पास भी उस रात एक अमेरिकी टोही तय्यारे के उनकी ममनूई सरहद में दाखिल होने की एक ग़ैर-तस्दीक़ी ख़बर पहले से मौजूद थी। इस एक ख़बर ने मानो उस तय्यारे की किस्मत ही तय कर दी जिसके बाइस रूसी फ़ौज ने इसे मार गिराने का फैसला किया और अपने एक जंगी जहाज़ को, जिसे मार्शल गेन्नाडी ओसीपोविच (Marshal Gennady

Osipovich) उड़ा रहे थे, इस तिजारती तय्यारे की जानिब रवाना कर दिया। मार्शल ओसीपोविच जल्द ही उस तय्यारे तक पहुँच गए और उन्होंने कुछ ज़ुरूरी प्रोटोकॉल पूरे करने और कुछ रस्मी इनतबहः (Warnings) देने के बाद आखिरकार उस राह भटके हुए कोरियाई तिजारती तय्यारे को मार गिराया जिसमें कुल 269 मुसाफिर और फ़ज़ाई अमला (Air Crew) इज्तेमाई सूरत में मौजूद थे।

यह एक ऐसा वाक़्या था जिसने उस वक़्त की दुनिया को हिला कर रख दिया और जिसकी वजहुआत (Causes) की तफ्तीश लगभग 10 सालों तक कई मुल्क़ों में चली। एक लम्बे दौर की तफ्तीश के बाद आखिरकार यह साबित हुआ कि यह तय्यारा सम्त शनासी की दिक़्क़तों (Navigational Errors) के चलते अपने रास्ते से भटक गया था और कोई जासूसी तय्यारा नहीं बल्कि एक मुसाफ़िर तय्यारा था, बावजूद इसके मार्शल गेन्नाडी ओसीपोविच (Marshal Gennady Osipovich) ने यह कभी नहीं माना कि उस रात उन्होंने एक राह भटके हुए तिजारती तय्यारे को नेस्तोनाबूत किया था। उन्होंने अपनी सारी ज़िन्दगी इस सोच के साथ गुज़ार दी कि वोह एक दुश्मन तय्यारा ही था जिसे उन्होंने उसके सही अंजाम तक पहुँचा दिया। उनके लिए यही मानकर जीना ज़्यादा आसान था कि उस रात उन्होंने जासूसी मुहिम पर निकले एक दुश्मन को ज़मीदोज़ किया था, न की 269 बेगुनाह मुसाफ़िरों को। क्योंकि अगर वोह यह मान लेते कि उन्होंने एक ग़लत फैसले के तहत उस काम को अंजाम दिया और बेवजह ही उन बेगुनाह लोगों की जान ले ली थी तो उनके लिए इस गुनाह के बोझ तले जीना मुश्किल हो जाता। लिहाज़ा ओसीपोविच ने खुद को इस अहसास के साथ आज तक ज़िंदा रखा हुआ है कि दरअसल वोह सय्यारा एक टोही तय्यारा ही था और उनके हाथों जो कुछ भी काम अंजाम पाया वोह अपनी और अपने मुल्क की दिफ़ा (Defence) की खातिर किया गया एक अमल था जिसके लिए उन्हें कोई पछतावा नहीं होना चाहिए।

मार्शल ओसीपोविच के इस बर्ताव में मुझे अंदर तक झंझोड़ डाला क्योंकि मैं कभी भी इस अहसास से नहीं गुज़रा था जहाँ मैंने खुद के किसी नामुनासिब अमल को इस तरह से जवाज़ (Justify) देने की कोशिश की हो। अलबत्ता, इस तमाम वाक़ये से मैं इस नतीजे पर ज़ुरूर पहुँचा कि जब हम अपने अमल, अपनी ज़ुबान, अपने ज़ाहिरी लिबास या अपनी लाइल्मी के बाइस किसी के ज़हन में अपने लिए दुश्मनी या नफ़रत का अहसास पैदा कर देते हैं तब हम भले ही बेगुनाह या अमन पसंद ही क्यों न हो, ऐसा शक़्स हम पर शक करने या हमें मार डालने के बावजूद भी किसी पछतावे से नहीं गुज़रता और खुद को नफ़्सियाती तौर पर हमेशा बेगुनाह ही तसव्वुर करता है। इस दुनिया में क्योंकि सबसे मुखलिस अहसास सिर्फ नफरत का ही होता है जिसे हमने किन्हीं वजहों से उस शक़्स ज़हन में पैदा कर दिया है लिहाज़ा उसे अपना यह गुनाह दिफ़ा (Self-Defence) लगता है और दिफ़ा दुनिया के हर मज़हब में एक जायज़ अमल है।

जब मैंने इस बढ़ती हुई नाक़बूलियत (Unacceptability) की और ज़्यादा तहक़ीक़ की तो मुझे यह भी पता चला कि किसी इंसान की क़ुबूलियत का एक गहरा ताल्लुक़ उसकी शक़्सियत (Personality) से भी होता है। इंसान कैसा दिखता, क्या पहनता है, क्या बोलता है, क्या मनाता है और क्या क़ाबिलियत रखता है ये सब उसकी शक़्सियत का हिस्सा होते हैं और उसकी क़ुबूलियत या नाक़बूलियत के सिलसिले में एक अहम् और हतमी (Decisive) किरदार निभाते हैं। उसके मज़हब का उसकी शक़्सियत में कोई ख़ास किरदार नहीं होता और न ही होना चाहिए क्योंकि मज़हब इंसान के लिए एक निहायत ही ज़ाती शय है जिसे वोह किसी को मुत्तासिर (Impress) करने के लिए इस्तेमाल न ही करें तो बेहतर है। इंसान जब भी अपने मज़हब को पुरज़ोर तरीक़े से ज़ाहिर करने लगता है, फ़ौरन ही वोह अपनी क़ुबूलियत को एक शक के घेरे में ले आता है क्योंकि मौजूदा दुनिया दरअसल ला-दीनियात (Secularism) के फ़लसफ़े पर चलती है न की दीनियात

के फ़लसफ़ों पर। यह मौजूदा दुनिया की एक अहम् सच्चाई है जिसे अगर दीन-ए-इस्लाम के मानने वालों के सामने रखा जाता है तो उनका रद-ए-अमल (Reaction) ज़्यादातर वक़्त यही होता है कि एक मुस्लमान के लिए उसके ख़ुदा की ख़ुशनूदी की अहमियत दुनिया के लोगों की ख़ुशनूदी से ज़्यादा ज़ुरूरी है, लिहाज़ा उन्हें इससे कोई फ़र्क़ नहीं पड़ता की यह दुनिया उन्हें किस नज़र से देखती है बल्कि उनके लिए अहमियत सिर्फ इस बात की है कि उनका ख़ुदा उन्हें किस नज़र से देखता है। हालाँकि ऐसा कहते वक़्त वोह यह कभी नहीं सोचते कि खुद उस ख़ुदा की नज़र में इस दुनिया की क्या अहमियत है ?

ख़ुदा के लिए इस दुनिया की क्या अहमियत है अगर इसे समझने की कोशिश की जाए तो हमें एक बार फ़िर इस कायनात की जानिब ही देखना होगा। हमारे निज़ाम-ए-शम्सी (Solar System) में कुल 8 सय्यारें हैं जिनमें हमारी यह ज़मीन भी शामिल है। सूरज से दूरी और आबो हवा के ऐतबार से देखा जाये तो पूरे निज़ाम-ए-शम्सी में सिर्फ हमारी ज़मीन ही एक ऐसा सय्यारा है जिस पर ज़िन्दगी मुमकिन है। वरना बाकी 7 सय्यारों पर ज़िन्दगी उनकी हरारत, कुर्रा-ए-हवा (Atmosphere) और पानी की ग़ैर मौजूदगी की वजह से मुमकिन नहीं है। यानि ज़िन्दगी के हवाले से इंसान के लिए यह ज़मीन एक बेहतरीन मुक़ाम है जिसके लिए इंसान इसका शुक्रगुज़ार हो सकता है क्योंकि यह उसे ज़िंदा रहने के लिए बेहतरीन माहौल और मुनासिब ग़िज़ाए मुहैया कराती है।

अपनी तमाम तरक़्क़ियों के बावजूद और इस लामहदूद कायनात में लाखों नूरी साल (Light Years) दूर तक झाँकने के बावजूद भी हम अभी तक किसी और सय्यारे पर ये हालात और कोई दुसरी कुदरती मख़्लूक़ नहीं ढूंढ पाए हैं। हमारी अब तक की तमाम तहक़ीक़ यही साबित करती है कि अपनी मौजूदा जानकारी की हदों तक हम इस तमाम कायनात में अकेले हैं। यानि अभी तक तो यह तय है कि ख़ुदा ने यह तमाम लामहदूद कायनात सिर्फ हमारे लिए ही बनाई है

और हमें इस ख़ास दुनिया में आबाद किया है। हालाँकि हमारे पास कायनात की गहराइयों में उतरने का इल्म अभी नहीं है लेकिन यह इल्म कभी न कभी हमें हासिल ज़ुरूर होगा क्योंकि जो शय हमारे लिए ही बनी है उसे यह कुदरत हमसे ज़्यादा वक़्त तक दूर नहीं रख सकती। इस ख़ास ऐतबार से देखा जाए तो ख़ुदा के लिए भी यह दुनिया निहायत ही अहम् है और हमारे लिए क़ाबिल-ए-अहतराम है। हमें इस दुनिया की, इस ज़मीन बल्कि इसके ज़र्रे-ज़र्रे की, हर इंसान और उसके कहे की क़द्र करनी चाहिए क्योंकि यह शरफ़ (Honour) इस दुनिया के सिवाए कायनात के उस बाक़ी माद्दे को हासिल नहीं है जिसे आज से तक़रीबन 13 अरब साल पहले ख़ल्क़ किया गया था। यह ज़मीन हमे ताक़त का अहसास कराती है क्योंकि यह हमारे रसूख का हिस्सा है। अगर हम इसमें मज़हबी फ़ख्र ढूंढने की कोशिश करें तो वोह हमें इस सूरत में मिल सकता है कि इसी ज़मीन पर अल्लाह ने लाखों नबियों को भेजा और इसी ज़मीन पर अपने दीन और क़ुरान को नाज़िल किया। इसलिए यहाँ होने वाले तमाम वाक़्यात की जानिब हमें मुतवज्जे होना चाहिए और उनसे फ़र्क़ भी पड़ना चाहिए।

इंसान एक समाजी मख़्लूक़ है जिसके पास आज़ादी और उसका वक़ार (Dignity) ऐसे दो अनासिर हैं जिन्हें वोह बहुत छोटी उम्र से ही तरजीह देना शुरू कर देता है और इनकी हिफाज़त करना ही उसके कुदरती हदफ़ (Targets) होते हैं। क्योंकि वोह अपनी ज़िंदगी बिना दुसरों से सुलूक़ (Deal) किए नहीं जी सकता इसलिए उसकी शक़्सियत हमेशा ख़ुद तक या अपने ज़ाती दायरों तक महदूद नहीं रह सकती। दुनिया में जीने की शर्तें क्योंकि हर दौर में बदल जाती हैं इसलिए अगर उसकी शक्सियत या उसका अमल इस दुनिया में उसकी क़ुबूलियत को मश्कूक़ बना रही है तो उसे इस बात से बेतवज्जोः नहीं रहना चाहिए। उसे उन वजहों पर काम करना चाहिए और वो ज़राए ढूंढने चाहिए जो उसकी क़ुबूलियत को फ़रोग़ दे सकें। ऐसा करना उसके पूरी आज़ादी और पूरे वक़ार से जीने के लिए ज़रूरी है। ख़ुशनूदी-

ए-ख़ुदा की ख़ातिर अगर वोह इस बात से कोई समझौता नहीं करता है तो यह उसकी क़ुर्बानी या मज़हबी ज़िम्मेदारी शुमार नहीं होगी क्योंकि किसी क़ुर्बानी या किसी मज़हबी ज़िम्मेदारी की क़ीमत इंसान की आज़ादी तो हो सकती है लेकिन इनकी क़ीमत ख़ुदा की ख़ातिर भी इंसान का वक़ार नहीं हो सकता क्योंकि तब यह उस ख़ुदाई लक़ब के ख़िलाफ़ होगा जो इंसान को दिया गया है** ।

इस दुनिया में किसी शख़्स या किसी क़ौम की क़ुबूलियत का एक रिश्ता उसके ज़ेरे दस्त मौजूद कुल तवानाई (Power of Wealth) के मुतनासिब भी होता है जिसके बाइस यह दुनिया उन तमाम अवामिल को नज़रअंदाज़ करने के लिए भी राज़ी हो जाती है जिनका ताल्लुक़ हमारी शक्सियत से है (हालाँकि इस सिलसिले में वोह अपना तन्क़ीदी मिज़ाज कभी नहीं छोड़ती)। हमारी तवानाई का अंदाज़ा वोह हमारे काम करने के तौर तरीक़ो से लगाती है। अगर वोह हमें इल्म के हवालों से एक पस्ती में घिरा देखती है, दोयम दर्जे (Low Class) के या पुराने तौर तरीक़ों के काम करते हुए देखती है, हमें माली तौर पर बेचारगी की हालत में देखती है या हमारी सोच को महज़ हमारे मज़हब की खुद-साख़्ता हदों तक घिरा हुआ देखती है (खुद-साख़्ता इसलिए क्योंकि हमने इसी किताब में सीखा की दीन-ए-इस्लाम लामहदूद है जबकि हम खुद ही उसे महदूद साबित करने में लगे रहते हैं) तब वोह आसानी से हमारी कुल तवानाई का अंदाज़ा लगा लेती है और उसका यह अंदाज़ा ही उसके लिए हमारी क़ुबूलियत को लगातार एक हाशिए पर धकेलता जाता है। इस सूरत-ए-हाल को बेहतर बनाने के लिए हमारी कोशिशें क्या होनी चाहिए अगर हम इस बात पर ग़ौर करें तो हमें आसानी से इसका जवाब मिल जाएगा।

***इसकी एक मिसाल खुद क़ुरआन में मौजूद है कि जब हज़रत मूसा को हुक़्म होता है कि वोह फ़िरऑन के पास जाए और उसे क़ौम-ए-यहूद पर किए जा रहे ज़ुल्म-ओ-सितम से रोकें। इसके साथ यह हुक़्म भी आता है कि हज़रत मूसा फ़िरऑन से नरमी से पेश आये। साफ़ है कि अल्लाह फ़िरऑन जैसे ज़ालिम की भी तौहीन करके उसका वक़ार ज़ब्त नहीं करना चाहता और उसके साथ भी एक नरमी का हामी है।*

दरअसल तवानाई ऐतबार से जो लोग या जो क़ौमें ख़ुदमुख़्तार (Autonomous) होती हैं वो अपनी आमदनी निचले या दोयम दर्जे के कामों से कम और मुनज़्िम जमाती आलमी तंज़ीमों (Global Corporate Organizations) के ज़रिए ज़्यादा हासिल करती हैं। यह तरीक़ा ही मौजूदा वक़्त में किसी क़ौम की तवानाई के हवाले से सबसे अहम् अनासिर बना हुआ है और इस चैनल (Channel) के ज़रिए ख़ल्क़ किये गए असबाब ही आज लोगों को आलमी तौर पर क़ाबिल-ए-कुबूल बनाते हैं, वगरना अपने ज़ाती दायरे में तो हम हमेशा ही कुबूलियत के सबसे ऊँचे मक़ाम पर होते हैं, जो हक़ीक़तन एक महदूद दायरा होते है। मुनज़्िम जमाती आलमी तंज़ीमों की तामीर हमारे लिए निहायत ही ज़ुरूरी है क्योंकि मआशियाती तौर पर (Economically) अगर हम मुनज़्िम जमाती तंज़ीमों के ज़रिए अपने असबाब ख़ल्क़ नहीं कर रहे हैं तो ऐसे में हम एक कंस्यूमर (Consumer) ज़्यादा हैं और इसके मुक़ाबिल एक प्रोडूसर (Producer) बहुत ही कम। इसके मानी यह हैं कि हम लगातार अपने असबाब उन तंज़ीमों के हाथ में दिए चले जाते हैं जो हमें अपना माल फ़रोख़्त (Sell) तो करती हैं लेकिन हमसे कुछ ख़रीदती नहीं। इसके चलते जो माली अदम-तवाज़ुन (Financial Disbalance) पैदा होता है वोह लगातार हमें एक गुरबत की जानिब लेकर जाता है क्योंकि हम अपने महदूद असबाब लगातार ऐसी जमाअतों पर सर्फ़ करते रहते हैं। ये सर्फ़ असबाब हम दोयम दर्जे के काम करके दोबारा हासिल नहीं कर सकते हैं। यानि मुनज़्िम जमाती आलमी तंज़ीमों का जवाब मुनज़्िम जमाती आलमी तंज़ीमें ही हो सकती हैं, कुछ और नहीं। इन तंज़ीमों का एक फ़ायदा यह भी है कि इनके ज़रिए ही उन सियासी (Political) रिश्तों की नींव पड़ती है जो आलमी तौर पर हमारी कुबूलियत को फ़र्श से उठाकर अर्श तक ले जाते हैं। ग़ौर-तलब यह भी रहे कि दुनिया इन रिश्तों का फ़ैसला मज़हब की बुनियाद पर कभी नहीं करती। हालाँकि किसी मुल्क़ की इक़्तिसादी (Economy) हैसियत में

किसी एक तरह के यक़ीन के लोगों की कुल हिस्सेदारी के कम होने या ज़्यादा होने का हमेशा ही एक अहम् किरदार होता है इसलिए अपने मुल्क़ के इक़्तिसाद में हमारी हिस्सेदारी भी कहीं-न-कहीं हमारी क़ुबूलियत के मानी तय करती है।

हालाँकि किन्हीं मुनज़्ज़िम जमाती तंज़ीमों को खड़ा करना कोई आसान काम नहीं है क्योंकि इसके लिए एक गहरी फ़िक्र, सालों की मेहनत, मुनासिब असबाब और सबसे ज़ुरूरी शय "**इल्म**" चाहिए होता है जिसके बिना ऐसी कोई भी तंज़ीम खड़ी नहीं की जा सकती। और यही वजह है कि हमारी क़ुबूलियत के सिरे भी कहीं-न-कहीं हमारे इल्म से जा कर ही मिल जाते हैं। अच्छी बात यह है कि नई-नई मुनज़्ज़िम जमाती तंज़ीमों की तामीर करना हमेशा इंसान के दस्तरस (Access) में ही होता है और इसकी कहीं कोई हद नहीं होती।

इस मौज़ू की गहराई में जाने के लिए हमारे लिए सबसे ज़ुरूरी यह समझना है कि बड़े-बड़े दानिश्वर और बड़े-बड़े ओहदों पर मुस्सलत (Dominant) तालीमयाफ़्ता लोग ही दुनिया में जीने की शर्तें तय करते हैं। वो ज़िन्दगी के खेल को अपने फ़ायदों पर खेलतें हैं, आम इंसान के फ़ायदों पर नहीं। हम उनके इन क़ायदों की मुख़ालिफ़त (Oppose) तो कर सकते हैं लेकिन इन्हें तब तक बदल नहीं सकते जब तक हम ख़ुद कोई क़ायदा बनाने की हालत में नहीं पहुँच जाते (क्योंकि वो रियाज़ियाती इमकानात हमारे दायरे में नहीं होते जो इन्हें बदल सकते हैं)। और ऐसा करने की सलाहियत हमें सिर्फ़ बेहतर इल्म और तालीम से ही मिलती है क्योंकि जिहालत खुद कोई क़ानून बनाने की हालत में कभी नहीं होती बल्कि उसका काम तो सिर्फ इल्म के आगे हाथ बांधे खड़े रहना ही है।

तलब और रसद (Demand & Supply)

मआशियात (Economics) का मशहूर फ़लसफ़ा जो तलब और रसद की तशरीह करता है, के मुताबिक़ जब किसी शय की मांग बढ़ती है तब उसकी

फ़राहमी (Supply) को भी बढ़ाना पड़ता है ताकि तलब और रसद बीच एक तवाज़ुन (Balance) पैदा किया जा सके। किसी शय की मांग में आई बढ़ोतरी और इसे पूरा करने की क़ुव्वत ही हमें खुद के माली हालात बेहतर बनाने के मौक़े फ़राहम करती है। साथ ही साथ यह हमारी क़ुबूलियत को भी एक फ़रोग़ अता करती है क्योंकि दुनिया के तमाम दौलत-ओ-असबाब तलब और रसद के बीच ही पैदा होते और परवान चढ़ते हैं, इसके बाहिर नहीं। जो क़ौमें कामयाबी के साथ तलब और रसद के बीच एक तवाज़ुन बैठा देती हैं वही क़ौमें मआशियाती तौर पर तलब और रसद के दरमियाँ मौजूद तमाम माली उम्मीदों (Financial Opportunities) का फ़ायदा उठा पाती हैं और आलमी सतह पर क़ुबूल कर ली जाती हैं। इस क़ानून के बाइस अगर हमारी कुल पैदावार हमारी कुल तलब से कम है तो हम न ही इन माली उम्मीदों को मआशियाती तौर पर अपने हक़ में मोड़ सकते हैं और न ही दुनिया को मुतास्सिर कर सकते हैं। साथ ही साथ हमारे लिए मआशियात के इस राज़ को समझ लेना भी ज़रूरी है कि जिन लोगों की **बैलेंस शीट** (Balance Sheet) में उनके **असास** (Assets) उनकी **देनदारी** (Liabilities) से ज़्यादा होते हैं वही लोग खुद को माली ऐतबार से हमेशा दूसरों से ऊपर रख पाते हैं। और यहाँ सबसे अहम् बात यह है कि हमारा इल्म, हमारी क़ाबिलियत, हमारी फ़िक्र और हमारी पैदावार ही इस दुनिया में हमारे असली असास हैं जबकि बाकि सब कुछ हमारे वाजिबात या हमारी देनदारियों (Liabilities) में शामिल हैं जिनकी कुछ न कुछ क़ीमत हम हमेशा ही चुकाते रहते हैं। हैरानी की बात यह है कि कुदरती तौर पर भी तलब और रसद का यह फ़लसफ़ा ऐसे ही काम करता है, सिर्फ इसमें इंसानी सरमाया (Finance) ग़ैर मौजूद होता है, जबकि कुदरती इमकान मौजूद होते हैं। लिहाज़ा मआशियाती फ़लसफ़े भी गढ़े हुए फ़लसफ़े नहीं है बल्कि कुदरती हैं जिनमें फ़क़त इंसानी दौलत ही एक इज़ाफ़ी अनासिर है।

दुनिया में हमेशा ही आलिम-ओ-माहिर लोगों की मांग बनी रहती है जिसे अलग-अलग क़ौमें अपनी-अपनी क़ाबिलियत के मुताबिक़ पूरा करती हैं। इस मांग को पूरा करना ही क़ौमों के बीच एक सेहतमंद राबिता (Healthy Contacts) और ख़ुशमिज़ाज क़ुबूलियत पैदा करता है, जबकि इसे पूरा न कर पाना हमारी क़ाबिलियत और हमारी क़ुबूलियत दोनों को मश्कूक़ (Doubtful) बनाता है। इसलिए अगर हम खुद अपने अंदर से उन मांगों की फ़राहमी नहीं कर पा रहे हैं जिनकी यह दुनिया तलब करती है, बल्कि इसके उलट हम दुनिया को वोह शय फ़राहम कर रहें हैं जिसकी उसे ज़ुरूरत ही नहीं है, तो ऐसी सूरत में मआशियाती फ़लसफ़ों के मुताबिक़ हमारी समाजी और माली क़ुबूलियत हमेशा घटती जाती है और बिलआख़िर वही हालात पैदा करती है जो इस वक़्त हमारे सामने दरपेश हैं।

हमारी क़ुबूलियत (Acceptability) ही वोह शय है जिसे हम अपनी दुसरी उम्मीद के तौर पर अहमियत दे सकते हैं। और यह क़ुबूलियत आज के दौर में हमारे मज़हब से नहीं बल्कि हमारी फिक्र, हमारे अमल, हमारे माली हालात, हमारी ज़ुबान और कहीं-न-कहीं हमारे पहनावे और दिखाई देने के तौर तरीक़ों से तय होती है। इस मसलें पर हम मज़हबीं लोगों के बताए आदाब में से महज़ अख़लाक़ी आदाब ही अपना सकते हैं जबकि बाक़ी सब कुछ हमें सच और इल्म की बुनियाद पर ही अपनाना होगा वरना यह क़ुबूलियत लगातार घटती जाएगी और हम इस सिलसिले में हमेशा एक उलझन में मुब्तिला रहेंगे। इस उलझन की वजह कहीं-न-कहीं यह होती है कि हम अपने अमल में फ़क़त उतना ही कर पाते हैं जितना हमारे खुद के ज़िंदा रहने के लिए ज़ुरूरी होता है और इसीलिए हम दुनियावी फ़लसफ़ों और फ़िक्रों को लगातार नज़रअंदाज़ करते हुए अपने ज़ाती कामों में मसरूफ़ रहते हैं (हालाँकि यह ग़फ़लत हमारे दीन का हिस्सा नहीं है)। हम अपने इज्तेमाई वुजूद की फिक्र नहीं करते और इसीलिए हमेशा एक इन्तिज़ार की हालत में रहते हैं कि अब कोई और या खुद अल्लाह कुछ अच्छा करेगा। सितम-ज़रीफ़ी (Irony) देखी जाए

तो यह इन्तिज़ार लगातार बढ़ता जाता है क्योंकि इस मसलें पर कोई ठोस मंसूबा हमारे पास नहीं होता।

आज नहीं तो कल हमें यह क़ुबूल करना ही होगा कि मौजज़े (Miracles) न ही इस दुनिया को चला रहें हैं और न ही इस कायनात को बल्कि ये तमाम वुजूद एक फिक्र के हाथों चलते हैं जिसके कुछ तय ऊसूल/क़वानीन हैं जिसे हम चाहे तो मौजज़े का नाम दे सकते हैं। जिस दिन ये ऊसूल कुदरती तौर पर अपना दायरा फैलाएंगे दरअसल वही दिन क़यामत का होगा। लेकिन इससे पहले जो वक़्त कुदरत ने हमें दिया है वोह हमें इस सलीक़े से इस्तेमाल कर लेना चाहिए कि यह हमारे लिए एक फ़ख्र का बाइस बन सके। और यह फ़ख्र हमें कभी भी इन्तिज़ार से हासिल नहीं हो सकता।

तीसरी उम्मीद

अब तक हमने जिस तवानाई का ज़िक्र किया वोह एक नामुजस्सम लेकिन एक अहसासी तवानाई थी। मगर अब हम जिस तवानाई का ज़िक्र कर रहें हैं वोह एक मुजस्सम तवानाई है जिसे देखा भी जा सकता है।

इंसान की ज़िन्दगी उन ताक़तों/तवानाईयों (Energies) के ज़रिए चलती है जो किसी ताक़त की एक शक्ल को दुसरी शक्ल में तब्दील करने से हासिल की होती है और जो अपनी पहली सूरत के ही मुतनासिब होती है। साईंसिया ज़ुबान में इसे **"तवानाई के तहफ़्फ़ुज़ का क़ानून (Law of Conservation of Energy)"** कहा जाता है। इस क़ानून से असल मुराद यह है कि कायनात में तवानाई मुस्तक़िल (Constant) है जिसे न तो पैदा किया जा सकता है और न ही उसे फ़ना किया जा सकता है, सिर्फ उसे एक शक्ल से दुसरी शक्ल में तब्दील किया जा सकता है। जब हम बिजली का पंखा चलाते हैं या रौशनी के लिए कोई बल्ब जलाते हैं तब दरअसल हम एक तरह की ताक़त को दुसरी तरह की ताक़त में

तब्दील कर रहे होते हैं। कुदरत भी अपना निज़ाम इसी तरह चलाती है और वोह भी लगातार एक तरह की ताक़त को दुसरी तरह की ताक़त में तब्दील करती रहती है। मिसाल के तौर पर हमारी ज़मीन के लिए सूरज कुदरती तवानाई का एक मुस्तक़िल ज़रिया है जो न सिर्फ इसे मुसलसल सरगर्म (Active) रखता है बल्कि हमारे चलने फ़िरने और मुख़्तलिफ़ अमल अंजाम देने की तमाम ताक़त भी हमें बिलआख़िर सूरज के ज़रिए ही हासिल होती है। साईंसिया ऐतबार से ये तमाम तवानाई उस वक़्त पैदा हुई थी जब लगभग 13 अरब साल पहले बिग बैंग (Big Bang) नाम के बड़े धमाके से इस कायनात की शुरुआत हुई थी। ये कुछ ऐसे साईंसिया ऊसूल-ओ-क़वानीन हैं जो बच्चों को निचली जमातों (Primary Level) में ही सिखा दिए जाते हैं, लेकिन यहाँ हम इन्हें अपने मक़ासिद से जोड़ने की कोशिश कर रहें हैं ताकि हम एक साफ़ नतीजे तक पहुँच सकें।

इससे पहले की हम इसे अपने किसी मक़सद से जोड़े, हमारे लिए यह समझना ज़ुरूरी है कि "तवानाई के तहफ़्फ़ुज़ का क़ानून" इस बात की तशरीह करता है कि इंसान अपनी ज़ुरूरियात के लिए जिन ताक़तों पर इन्हिसार (Depand) करता है उन्हें कुदरत पहले ही ख़ल्क़ कर चुकी है और हमने ज़ाती तौर पर न ही आजतक इनमें कोई इज़ाफ़ा किया और न ही कोई कमी। यानि हम घूमकर फ़िर अपने उसी सवाल पर एक नए अंदाज़ से आ गए हैं जो हमने **"यक़ीन और इमकान"** के बाब में भी किया था कि जब कुदरती निज़ामत ने पहले से ही हर चीज़ का इंतिज़ाम किया हुआ है तो फिर क्यों दुनिया में कुछ क़ौमे दूसरों से ज़्यादा हासिल कर लेती हैं?

अगर हम अपने उसी जवाब को यहाँ एक अलग सतह से बयान करें तो सबसे पहले हमें यह देखना होगा कि ऐसी क़ौमें कुदरती तवानाईयों को एक शक्ल से दुसरी शक्ल में तब्दील करने के लिए हमसे अलग कौन से उसूल या तरक़ीबें आज़माती हैं जो उन्हें हमसे ज़्यादा कामयाब बनाती हैं। इनमें से कुछ एक का बयान

हम पहले ही कर चुके हैं जिनकी बुनियाद रियाज़ियात पर थी, मगर यहाँ जिन उसूलों का ज़िक्र हम कर रहें हैं उनकी बुनियाद ताबियात पर है।

ताक़त या तवानाई की पैमाइश करने के लिए हमारे पास मुख़्तलिफ़ फार्मूलें मौजूद हैं जिनका इस्तेमाल हम तवानाई की अलग-अलग सूरतों को मापने के लिए करते हैं। मसलन तवानाई मापने के लिए हम जूल (Joule), न्यूटन (Newton), वॉट (Watt), हॉर्सपॉवर (Horsepower), कैलोरी (Calorie) वगैरह जैसी इकाइयों (Units) का इस्तेमाल करते हैं जो हमारी रोज़मर्रा की ज़िन्दगी का हिस्सा होती हैं। मगर जैसा की हमने अभी जाना, तवानाई को न ही पैदा किया जा सकता है और न ही इसे फ़ना (Destroy) किया जा सकता है लिहाज़ा जिस किसी भी फ़ार्मूले के तहत हम तवानाई की तब्दीली की पैमाइश करते हैं वोह सिर्फ इसकी नई शक्ल की किस्म और मिक़्दार (Type & Quantity) हमें बताता है, मगर इस बदली हुई सूरत की ताक़त हमेशा उतनी ही बनी रहती है जितनी वोह अपनी पिछले शक्ल में थी। मिसाल के तौर पर जब हम क्रिकेट की बॉल पर अपने बल्ले से शॉट लगाते हैं तब दूर जाती हुई बॉल सिर्फ उतनी ही ताक़त इस्तेमाल कर सकती है जितनी हमारे पुट्ठे (Muscle) ने उस बॉल को मारते वक़्त लगाई थी। यानि अगर किसी बॉल को 100 मीटर दूर फेंकने के लिए हमें 10 किलो दम लगाना पड़ता है और हम वोह दम लगा देते हैं तो बॉल 100 मीटर से दूर नहीं जा सकेगी। इसके मानी ये हैं कि तवानाई का एक शक्ल से दुसरी शक्ल में तब्दील होना हमेशा आपस में मुतनासिब (Proportionate) होता है, जिसकी ठीक-ठीक पैमाइश की जा सकती है।

तकरीबन सौ साल पहले तक हमारे लिए तवानाई के मुताल्लिक़ इतना जान लेना भी काफी था क्योंकि उस वक़्त सारी दुनिया तवानाई के एक जैसे फार्मूलों का ही इस्तेमाल करती थी और इसलिए ताक़त के हवाले से क़ौमों के बीच जो फ़र्क था वोह एक मुनासिब हद तक ही था जिसमें क़ौमों के एक दूसरे से आगे निकल

जाने के इम्कान काफी करीब हुआ करते थे। लेकिन फिर अल्बर्ट आइंस्टीन ने दुनिया को एक नया फ़ार्मूला दिया और देखते ही देखते तवानाई के हवाले से यह दुनिया बदलती चली गयी। इस एक फ़ार्मूले ने दुनिया की कुछ क़ौमों को दुसरों से मीलों नहीं बल्कि सदियों आगे ले जाकर खड़ा कर दिया। और जिन क़ौमों को यह फ़ार्मूला उस वक़्त समझ नहीं आया उन्होंने खुद को उन क़ौमों से सदियों पीछे पाया जिन्हें यह समझ आ गया था।

यह फ़ार्मूला माद्दे और तवानाई के बीच के आपसी ताल्लुक़ से मुताल्लिक़ है जो कहता है कि

$$E = mc^2$$

अगर हम इसे आसानतरीन ज़ुबान में समझने की कोशिश करें तो यहाँ E से मुराद तवानाई (Energy) है जबकि **m** से मुराद माद्दा (Matter) है। **c** इस फ़ार्मूले का अफ़ज़लतरीन अनासिर (Factor) है जो यहाँ **"रौशनी की चाल"** (जो 299792 किमी फी सेकण्ड होती है) की नुमाइंदगी करता है और यह अकेला अनासिर तवानाई के तमाम दुसरे फ़ार्मुलों पर इस तरह ग़ालिब आ जाता है कि फ़िर बाक़ी तमाम फ़ार्मूले कही नज़र ही नहीं आते। मुख़्तसर यह की यह फ़ार्मूला हमें समझाता है कि माद्दे को तवानाई में तब्दील किया जा सकता है और वो तवानाई माद्दे के वज़न और रौशनी की चाल के Square के ज़रब (Multiplication) के बराबर होती है। अगर हम इसे हल करने की कोशिश करेंगे तो जो छोटी से छोटी रक़म हमें मिलेगी उसमें भी इकाई के बाद कम से कम 10 और सिफ़र जुड़े होंगे, लिहाज़ा जवाब की शक्ल में हमें एक बहुत बड़ी रक़म मिलेगी। यह फ़ार्मूला हमें यह भी समझाता है कि कुदरत ने तवानाई को माद्दे में क़ैद किया हुआ है जिसे रिहा (Release) कराया जा सकता है बशर्ते की हमें इसे रिहा कराना और इस्तेमाल करना आता हो। यह **क़ैद तवानाई** इतनी लामहदूद है कि माद्दे की महज़ थोड़ी

मिक़्दार ही सारी दुनिया को कई सालों तक बिजली और हरारत दे सकती है।

इस फ़ार्मूलें से जो साबित होता है वोह यह है कि माद्दा भी तवानाई की ही एक अलग शक्ल है जहाँ तवानाई यानि $E = m \times c \times c$ होती है। दुनिया ने इस फ़ार्मूले को एटम बम (Atom Bomb) की शक्ल में काम करते हुए देखा है जिसमें बहुत थोड़ा माद्दा इस्तेमाल करके ही बेइन्तिहाँ तवानाई पैदा करने की क़ाबिलियत होती है। अपनी बेक़ाबू शक्ल में यह तवानाई लोगों के लिए एक क़यामत बरपा करती है लेकिन अगर क़ाबू कर ली जाए तो खुशहाली का बाइस भी होती है। हम यहाँ जिन मक़ासिद की बात कर रहें हैं वो इस फ़ार्मूले के उन्हीं इस्तेमालों को फ़रोग़ देने से ताल्लुक़ रखते हैं जिन्हें क़ाबू किया जा सकता है क्योंकि इसका यह इस्तेमाल ही इंसानियत की लिए ज़्यादा मुफ़ीद हैं।

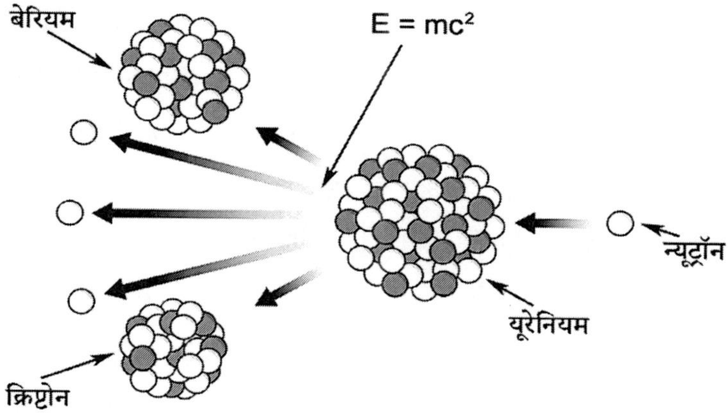

नुक्लेयर फ़िशन (Nuclear Fission) को बयान करती यह तस्वीर हमें समझाती है कि कैसे यूरेनियम (U_{92}) का एक परमाणु (Atom) जो दुनिया का सबसे भरी कुदरती अनासिर है जब न्यूट्रॉन की टक्कर से टूटता है तो दो नए अनासिर में तब्दील हो जाता है जो अक्सर बेरियम (Ba_{56}) और क्रिप्टोन (Kr_{36}) होते हैं। यूरेनियम के टूटने के इस रद्दे अमल (Process) में वोह बेतहाशा कुदरती तवानाई गर्मी की शक़्ल में रिहा होती है जिसकी तशरीह आइंस्टीन का फ़ार्मूला पेश करता है।

आइंस्टीन तवानाई के इस फ़ार्मूले तक बिना कोई बड़ा अमली तजिरबा किये कैसे पहुँचे इसका राज़ तो उन्हीं के साथ चला गया लेकिन जो उन्होंने दरयाफ़्त किया उस पर किया एक मुतवाज़िन तजज़िया (Balanced Analysis) हमें यह मानने पर मजबूर कर देगा कि जिस ख़ुदा ने भी इस कायनात को ख़ल्क़ किया है उसका मिज़ाज साइन्सी (Scientific) है मज़हबी नहीं और उसके बनाए सच्चे दीन को मन्तक़ी होना चाहिए, ग़ैर-मन्तक़ी नहीं। आइंस्टीन ने इस फ़ार्मूले की दरयाफ़्त लगभग 100 साल पहले की थी लेकिन यह फ़ार्मूला आज भी हमें मालूम कुदरत के मौजूदा सभी फ़ार्मूलों का सरताज है जो ख़ुदाई निज़ाम के एक बहुत बड़े राज़ को हमारे सामने बेपर्दा करता है और मारिफ़त-ए-ख़ुदा के हवाले से हमारे यक़ीनों में एक नया तूल (Dimension) जोड़ता है। जब मैंने इस फ़ार्मूले पर ज़ाती तजज़िया किया तो मैं इस नतीजे पर पहुँचा कि यह कोई शैतानी फ़लसफ़ा नहीं बल्कि उस ख़ुदा का हक़ीक़ी अमल-ए-कार है जिसे हम हर काम का क़ादिर बयान करते हैं। मैंने यह भी पाया की इस फ़ार्मूले की मौजूदगी साबित करती है कि दीन-ए-इस्लाम जिस शिर्क का ज़िक्र करता है उससे मुराद फ़क़त इतनी नहीं हो सकती कि “शिर्क ख़ुदा की ज़ात में किसी को शरीक कर देने का नाम है” बल्कि इससे मुराद यह भी होनी चाहिए कि “ख़ुदा को उसी के पैदाकर्दा इल्म और उसकी कुदरत के हवाले से ग़ैर-मन्तक़ी (Illogical) साबित करना भी शिर्क ही है”। ऐसा इसलिए क्योंकि उस अज़ीम ताक़त को ग़ैर-मन्तक़ी समझने के बाइस हम उसे लेकर अपने दिल-ओ-दिमाग़ पर एक डर हावी किए रहते हैं हालाँकि सच्चाई यह है कि उसी का पैदा किया इल्म हमारे लिए उसकी सही मारिफ़त में इज़ाफ़ा करता है और हमारे अंदर उसके लिए एक मन्तक़ी मुहब्बत भी पैदा करता है।

तवानाई का यह एक ऐसा अज़ीन फ़ार्मूला है जिस पर हज़ारों किताबें लिखी जा चुकी हैं और हज़ारों आगे भी लिखी जाएँगी मगर यहाँ इस फ़ार्मूले का ज़िक्र करने से मेरा पहला मक़सद दीन-ए-इस्लाम के मानने वालों को इस बात की

तरफ़ मुतवज्जे करना है कि इंसान के लिए असल तवानाई अब तब्दीली में नहीं बल्कि माद्दे से उसकी रिहाई (Release) में समाई हुई है। मगर हम अभी भी उन्हीं पुराने और रिवायती (Traditional) तवानाई क़वानीन पर इन्हिसार किए हुए हैं जिन्हें बाक़ी दुनिया या तो छोड़ चुकी है या आहिस्ता-आहिस्ता छोड़ रही है। इस तवानाई की असल हैसियत का सही अंदाज़ा लगाने के लिए हमारा यह समझना ज़ुरूरी है कि हमारा सूरज भी इसी फ़ार्मूले के तहत रौशनी और हरारत पैदा करता है। अगर वोह तवानाई के दुसरे क़वानीन के मुताबिक़ जल रहा होता तो महज़ 5-6 हज़ार सालों में ही अपना सारा ईंधन ख़त्म कर बुझ चुका होता जबकि, यह पिछले 5.5 अरब सालों से रौशन है और आगे भी इतने ही साल और रौशन रहेगा।

अब सवाल यह है कि इस तवानाई का इस्तेमाल हम अपनी फलने फुलने के लिए किस तरह कर सकते हैं तो इसका जवाब यह है कि इसे सिर्फ सही इल्म और सही तालीम के सहारे ही इस्तेमाल करना सीखा जा सकता है क्योंकि यह उन रिवायती तरीक़ों से हमारे ज़ेरे-दस्त (Under Control) नहीं आ सकती जिस तरह बाक़ी दुसरी ताक़तें आ जाती हैं। इसे क़ाबू करना तवील मुलाज़िमत और सही जानकारी का हामी है जो सिर्फ मुसलसल इल्मी तजज़ियों से ही हासिल होती है। हम अपना माल ख़र्च कर इसे दुसरों से हासिल नहीं कर सकते क्योंकि यह तवानाई ख़रीद- ओ-फ़रोख़्त की हदों से बाहिर की शय है। लिहाज़ा जब तक यह हमसे दूर है हम उन क़ौमों के मुक़ाबिल हमेशा इमकानात की सीढ़ी पर पीछे ही खड़े रहेंगे जिनके पास यह तवानाई मौजूद है। अलबत्ता हम उन तालीमी तरक़ीबों पर अपना माल ज़ुरूर ख़र्च कर सकते हैं जिनके ज़रिए हम खुद इस तवानाई को पैदा कर सकें ताकि इम्कानी तौर पर खुद को इसके नज़दीक ले जा पाएं। लेकिन इस काम के लिए हमें ढ़ेर सारे स्कूल, यूनिवर्सिटीज़ और लेबोरेटरीज़ की ज़ुरूरत पड़ेगी जिसे पूरा करने के लिए हमें एक **इज्तेमाई इरादे (Collective Decision)** की ज़ुरूरत है। इरादे की ताक़त को हम पहले ही बयान कर चुके हैं इसलिए यहाँ सिर्फ इतना कहना ही

काफी होगा कि जब तक हमारे अपने अंदर से मज़बूत इरादे वाले फ़लसफ़ी, रियाज़ियाती, ताबियाती, हयातियाती (Biology), कीमियाई (Chemistry), मआशियाती (Economy), इंजीनेयरिंग, डॉक्टर और आईटी (Information Technology) वग़ैरह के माहिर लोग नहीं निकलेंगे तब तक ज़िन्दगी के इस मुक़ाबिले में हम दुसरों से पिछड़ते ही जाएंगे।

इस फ़ार्मूले का ज़िक्र करने से मेरा दुसरा मक़सद दीन-ए-इस्लाम के मानने वालों को यह समझाने की कोशिश करना भी है कि दुनिया इस फ़ार्मूले का ताबियाती इस्तेमाल तो कई दहाइयों (Decades) से कर रही है लेकिन अब वोह इसके रूहानी (Spritual) इस्तेमाल की जानिब भी बढ़ रही है क्योंकि इसका रूहानी इस्तेमाल भी अब मुमकिन लगने लगा है। दुनिया के मुख़्तलिफ़ फ़लसफ़ी यह साबित कर चुके हैं कि इंसान का दिमाग़ भी लामहदूद तवानाई से भरा हुआ है जिसे सही इल्म और सही फिक्र के ज़रिए रिहा किया जा सकता है और दुनिया के मुख़्तलिफ़ माहिर-ए-नफ़्सियात (Psychologists) उन फ़लसफ़ों को दरयाफ़्त करने में लगे हुए भी हैं जहाँ इंसान अपने ज़हन की लामहदूद तवानाई को रिहा (Release) कर नामुमकिन अमल अंजाम दे सकें। मेरे ग़ैर-तस्दीक़ी (Unconfirmed) ख़्याल में हम जब भी इस फ़ार्मूले का रूहानी इस्तेमाल करना सीख़ जाएंगे तब **E** से मुराद हमें मिलने वाले नतीजे होंगे जबकि **m** से मुराद हमारी ज़िहानत (**IQ-Intelligence Quotient**) होगी। और **c** इस फ़ार्मूले में रौशनी की चाल की नहीं बल्कि हमारे **मन की चाल** की नुमाइंदगी करेगी जो इस क़दर लामहदूद है कि पलक झपकते ही कायनात के एक सिरे से दुसरे सिरे तक प्हुँच जाती है। यानि अगर यह फ़ार्मुला ताबियाती तौर पर लामहदूद तवानाई का राज़ है तो यह रूहानियत की भी वही लामहदूदी साबित करेगा जो इसने माद्दे के लिए की है। इस बात को फ़लसफ़ियाना तौर पर समझने के लिए हम कह सकते हैं कि "इंसान फ़क़त एक रूह है जिसे कुदरत ने अपनी सबसे नायाब और अज़ीम नैमत

अक़्ल से नवाज़ा है और जो एक मुजस्सम जिस्म में रहती है"। हमारा काम इस रूहानियत की उस लामहदूद ताक़त को पहचानना है जिससे हम अभी मुक़म्मल तौर पर वाक़िफ़ नहीं हैं। और जिस दिन हम इस ताक़त को मुक़म्मल तौर पर पहचान जाएंगे उस दिन हम अपने खुद के सूरज, सय्यारें, कहकशाएँ यहाँ तक की अपनी ख़ुद की कायनातें भी तामीर कर रहें होंगे।

दीन-ए-इस्लाम के मानने वालों से मेरा यह मतालबा (Demand) है कि इस कोशिश में वो अपनी जानिब से ही पहल करें क्योंकि ऐसा करने से उनकी क़ुबूलियत में इज़ाफ़ा भी होगा और यह अमल बाकी दुनिया के लिए भी मुफ़ीद रहेगा। और ऐसा करने में जो शय हमारी मदद कर सकती है वोह हमारी फ़िक्र (Vision) है क्योंकि अल्बर्ट आइंस्टीन ने अपनी फ़िक्र से ही साबित किया है कि

फ़िक्र को बख़्शी है कुदरत ने वोह अज़मत (Greatness) आलम !
एक इंसान भी क़ौमों को जीता सकता है !!
चाँद सूरज को भी सजदे में झुका सकता है !!
अपने हाथों नई दुनियाएँ बना सकता है !!

आख़िरी मतालबा

अब तक हमने मौजूदा किताब के ज़रिए इल्म, कुदरत और उन वजूहात को समझने की कोशिश की जो दुनिया के हर शक़्स की ज़िन्दगी में यक्साँ होती हैं मगर अलग-अलग लोग इनसे अपनी-अपनी ज़िहानत और यक़ीनों के दम पर अलग-अलग नताईज हासिल करते हैं। हमने यह भी समझने की कोशिश की कि क्यों हमारे लिए सइंसिया मिज़ाज (Scientific Temperament) का होना एक ज़ुरूरी हदफ़ है और कैसे हमारे माली हालात और हमारी हर एक तरक़्क़ी सिर्फ़ इसी मिज़ाज के मातहत है। इस मिज़ाज से अलग हम जो ज़िन्दगी भी जीते हैं उसमें

किसी तारीख़ी पहलू का मौजूद होना एक नायाबतरीन (Rarest) मौक़ा है जिसे हर कोई अपने लिए ख़ल्क़ नहीं कर सकता है।

आइए, अब हम अपनी इस तमाम गुफ़्तुगू को यहाँ से समेटना शुरू करें, जिसके लिए हम अपनी बात फिर दीन-ए-इस्लाम और उसकी तारीख़ को अपना मौज़ू बनाकर ही शुरू करते हैं।

इस्लामी तारीख़

इंसानी ज़िन्दगी का कोई भी पहलू ऐसा नहीं है जिसे दीन-ए-इस्लाम नज़रअंदाज़ करता हुआ आगे बढ़ जाता हो। चाहे इंसान की ज़ाती ज़िन्दगी हो या उसकी सामाजी ज़िन्दगी, इस्लाम ने इंसान को हर वो आदाब-ओ-क़वानीन समझाने की पुरज़ोर कोशिश की है जो उसे दुनिया की रवानियों मे खुद को बेहतरीन तौर से क़ायम रखना और खुद की बरतरी के लिए इस दुनिया को बेहतरीन तौर पर इस्तेमाल करना सिखाते हैं।

अगर हम दीन-ए-इस्लाम की 1400 सालों की तारीख़ पर एक सरसरी नज़र डालें तो एक तरफ़ हम यह देखेंगे कि दुनिया की सबसे पहली यूनिवर्सिटी जमात-उल-करवियथीन (University of Al Quaraouiyine) की तामीर इसवी सन 859 में इस्लामी सरज़मी से हो हुई जहां बाक़ायदा इल्मी सतह पर तालिब-ए-इल्म (Students) जमात को सदाक़त नामा (Certificate) दिए जाने की शुरुआत हुई तो वहीं दुसरी तरफ़ बग़दाद जैसा शहर लगभग 300 सौ सालों तक दुनिया के लिए इल्म, सक़ाफत (Culture), रियाज़ियात और फ़लक़यात (Astronomy) का मरक़ज़ बना रहा जिसे आख़िर में मंगोलों (Mongols) ने बर्बाद कर दिया। एक लम्बे वक़्त तक दुनिया के एक बहुत बड़े हिस्से पर उस्मानी-सल्तनत (Ottoman Empire) भी क़ाबिज़ रही जो अपनी

सक़ाफ़त और ऐश-ओ-इशरत (Luxuries) के लिए मशहूर थी न की अपने ज़ुल्म-ओ-ज़्यादती के लिए।

यह एक हक़ीक़त है कि दीन-ए-इस्लाम के मानने वालों ने भी अपने हुनर और अपने इल्म से दुनिया को मुतास्सिर (Impress) किया लेकिन आगे चलकर उनका ज़्यादातर इल्म महज़ दस्तकारी (Handicrafts), फनकारी (Art) और तिजारत (Business) तक ही महदूद होकर रह गया क्योंकि उन्होंने रियाज़ियाती, ताबियाती, हयातियाती, कीमियाई, फ़लक़यात और दीगर इल्मी मौज़ूआत पर बाद के वक़्तों में उतना काम नहीं किया जितना किया जाना चाहिए था। यह सिलसिला वसी तौर पर आगे क्यूँ नहीं बढ़ सका इसकी वजूहात एक तवील तफ्तीश की हामिल हैं क्योंकि जिस वक़्त दीन-ए-इस्लाम अपनी सरहदों को फ़ैला रहा था ठीक उसी वक़्त दुनिया की मुख़्तलिफ़ तहज़ीबे खुद को साइंस और रियाज़ियात जैसे मज़्मूनों की गहराइयों में उतारती जा रहीं थीं। जिस वक़्त ब्रिटेन में सनती-इंक़लाब (Industrial Revolution) की शुरुआत हो रही थी ठीक उसी वक़्त उस्मानी-सल्तनत (Ottoman Empire) भी अपने पुरे शबाब पर दुनिया की एक बड़ी हुकूमत के तौर पर मौजूद थी। यूँ तो उस्मानी-सल्तनत ने आलमी-तिजारत को बढ़ावा देने और खुद को आलमी माशियात (World Economy) का मरकज़ (Centre) बनाने के लिए बहुत से नए तिजारती रास्तों (Business Routes) की तामीर की और लगातार अपनी क़ाबिल-ए-काश्त (Fertilized) ज़मीनों मे भी इज़ाफ़ा किया मगर फ़िर भी वोह मग़रिबी यूरोप की तरक्क़ीशुदा और सरमाया पसंद तिजारती माशियात (Capitalized Business Economy) के तेज़ रफ़्तार उसूलों को समझने में कामयाब न हो सकी।

जिन वजूहात के चलते ब्रिटेन में सनती-इंक़लाब की शुरुआत हुई थी उस्मानी-सल्तनत उन वजूहात से दूर थी। इसकी सबसे बड़ी वजहों में से पहली वजह उस्मानी-सल्तनत में लोगों का आलिम होने से ज़्यादा दस्तकार, फनकार,

जंगजू (Soldiers) और ताजिर (Businessmen) होना था तो दूसरी वजह उस्मानी-सल्तनत के वो वसाइल (Resources) थे जिनके रहते हुए उन्हें कभी भी सनती-इंक़लाब की ज़ुरूरत महसूस नहीं हुई क्योंकि उनकी आमदनी का एक बहुत बड़ा हिस्सा तो दुसरों को तिजारती सहूलतें देने से ही आ जाया करता था। लिहाज़ा जिन तरक़्क़ियों के बाइस सनती-इंक़लाब यूरोपियन मुमालिक के लिए एक न्हिायत ही ज़ुरूरी इंक़लाब था ठीक वैसा ही वोह उस्मानी-सल्तनत के लिए नहीं था जिसके पास पहले से ही वसाइल-ओ-असबाब के अम्बार मौजूद थे। यूँ तो ब्रिटिश-सल्तनत (British Empire) भी बोहत फ़ैली हुई और वसाइल-ओ-असबाब से मालामाल सल्तनत थी मगर एक बात जो उन्हें उस्मानी-सल्तनत से जुदा करती थी वोह उनकी नई सोच थी जिसने उन्हें मशीनें बनाने और लम्बी दूरी जल्द तय करने के लिए नए-नए ज़राए ईजाद करने के लिए उकसाया। जब जेम्स वाट (James Watt) ने भाप के इंजन का ईजाद किया तो ब्रिटेन ने इस ईजाद के उन पहलुओं को सनझने में ज़्यादा वक़्त नहीं लिया जो उसके लिए एक सुनहरे मुस्तक़बिल के दरवाज़े खोलने वाला था लिहाज़ा फौरी तौर पर ही इस ईजाद को अलग-अलग कामों के लिए आज़माया जाने लगा और देखते ही देखते सनती-इंक़लाब की रफ़्तार तेज़ होती चली गयी। जैसे-जैसे यह इंक़लाब यूरोप नें बढ़ता गया वैसे-वैसे ही वहाँ ज़्यादा तालीमयाफ़्ता और ज़्यादा आलिम लोगों की ज़ुरूरत भी बढ़ती गयी। और इस बढ़ती हुई ज़ुरूरत को पूरा करने के लिए वहाँ और ज़्यादा स्कूलों और जामिआ (Universities) की तामीर की गई जबकि उस्मानी-सल्तनत या दीगर इस्लामी मुमालिक में उस वक़्त ऐसी कोई तामीर नहीं हो रही थी।

इस्लामी हुकूमतों के ऐसे इंकलाब से दूर होने की एक तीसरी बड़ी वजह तुर्की के शाह का वोह एक फतवा भी था जिसने तमाम इस्लामी मुमलिक़त को छपाई ख़ाने (Printing Press) खोलने से रोक दिया क्योंकि उनके मुताबिक़ यह एक बिदअत (Religious Restriction) था। इस एक फतवे ने जितना नुक्सान

इस्लामी तारीख़ को पहुँचाया उतना यक़ीनन किसी और फतवे ने कभी नहीं पहुँचाया, क्योंकि इस एक फतवे ने इस्लामी तहज़ीब को दुसरों से सदियों पीछे धकेल दिया। इस फ़तवे से बाहर निकलने में दीन-ए-इस्लाम के मानने वालों को लगभग 200 सालों का वक़्त लगा जबकि इस तवील मुद्दत में बाक़ी दुनिया एक तेज़ रफ़्तार से आगे बढ़ती चली गयी थी।

हमारा हदफ़

इस्लामी तारीख़ के ये कुछ ऐसे पहलू हैं जिन पर आज हम तब्सिरा (Discussion) तो करते हैं लेकिन इसके चलते जो नुक्सान एक क़ौम के तौर पर इस्लामी तहज़ीब ने उठाया उन्हें दूर कर के लिए कोई ठोस अमल नहीं करते। क्योंकि ऐसे फैसलों का नुक्सान क़ौमों को इल्मी ऐतबार से ही उठाना पड़ता है इसलिए ऐसे फैसलों को किसी भी क़ौम पर थोपा जाना उनके मज़हबी यक़ीनों को मश्कूक़ बनाता है जिन्हें बहाल (Restore) करने में सदियाँ लग जाती हैं। हक़ीक़तन हमने यह नुक्सान उठाया और इसकी क़ीमत अपने इख़्तियार-ओ-इक़्तिदार को खोकर चुकाई।

अपने खोए हुए इस इख़्तियार-ओ-इक़्तिदार को हासिल करने के लिए जिस कोशिश को हम अहमियत दे सकते हैं वोह यक़ीनन इल्म से शुरू होती है और उन पहलूओं से होकर गुज़रती है जिनका हमने इस किताब में ज़िक्र किया। हालाँकि, इस कोशिश को रातों रात परवान नहीं चढ़ाया जा सकता क्योंकि इसके लिए एक मज़बूत इरादे, कई अशरों (Decades) की मेहनत और एक इज्तेमाई हदफ़ की दरकार है। इस कोशिश को हम अपनी मौजूदा पीढ़ी के ज़रिए भी मुकम्मल तौर पर आग़ाज़ नहीं दे सकते क्योंकि किसी भी क़ौम की मौजूदा पीढ़ी अपने यक़ीनों के हवाले से हमेशा ही खुद को एक तकमील (Completion) की हालत में तसव्वुर करती हैं जिसे बदलना एक निहायत ही हस्सास और मुश्किल अमल होता है।

हालाँकि अगर हम अपने यक़ीनों में उन फ़लसफ़ों और उन फ़ार्मुलों के चलते एक तब्दीली लाते हैं जो इस तमाम कायनात को चला रहें हैं तो यक़ीनन ये नए यक़ीन हम अपनी नई पीढ़ी में भी मुन्तक़िल कर सकते हैं जो हमारी इस कोशिश को बिलआख़िर परवान चढ़ा सकती है। ऐसा करने में हमारे लिए एक मख़सूस तसल्ली यह है कि यह कोशिश उन्हीं मज़हबी और समाजी फ़िक्रमंदियों के बीच से अपना रास्ता निकालती है जिन्हें अक्सर एक बंद गली (Dead End) समझा जाता रहा है।

इस कोशिश को एक अमली शक्ल देने के लिए हमें बिलकुल नए सिरे से आग़ाज़ करना चाहिए और उन बच्चों की तालीम पर ज़ोर देना चाहिए जिन्हें कल इस ज़िम्मेदारी को अपने कंधों पर उठाना है। इस काम को हम अपनी उस पीढ़ी के ज़रिए हासिल नहीं कर सकते जो अपने नाफिज़ा (Established) यक़ीनों में किसी तब्दीली को राज़ी नहीं है। और यूँ भी ये नए यक़ीन और नए फ़लसफ़े तभी बेहतर तौर पर काम करते हैं जब ये किसी ज़हन में पहले पहल यक़ीनों के तौर पर मुन्तक़िल होते हैं, क्योंकि बालिग़ अफ़राद में ऐसे फ़लसफ़े हमेशा ही उलझनें पैदा करते हैं जो उनके नाफिज़ा यक़ीनों से शबाहत (Similarity) नहीं रखते हो।

फौरी तौर पर हम संजीदगी के साथ छोटे-छोटे इदारे (Bodies) बना कर और छोटे-छोटे हदफ़ उठा कर इस कोशिश को फ़रोग़ दे सकते हैं। किसी भी बड़े हदफ़ को पूरा करने के लिए जिस हुनर और जिस इंतेज़ामिया (Management & Skill) की ज़ुरूरत होती है वोह फिलहाल हमारे पास महदूद हालत में है इसलिए हम इस सिलसिले की शुरुआत अपने बच्चों में नज़्म-ओ-ज़ब्त पैदा करके और उन्हें एक साइंसिया मिज़ाज देने से कर सकते हैं। उन्हें दुनिया की मुख़्तलिफ़ चीज़ों के पीछे काम कर रहे साइंस से आगाह करते हुए और उन्हें उसकी अमली तालीम (Practical Knowledge) मुहय्या कर हम इस मिज़ाज को उनके दिमाग़ की गहराइयों में उतार सकते हैं ताकि वो अपनी आने

वाली ज़िन्दगी में चीज़ों और फ़लसफ़ों को तन्क़ीदी और मन्तक़ी दोनों तरह से समझ सकें। जब तक हम उन्हें अमली तौर पर (Practically) यह नहीं समझायेंगे कि इस दुनिया में चीज़े कैसे अपना वुजूद पाती हैं और कैसे अपना काम अंजाम देती हैं तब तक हम उनमें यह मिज़ाज अरसाल (Transmit) नहीं कर सकते।

इस कोशिश के लिए जिस सरमाए की ज़ुरूरत पेश आएगी उसका इंतिज़ाम भी हमें खुद ही करना होगा क्योंकि इसके लिए हम सरकारों पर या मज़हबी इदारों पर इन्हिसार नहीं कर सकते हैं। और यूँ भी यह हमारा ज़ाती हदफ़ है इसलिए हमें अपने पुर-आसाइश दायरों (Comfort Zones) से बाहिर निकल कर ही इस कोशिश को इसके अंजाम तक पहुँचाना होगा। इसमें कोई शक नहीं कि बहुत सारे लोगों के अपने पुर-आसाइश दायरों को छोड़े बिना कोई भी क़ौम कोई भी इज्तेमाई हदफ़ हासिल नहीं कर सकती क्योंकि इम्कानी तौर पर बहुत सारे शौबों (Fields) में एक साथ काम करना महदूद लोगों के लिए मुमकिन नहीं है।

अगर हम इतना काम भी कामयाबी से कर पाते हैं तो इसके बाद हम आगे के लिए तवील मुद्दती मंसूबाबंदी (Long Term Planning) कर सकते हैं जिसमें हम नए स्कूल, नई यूनिवर्सिटियाँ और नए तजिरबाख़ाने (Laboratories) तामीर कर सकते हैं, जो हमारी इल्म की ज़ुरूरतों को पूरा कर सकें। और एक बार यह मुमकिन हो जाने के बाद हम खुद मुशाहिदा (Observe) करेंगे कि हमारी क़ुबूलियत में एक मनफ़ी बदलाव आ रहा है जिसे यह दुनिया सराह रही है और उसकी पैरवी भी कर रही है।

इसमें कोई शक़ नहीं कि ख़ुदा ने दीन-ए-इस्लाम के मानने वालों को अब तक भी दौलत-ओ-असबाब से नवाज़ा हुआ है और दुनिया के तमाम बड़े पेट्रोलियम के ज़खीरे आज भी इस्लामी मुल्क़ों के हाथों में ही हैं। इन ज़खीरों के ज़रिए पैदा होने वाली दौलत इतनी ज़्यादा है कि यह उन तमाम हदफ़ों को महज़ 30 सालों में पूरा कर सकती हैं जिनका मतालबा इस किताब के ज़रिए किया जा रहा है। अरब

मुमालिक चाहें तो यक़ीनन ऐसा कर भी सकते हैं, जबकि जुनूबी एशिया के मुल्क़ों को ऐसा करने के लिए अपने महदूद असबाब और अपनी कड़ी मेहनत पर ही इन्हिसार करना होगा क्योंकि उनके पास ऐसे ज़खीरें मौजूद नहीं हैं। लेकिन ऐसा करना तब तक मुमकिन नहीं जब हम यह तस्लीम न करें कि दीन-ए-इस्लाम के लिए यह एक अहमतरीन मसअला है और जिसके चलते हमें अपने दौलत-ओ-असबाब अपनी बक़ा (Existance) के लिए सर्फ़ करने चाहिए न की अपनी ऐश-ओ-इशरत के लिए।

यह एक तल्ख़ हक़ीक़त है कि हम चाहे जितना भी दीन-ओ-दुनिया पर तब्सिरा करें लेकिन अगर हम अमली तौर पर किन्हीं इरादों या हदफ़ों पर काम नहीं कर रहें हैं तब यह सिर्फ हमारा ज़ुबानी जमा खर्च (Useless) करना ही है जिसका कभी कोई नतीजा हासिल नहीं होता। अलबत्ता, अगर हमारे मुआशरे में खुले ख़्यालात वाले नौजवान और बुज़ुर्ग मौजूद हैं जो छोटी बड़ी महफ़िलों में बैठकर वक़्त ज़ाया करने से बेहतर इल्म और तालीन के मुद्दों पर किसी नतीजे तक पहुँचने की जुस्तुजू करते हैं तो यक़ीनन वो हमारी आने वाली पीढ़ी की रहनुमाई कर सकते हैं। असल में यही लोग इस किताब हक़ीक़ी हदफ़ (Targets) भी हैं जिन्हें हम यह समझने की कोशिश कर रहें हैं कि जिस तरह से वो इस दुनिया को समझते हैं यह दुनिया न ही वैसी है और न ही वैसे काम करती है। इसलिए **उन्हें यह हदफ़ उठाना चाहिए कि अगले 25-30 सालों में वो एक ऐसी पीढ़ी तैयार करेंगे जिसका मिज़ाज सइंसिया होगा और जो हर यक़ीन, हर फ़लसफ़े और हर फार्मूलें को तजज़ियाई तौर पर (Analytically) समझने और मानने की हामी होगी**। हमें ऐसी पीढ़ी की शदीद ज़ुरूरत है जो हर मौज़ू पर ख़ुद को मज़बूती के साथ पेश कर सकें और जिसकी बात को दुनिया की हर क़ौम तस्लीम करने के लिए आमादा हो। ऐसी पीढ़ी तैयार करने में हमें सिर्फ अपने 25-30 साल सर्फ़ करने होंगे जो कोई नामुमकिन काम नहीं है।

यह एक आलमी हक़ीक़त (Universal Truth) है कि कायनात का मिज़ाज मुतहर्रिक (Dynamic) है और यह कभी उस शय की तस्दीक़ नहीं करती जो किसी ठहराव की हामिल हो। पुराने वक़्तों यह एक ज़ुरूरी फ़लसफ़ा था कि तवानाई का ताल्लुक़ मिक़्दार (Quantity) से होता है, लेकिन इस फ़लसफ़े के ठहराव को आइंस्टीन के फ़ार्मूले ने हमेशा के लिए बदल डाला है और यह साबित कर दिया है कि वक़्त के साथ-साथ फ़लसफ़ों को भी बदलना पड़ता है। आज हम यह जानते हैं कि तवानाई दरअसल मिक़्दार में नहीं बल्कि फ़िक्र में छुपी हुई है और इसलिए बड़ी आबादी का फ़लसफ़ा आज के दौर में काम नहीं कर सकता। उल्टा यह तो हमारे हदफ़ को नामुमकिन बना देगा क्योंकि हम चाहे या न चाहे मगर हमें अपने महदूद असबाब अपनी आबादी के साथ बाँटने पड़ते हैं। इसलिए इस हदफ़ को पूरा करने के लिए हमें बड़ी आबादी की नहीं बल्कि सही फ़िक्र रखने वाले अफ़राद की ज़ुरूरत है।

तग़य्युर बनाम तब्सिरा

इस्लामी मुआशरे में ख़्यालात मुन्तक़िल करने का जो मौजूदा निज़ाम है उसकी जड़े आज भी 1400 पुरानी ही हैं। हालाँकि दुनिया उस दौर से मीलों आगे निकल आई है। इस सिलसिले में हम जिस तर्ज़े अमल की पैरवी करते हैं वोह अक्सर उन मज़हबी जलसों की शक्ल में सामने आती है जहाँ हम दीन पर तब्सिरा करते हैं और उसमें इल्म शामिल कर लेते हैं। हमने शायद इसकी फ़िक्र कभी की ही नहीं है कि इस निज़ाम को भी अब एक तग़य्युर (Change) की ज़ुरूरत है लिहाज़ा इसे अब पलट जाना चाहिए। यानि हमारे जलसों की शुरुआत अब इल्म पर तब्सिरे से होनी चाहिये जिनमें हम आगे बढ़ते-बढ़ते दीन को भी शामिल करते चलें। हक़ीक़तन, यही एक क़ामिल निज़ाम है क्योंकि इसके ज़रिए लोगों की मालूमात में भी इज़ाफ़ा होता है और वो अपने दीन का ताल्लुक़ इल्म से भी जोड़ पाते हैं। साथ

ही साथ यही निज़ाम उस इंसाफ़ की पैरवी भी करता है इल्म जिसका एक जायज़ हक़दार है क्योंकि वोह हमारे दीन से ज़्यादा तवील और लामहदूद है।

हमें यह याद रखना चाहिए कि मज़हबी शिद्दत पसंदी और जुनून हमारे इन मसअलों का राह-ए-हल न हैं और न ही हो सकते हैं क्योंकि ये हमेशा ही ग़ैर-मज़हबी आमाल अंजाम देते हैं। मज़हबी शिद्दत पसंदी और जुनून इंसान से वो तमाम अमल अन्जाम दिलाते हैं जिनकी मुख़ालिफ़त ख़ुद उसी का मज़हब कर रहा होता है। और हम सभी यह बात अपने पूरे वुजूद से क़ुबूल करते हैं कि जिस अमल की मुमानियत दीन-ए-इस्लाम कर दे वोह अमल कभी भी तकमील हासिल नहीं कर सकता। ऐसी सूरत में हम अगर मज़हबी शिद्दत पसंदी और जुनून की हिमायत करते हैं या उसके लिए एक नर्म गोशी (Soft Corner) के हामिल हैं तो भी हम मज़हबी तौर पर यह मानने पर मजबूर होंगे कि जुनूनियत का यह रास्ता कभी भी हमें अपने असली हदफ़ हासिल नहीं करने देगा क्योंकि इसमें वोह गहराई है ही नहीं जो किसी बड़े हदफ़ को हासिल करने के लिए ज़ुरूरी है। और यूँ भी क़ौम-ए-इस्लाम दुनिया की वोह पहली क़ौम नहीं है जिसने ग़ैर-मज़हबी ज़ुल्म-ओ-ज़ियादतियों को एक लम्बे वक़्त तक बर्दाश्त किया है। इसकी सबसे बदतरीन मिसाल दरअसल क़ौम-ए-यहूद (Jews) है जिन्होंने ग़ैर-मज़हबी ज़ुल्म-ओ-सितम की सबसे तकलीफ़देह ज़ियादतियाँ बर्दाश्त की मगर फ़िर भी वोह एक अज़ीम ताक़त की शक्ल में वापस उभर कर आई।

1939 में जब दुसरी आलमी जंग (World War II) अपनी बदतरीन शक्ल में पूरे ज़ोरों पर थी तब नाज़ी फौजों ने एक तरह से क़ौम-ए-यहूद को जैसे दुनिया से ख़त्म कर देने का हदफ़ उठाया हुआ था। उनके ज़ुल्म की हद यह थी कि नाज़ी जर्मन सैकड़ों यहूदियों को जानवरों से भी बुरी हालत में रेलगाड़ियों में भरकर कत्लगाहों तक लाते थे और ज़हरीली गैस के कमरों (Gas Chambers) में क़ैद कर उन्हें मुश्तरका तौर पर क़त्ल कर दिया करते थे, जिसके बाद उनकी लाशों को

बड़े-बड़े गड्ढ़ों में एक साथ दफ़्न कर दिया जाता था। ज़ुल्म-ओ-सितम का यह दौर जब तक हिटलर ज़िंदा रहा लगातार जारी रहा और इस दौरान लगभग 60 लाख़ यूरोपियन यहूदियों का क़त्ल कर दिया गया। हिटलर की इस तमाम कारगुज़ारी को ही तारीख़ में होलोकॉस्ट (Holocaust) कह कर मुख़ातिब किया जाता है जिसकी तफ़्सील जानना आज की दुनिया में कोई मुश्किल काम नहीं है। जो ज़ुल्म-ओ-ज़ियादतियाँ क़ौम-ए-यहूद ने जर्मनों के हाथों सहे उसके पीछे भी उनकी वही मज़हबी शिद्दत पसंदी थी जिसका मुज़ाहिरा आज वो फ़िलिस्तीनी सरज़मी पर करते हैं। हालाँकि अरबों ने उन्हें अपनी ज़मीन का वोह हिस्सा जिसे आज इज़राइल (Israel) कहा जाता है नाज़ी ज़ुल्म से बचाने और बसाने के लिए दिया था लेकिन आज उसी ज़मीन पर क़ौम-ए-यहूद ने अपनी एक ऐसी सल्तनत खड़ी की है जो दुनिया के लिए मिसाली है। और ये सब उन्होंने 14 मई 1948 के दिन एक मुल्क़ की शक्ल में अपनी क़ामिलियत के बाद पिछले 70 सालों में बिना किसी ख़ास दौलत-ओ-असबाब के फ़क़त अपने इल्म के ज़रिए तैयार किया। उस क़ौम-ए-यहूद के लिए यह एक अज़ीम कामयाबी है जिसके लगभग हर फ़र्द (Individual) ने अपने किसी न किसी रिश्तेदार या मिलने वाले को दुसरी आलमी जंग में खोया था।

हम जाती तौर पर क़ौम-ए-यहूद से चाहे जितनी भी नाइत्तेफ़ाक़ी रखते हो मगर उनसे सीखने जैसा यह है कि अपनी तमाम बर्बादियों और ज़िल्लत-ओ-रुसवाई के बावजूद भी जब वो इज़राइल में आकर बसे या भागकर अमेरिका जैसे मुल्कों में पनाह के लिए पहुँचे तो उन्होंने सबसे पहला काम अपने लिए नए सिनागोग (Synagogue, यहूदी इबादतग़ाह) बनाने का नहीं बल्कि खुद को ज़्यादा तालीमयाफ़्ता बनाने का किया। उन्होंने अपना ज़्यादातर वक़्त कुतुबखानों (Libraries) में सर्फ़ किया ताकि वो एक नई शक्ल में खुद को तैयार कर सकें और मुस्तक़बिल में फ़िर कभी उस तल्ख़ तजुर्बे से न गुज़रे जिसका उनकी नस्लों ने सामना किया था। इस क़ौम ने साबित किया कि वक़्त चाहे जितना भी सख़्त क्यों न

हो लेकिन सही तालीम और मज़बूत इरादे से यह बदलता ज़ुरूर है। आज इज़राइल अमेरिका के बाद जंगी हथियारों का सबसे बड़ा मरकज़ है और हर साल करोड़ो डॉलर नए-नए तज़ुर्बों पर सर्फ़ करता है। यह दौलत वोह दुनिया की उन जंगी हथियारों की तलब (Demand) को पूरा करके हासिल करता है जिसे दुसरे मुल्क पूरा नहीं कर सकते और इसीलिए आलमी बिरादरी में उसकी क़ुबूलियत हर दिन बढ़ती जाती है।

कुदरत का एक क़ानून यह भी है कि वोह हमें जो कुछ भी किसी एक शक्ल में देती है उसे किसी दुसरी शक्ल में हमसे वापस ले लेती है और इस तरह उसका निज़ाम चलता रहता है। तवानाई के तहफ़्फ़ुज़ का क़ानून भी कहीं-न-कहीं इस बात की तस्दीक़ करता है। लेकिन हमारी आज़ादी और हमारा वक़ार दो ऐसी शय हैं जिन्हें कुदरत हमसे कभी वापस नहीं ले सकती क्योंकि ये उस तवानाई का हिस्सा नहीं है जो ताबियाती क़वानीन से बंधी हुई है। अलबत्ता कभी-कभी हम ख़ुद ही इन्हें अपने हाथों खो देते हैं। जिस तरह इल्म ख़ुदा की अपनी ज़ात से बंधी हुई शय है जिसे तमाम कायनात को क़ाबू करने के लिए ही ख़ल्क़ किया गया है उसी तरह हमारी आज़ादी और हमारा वक़ार भी ख़ुदा की बख़्शी हुई वो नैमतें हैं जिनकी एक इंसान को हमेशा हिफाज़त करनी चाहिए। इंसान का इल्म उसके साथ दुसरी दुनिया में जाएगा या नहीं इस सिलसिले में मैं कोई दवा पेश नहीं कर सकता लेकिन उसका वक़ार बेशक़ दुसरी दुनिया तक जात हैं। और यही वजह है कि इंसान को इल्म को समझने की क़ाबिलियत अदा की गयी है ताकि वोह इसके ज़रिए अपने ख़ुदा की असल हक़ीक़त जान सकें और अपने वक़ार को फ़रोग़ दे सकें। ऐसे में यह इंसान का इल्म के साथ एक बेइंसाफ़ी करना है कि वोह इल्म से बेरुख़ी बरतते हुए अपना वक़्त महज़ दुनिया में शरअंगेज़ियाँ फ़ैलाने और महफ़िलों में ज़ाया करने में ही सर्फ़ कर इस दुनिया से चला जाए। उसे तो हक़ीक़तन इस कायनात को फ़त्तह करने में अपनी ज़िन्दगी सर्फ़ कर देनी चाहिए ताकि वोह क़ाबिल-ए-ज़िक्र[76:1] होने

के अपने एजाज़ (Prestige) को तक़मील दे सकें क्योंकि इस एजाज़ का गवाह खुद उसका ख़ुदा है। इंसान खुद इस एजाज़ का गवाह कभी नहीं हो सकता।

याद रखिए कि एक बेइल्म शक़्स हमेशा ही अपनी पहचान अपने मज़हब के ज़रिए से तलाशता है जबकि किसी आलिम शक़्स का इल्म ही उसकी पहचान और उसका असली मज़हब बन जाता है, इसलिए अगर इल्म के हवाले से हम अभी भी किसी किस्म की ग़फ़लत का शिकार हैं तो हमें अपने तमाम मज़हबी और ग़ैर-मज़हबी यक़ीनों पर एक नज़र-ए-सानी (Reconsideration) करनी चाहिए।

शुक्रिया